T4-BAH-869

UEBERREUTER KLASSIKER

Mark Twain

TOM SAWYER

UEBERREUTER

Das säurefreie und alterungsbeständige Papier EOS liefert Salzer, St. Pölten
(hergestellt aus chlorfrei gebleichtem Zellstoff aus nachhaltiger Forstwirtschaft)

ISBN 978-3-8000-5500-5

Covergestaltung: Martin Gubo
Coverillustration: Marek Zawadzki
Text bearbeitet und gekürzt vom Verlag Carl Ueberreuter

Gedruckt in Österreich
7 6 5 4 3 2 1
Ueberreuter im Internet: www.ueberreuter.at

I

»Tom!«

Keine Antwort.

»Tom!«

Keine Antwort.

»Was ist denn mit dem Jungen schon wieder los? He! Tom!«

Die alte Dame schob ihre Brille auf die Nasenspitze und blickte über sie hinweg durch das Zimmer. Dann hob sie die Brille und sah unter ihr hervor. Da es ihre Staatsbrille, der Stolz ihres Herzens, war, hätte sie sie niemals für etwas so Geringfügiges wie einen kleinen Jungen benutzt. Die Gläser dienten der Schönheit, nicht dem Nutzen, und sie hätte eigentlich ebenso gut durch ein Paar Herdringe sehen können. Sie blickte einen Augenblick verblüfft um sich und sagte dann, nicht gerade zornig, aber doch laut genug, dass es die Möbel hören konnten: »Na warte, wenn ich dich erwische …« Der Satz kam nicht zu Ende, denn inzwischen hatte sie mit dem Besen unter dem Bett herumgestöbert und dazu brauchte sie ihren ganzen Atem, wollte sie der Bewegung die nötige Kraft verleihen.

Alles, was sie eroberte, war die Katze.

»Der Junge ist doch nie zu finden!«

Sie trat in die offene Tür und sah über die Tomatenstauden und wilden Sträucher in den Garten hinaus.

Kein Tom. Sie erhob ihre Stimme und schrie, dass man es weithin hören musste:

»To-o-omm!«

Hinter ihrem Rücken ertönte ein leises Knacken, sie fuhr herum, gerade noch rechtzeitig, um beim Jackenzipfel einen kleinen Jungen festzuhalten und seine Flucht zu verhindern.

»Aha! Warum habe ich nicht gleich an die Speisekammer gedacht? Was hast du da gemacht?«

»Gar nichts.«

»Nichts? Zeig einmal deine Hände! Und was ist denn das, was an deinem Mund klebt?«

»Ich weiß nicht, Tante.«

»Aber ich weiß es. Marmelade ist es! Hundertmal habe ich dir schon gesagt, wenn du deine Finger nicht von der Marmelade lässt, dann werde ich dir das Fell gerben! Gib mir den Stock da!«

Das Rohr schwebte in der Luft. Es bestand höchste Gefahr.

»Um Gottes willen! Vorsicht, Tante!«

Die alte Dame fuhr herum und raffte instinktiv ihre Röcke. Im gleichen Moment war der Junge auch schon geflohen, kletterte über den Bretterzaun und verschwand.

Tante Polly stand einen Augenblick entgeistert da. Dann musste sie lachen.

»Zum Kuckuck mit dem Bengel! Werde ich denn niemals klug werden? Hat er mich nicht schon oft genug hereingelegt, dass ich vorsichtiger sein könnte? Ja, alte Narren sind die allerschlimmsten. Ein alter Hund lernt keine neuen Kunststücke mehr. Du liebe Zeit, er hat ja auch jeden Tag einen anderen Trick, da soll ein Mensch ahnen, was dieses Mal kommt. Er weiß ganz genau, wie lange er mich ärgern kann, ehe mir die Geduld reißt, und er weiß auch, wenn er mich einen Augenblick aufhalten oder zum Lachen bringen kann, ist es wieder vorbei mit dem Zorn, und er entgeht seinen Prügeln. Weiß Gott, ich tue meine Pflicht nicht an dem Jungen, wahrhaftig nicht. ›Wer sein Kind liebt, der züchtigt es‹, sagt die Heilige Schrift. Ich lade den Zorn Gottes auf uns beide, ich weiß es. Aber, Gott im Himmel, er ist doch der Sohn meiner verstorbenen Schwester, der arme Junge. Es hilft nichts, ich habe nicht das Herz ihn zu verprügeln. Jedes Mal, wenn ich ihn laufen lasse, quält mich mein Gewissen, aber immer, wenn ich ihn schlagen will, bricht mir fast das alte Herz. Heute Nachmittag wird er wieder Schule schwänzen und ich werde ihm morgen zur Strafe eine Arbeit aufbrummen müssen. Es ist hart, ihn am Samstag arbeiten zu lassen, wenn alle anderen Jungen frei haben. Aber er hasst Arbeit mehr als alles andere, und ich muss meine Pflicht an ihm tun, sonst werde ich das Kind noch ganz verderben.«

Tom schwänzte tatsächlich die Schule und er verbrachte einen vergnügten Nachmittag. Er kam gerade noch rechtzeitig nach Hause, um Jim, dem kleinen Negerjungen, das Holz für die nächsten Tage sägen zu helfen – das heißt rechtzeitig, um Jim seine Abenteuer zu erzählen, während der Schwarze drei Viertel der Arbeit tat.

Toms jüngerer Bruder, richtiger sein Stiefbruder Sid, der die Späne aufzuklauben hatte, war mit seiner Arbeit längst fertig, denn er war ein stiller Junge und hatte keine Abenteuer zu erzählen.

Während Tom sein Abendbrot aß und nach einer Gelegenheit suchte, Zucker zu stibitzen, stellte ihm Tante Polly arglistige und verfängliche Fragen. Sie wollte ihn bei einem verräterischen Wort ertappen und festnageln. Wie so viele einfältige Seelen bildete sie sich besonders viel auf ihr Talent für die dunkle und geheimnisvolle Kunst der Diplomatie ein. Sie pflegte gerade ihre durchsichtigsten Absichten als Wunder an Tücke und Verschlagenheit zu betrachten.

»Es war recht warm in der Schule, nicht wahr, Tom?«

»Hm!«

»Mächtig warm, was?«

»Hm!«

»Hast du keine Lust gehabt, schwimmen zu gehen, Tom?«

Tom zuckte leise zusammen, ein leiser unbehaglicher Verdacht befiel ihn. Er forschte in Tante Pollys Gesicht, aber es verriet nichts.

»Hm! Nö – das heißt, nicht besonders.«

Die alte Dame streckte ihre Hand aus und befühlte Toms Hemd, dann sagte sie:

»Aber jetzt ist dir nicht mehr besonders heiß?«

Es schmeichelte ihr, entdeckt zu haben, dass das Hemd trocken war, ohne dass jemand ahnte, worauf sie hinauswollte.

Aber Tom wusste, woher der Wind wehte; er sah schon ihren nächsten Schachzug voraus und kam ihr zuvor.

»Ein paar von uns haben sich Wasser über den Kopf gepumpt – meiner ist noch ganz nass. Siehst du?«

Tante Polly war ärgerlich, dass sie diesen kleinen, aber

wichtigen Umstand übersehen und sich so einen Schlich hatte entgehen lassen. Aber dann kam ihr eine neue Eingebung.

»Tom, du brauchtest doch deinen Kragen gar nicht abzunehmen, wenn du dir Wasser über den Kopf pumpen wolltest, nicht? Ich hatte ihn dir ja festgenäht. Mach deine Jacke auf!«

Die Besorgnis verschwand aus Toms Gesicht. Er öffnete seine Jacke. Der Kragen war fest angenäht!

»Na, dann mach, dass du wegkommst. Ich hätte gewettet, du hast geschwänzt und warst schwimmen. Ich vergebe dir. Du bist ja schlau wie eine Katze, Tom, aber manchmal bist du besser, als du aussiehst.«

Teils war sie ärgerlich, dass ihre Diplomatie versagt hatte, teils freute sie sich, dass Tom dieses eine Mal auf den Weg des Gehorsams gestolpert war.

Da aber sagte Sidney:

»Komisch, ich dachte, du hättest seinen Kragen mit weißem Faden angenäht. Der da ist schwarz.«

»Was? Natürlich habe ich ihn weiß angenäht! Tom!«

Aber Tom wartete den Schluss nicht ab. Als er aus der Tür flitzte, sagte er:

»Dafür kriegst du Prügel, Siddy.«

An sicherem Orte prüfte Tom die zwei großen Nadeln, die in dem Futter seiner Jacke steckten – eine mit einem weißen, die andere mit einem schwarzen Faden.

»Nur durch Sid hat sie es rausgekriegt«, brummte er.

»Verflixt noch mal, manchmal näht sie mit Schwarz und dann wieder mit Weiß, warum, zum Teufel, kann sie nicht bei einer Farbe bleiben, wie soll ich mir ihre Reihenfolge merken? Aber Sid wird es mir büßen! Ich will auf der Stelle umfallen, wenn das nicht wahr ist.«

Tom war nicht gerade der Musterknabe des Ortes. Er kannte den Musterknaben genau, aber er verachtete ihn zutiefst. Es waren noch keine zwei Minuten verflossen, da hatte er alle seine Sorgen vergessen. Nicht deshalb, weil seine Sorgen weniger schwer und bitter gewesen wären als die eines Erwachsenen, sondern weil ein neues, starkes Interesse die Oberhand gewann und sie vorübergehend aus seinen Gedanken verdrängte, wie eben immer Schicksalsschläge in Vergessenheit geraten, wenn neue Unternehmungen heranrücken.

Was Tom jetzt gefangen nahm, war eine wichtige Neuerung in der Kunst des Pfeifens, die er soeben einem Neger abgeschaut hatte. Er brannte darauf, sie ungestört auszuprobieren. Es handelte sich um einen eigenartigen, vogelähnlichen Laut, der dadurch zustande kam, dass man die Zunge in kurzen Zwischenräumen mitten im Ton schnell gegen den Gaumen stieß. Sicherlich wird sich der Leser, wenn er je ein Junge gewesen ist, genau erinnern, wie das gemacht wird. Tom hatte durch Fleiß und Aufmerksamkeit bald eine gewisse Fertigkeit erlangt und er schlenderte nun vergnügt die Straße hinunter, den Mund voll Harmonie und die Seele voll Dankbarkeit. Er fühlte sich etwa wie ein Astronom, der einen neuen Planeten entdeckt hat. Was die Stärke, Tiefe und Reinheit der Freude betrifft, so war zweifellos der Junge dem Astronomen überlegen.

Die Sommerabende waren lang. Es war noch nicht dunkel. Plötzlich unterbrach Tom sein Pfeifen. Ein Fremder stand vor ihm. Ein Junge, der etwas größer war als er selbst. In dem armseligen kleinen Ort St. Petersburg war jeder Neuankömmling jeden Alters und Geschlechts eine Art Wunder. Der Junge war gut angezogen, ja viel zu gut angezogen für einen Wochentag. Es war einfach erstaunlich! Seine Mütze war ein zierliches Etwas, seine zugeknöpfte blaue Jacke nagelneu und die Hose ebenfalls. Er hatte sogar Stiefel an, dabei war doch erst Freitag! Ja, er trug eine Krawatte, ein farbenfrohes Stück Band! Kurz, er hatte einen städtischen Nimbus um sich, der Tom zutiefst reizte. Je länger er dieses strahlende Wunder anstarrte, desto mehr rümpfte er die Nase über dessen Feinheit – und umso schäbiger kam ihm seine eigene Kleidung vor.

Keiner der beiden Jungen sprach. Wenn der eine sich bewegte, bewegte sich auch der andere, aber nur seitwärts, im Kreis herum. Sie hielten einander mit den Augen fest. Schließlich fing Tom an:

»Ich kann dich verhauen!«

»Das möchte ich doch einmal sehen!«

»Doch, ich kann es!«

»Du kannst überhaupt nichts!«

»Doch, kann ich!«

»Nichts kannst du!«

»Ich kann!«

»Nichts!«

Peinliche Pause. Dann fragte Tom:

»Wie heißt du?«

»Was geht dich das an?«

»Ich werde dir schon zeigen, was es mich angeht!«

»Warum zeigst du's dann nicht?«

»Wenn du noch viel sagst, tu ich es!«

»Viel, viel, viel! Na, los!«

»Ach, du denkst wohl, du bist mächtig fein, was? Wenn ich wollte, könnte ich dich mit einer Hand verhauen.«

»Fabelhaft! Warum tust du's denn nicht? Du sagst bloß immer, du kannst.«

»Ich werde es auch, wenn du mich hier zum Narren hältst.«

»Von deiner Sorte nehme ich es mit einem ganzen Haufen auf!«

»Affe! Du denkst wohl, du bist wer, du mit deinem blöden Hut!«

»Hau ihn doch herunter! Versuch's nur, aber nummerier vorher deine Knochen.«

»Du bist ein Lügner.«

»Selbst Lügner!«

»Feigling, traust dich nicht heran!«

»Los, mach, dass du wegkommst!«

»So siehst du aus.«

»Du, wenn du hier noch lange redest, nehme ich einen Stein und schlage ihn an deinem Kopf kaputt.«

»Oh, natürlich machst du das.«

»Doch, bestimmt!«

»Na, warum tust du es denn dann nicht? Du sagst immer, du willst, und bringst nichts fertig! Weil du Angst hast.«

»Ich und Angst!«

»Doch hast du Angst.«

»Ich habe keine!«

»Doch!«

Wieder eine Pause. Wieder gegenseitiges Anstarren

und seitliches Umkreisen. Plötzlich standen sie Schulter an Schulter.

Tom knurrte:

»Geh da weg!«

»Geh doch selbst weg!«

»Ich denk gar nicht dran.«

»Ich doch erst recht nicht.«

So standen sie, jeder einen Fuß als Stütze quer vorgestellt, und beide schoben mit aller Macht und glühten sich hasserfüllt an. Keiner vermochte jedoch die Oberhand zu gewinnen. Sie rangen, bis sie heiß und hochrot waren.

Dann traten beide voll vorsichtiger Wachsamkeit etwas zurück.

Tom erklärte:

»Du bist ein Feigling. Ich sag's meinem großen Bruder, der verhaut dich mit dem kleinen Finger.«

»Meinst du, ich habe vor deinem großen Bruder Angst? Mein Bruder ist noch viel größer. Was denkst du, der schmeißt dich glatt über den Zaun da.«

Beide großen Brüder waren erdichtet.

»Du lügst.«

»Vielleicht, weil du es sagst, ja?«

Tom zog mit seiner großen Zehe einen Strich durch den Sand und sagte:

»Trau dich nicht, hier rüberzutreten, oder ich verhau dich, dass du liegen bleibst! Wer hier rübergeht, ist ein toter Mann.«

Sofort trat der Neue über den Strich und höhnte:

»Na, was ist? Du hast gesagt, du machst's, jetzt zeig einmal, wie du's machst!«

»Reiz mich nicht! Sieh dich vor, du!«

»Warum tust du es dann jetzt nicht?«

»Zum Kuckuck! Für zwei Pfennige mach ich es!«

Der Neue holte zwei Kupfermünzen aus der Tasche und hielt sie Tom herablassend hin. Tom schlug sie zu Boden. Im nächsten Augenblick wälzten sich die beiden Jungen im Dreck, festgebissen wie zwei Katzen. Eine ganze Weile zerrten und rissen sie einander an den Haaren und Kleidern, boxten und kratzten sich die Nasen und bedeckten sich mit Schmutz und Ruhm.

Nach einiger Zeit nahm der verschlungene Klumpen Form an und aus dem Schlachtenstaub tauchte Tom empor, der rittlings auf dem neuen Jungen saß und ihn mit Faustschlägen traktierte.

»Genug?«, schrie er.

Die einzige Antwort war ein Befreiungsversuch. Der Junge heulte, aber mehr aus Wut.

»Sag, dass du genug hast!«, schrie Tom und die Keilerei ging weiter.

Endlich presste der Fremde ein halb verschlucktes »Genug!« hervor. Tom ließ ihn aufstehen und keuchte:

»Jetzt hast du etwas gelernt, was? Ein andermal pass auf, mit wem du anbindest.«

Der Neue zog ab. Er schlug sich den Schmutz von den Kleidern, heulte, schniefte, und von Zeit zu Zeit drehte er sich um und drohte, was er alles mit Tom machen würde, wenn er ihn »das nächste Mal zu fassen« kriegte.

Worauf Tom mit Hohngelächter antwortete und sich stolz davontrollte.

Kaum hatte er den Rücken gedreht, da ergriff der

Besiegte einen Stein, warf und traf Tom zwischen den Schultern. Im nächsten Moment gab er Fersengeld. Tom verfolgte den Verräter bis an dessen Haus und bekam auf diese Weise heraus, wo er wohnte. Eine Zeit lang hielt er Wache am Gartentor und forderte den Feind auf herauszukommen, aber der schnitt nur Grimassen durch das Fenster und lehnte jede weitere Annäherung ab. Zuletzt kam die Mutter des Feindes, nannte Tom einen ungezogenen, boshaften, ordinären Bengel und befahl ihm, sich davonzuscheren. Da ging er. Aber nicht ohne zu erklären, dass er sich nächstens »erlauben« würde, den Jungen »abzuholen«.

Er kam an diesem Abend ziemlich spät nach Hause. Als er vorsichtig zum Fenster hineinkletterte, stieß er auf einen Hinterhalt in Person seiner Tante!

Sie sah sofort den Zustand seiner Kleider und ihr Entschluss, den freien Samstag in die Gefangenschaft schwerer Arbeit zu verwandeln, bekam eiserne Festigkeit.

2

Der Samstag brach an. Die sommerliche Welt leuchtete frisch und sprudelnd vor Leben. Jedes Herz war voll Gesang, und war das Herz jung, strömte er über die Lippen. Freude lag auf jedem Gesicht und jeder Schritt war elastisch. Die Akazien blühten und der Duft ihrer Dolden erfüllte die Luft. Der Hügel oberhalb des Dorfes war voller Blüten. Er war gerade weit genug entfernt, um dem Blick als gelobtes Land zu erscheinen; träumerisch, ruhevoll und einladend.

Tom erschien auf dem Gehsteig mit einem Eimer Weißkalk und einem riesigen Pinsel. Er betrachtete den Zaun. Alle Fröhlichkeit schwand aus seinem Wesen und tiefe Melancholie bemächtigte sich seiner.

Dreißig Meter Gartenzaun! Über zweieinhalb Meter hoch! Das Leben erschien ihm leer und das Dasein nichts als eine Last. Seufzend tauchte er den Pinsel ein und führte ihn über die oberste Planke. Einmal, zweimal wiederholte er die Prozedur. Dann verglich er den winzigen weiß getünchten Streifen mit dem weiterhin drohenden Kontinent des schmutzig grauen Zaunes und setzte sich entmutigt auf einen Baumstamm.

Jim kam aus der Tür geschlendert. Er trug einen Zinneimer und sang »Die Mädchen von Buffalo«. Wasserholen war in Noms Augen immer eine hassenswerte Schwerarbeit gewesen. In diesem Augenblick schien es ihm eine Erholung. Er dachte daran, dass es bei der Pumpe ja Gesellschaft gab. Dort standen Weiße, Mulatten, Negerjungen und Mädchen herum, warteten auf ihre Eimer, ruhten sich aus, schacherten um Spielzeug, stritten, balgten sich, und immer gab es etwas zu lachen. Er dachte auch daran, dass Jim, obwohl die Pumpe nur hundertfünfzig Schritte entfernt lag, niemals einen Eimer Wasser rascher als in einer Stunde brachte; und auch dann gewöhnlich nur, wenn man jemanden hinter ihm herschickte.

Tom begann zu verhandeln:

»He, Jim, wenn du ein bisschen streichst, hole ich Wasser für dich.« Jim schüttelte den Kopf:

»Geht nicht, Massa Tom. Alte Missis sagt, ich ganz schnell Wasser holen und mit niemandem sprechen. Sie sagt, Massa Tom wird probieren mich streichen lassen, aber ich nicht soll hören und auf mein eigenes Geschäft passen. Auf Streichen sie schon selbst aufpassen.«

»Pah, die meint das nicht so, wie sie es sagt, Jim, so redet sie immer. Gib mir den Eimer, ich bin in einer Minute wieder zurück. Sie braucht es ja gar nicht zu wissen.«

»Oohh, darf nicht, darf nicht, Massa Tom. Alte Missis mir Kopf abreißen. Wahrhaftig abreißen!«

»Die? Die kann ja keinen hauen! Klopft einem mit dem Fingerhut auf den Schädel, wer macht sich denn daraus was? Erst redet sie immer mächtig, aber reden tut nicht weh. Das heißt, wenn sie nicht dabei heult. Jim, ich geb dir eine Murmel! Jim – ich geb dir eine weiße Glaskugel!«

Jim schwankte.

»Eine weiße Glaskugel, Jim! Schau! Tolles Ding!«

»Ach! Das furchtbar feine Murmel, kann dir sagen. Massa Tom, hab aber schrecklich Angst vor alte Missis.«

Schwach ist der Mensch – diese Attraktion war zu stark für sein Pflichtgefühl. Er setzte den Eimer nieder und nahm die weiße Murmel.

Einen Augenblick später flog er die Straße hinunter mit seinem Eimer und einem blauen Fleck auf dem Rücken. Tom aber tünchte mit aller Kraft und Tante Polly kehrte vom Schlachtfeld zurück, einen Pantoffel in der Hand und Triumph im Blick. Doch Toms Arbeitswut war nicht von langer Dauer. In seinem Kopf wogten alle die Kriegspläne, die er für diesen Tag geschmiedet hatte, hin und her, und seine Sorgen vervielfachten sich. Bald würden die Jungen, die freihatten, vorüberkommen auf dem Wege zu allen möglichen Expeditionen, und sie würden ein furchtbares Hohngelächter anschlagen, dass er arbeiten musste. Der Gedanke allein brannte wie Feuer. Er kramte alle seine Reichtümer hervor und prüfte sie: Stücke von Spielsachen, Murmeln und anderes Zeug: vielleicht genug, um eine Arbeit gegen eine andere auszutauschen, aber nicht genug, um eine so wertvolle Sache wie auch nur eine halbe Stunde Freiheit zu erkaufen. Mutlos steckte er seine armseligen und reichlich beschädigten Besitztümer in die Tasche zurück und strich weiter.

Wenn die Not am größten, ist Gottes Hilfe am nächsten: In diesem dunklen und hoffnungslosen Augenblick kam ihm eine Inspiration, eine große, eine großartige Erleuchtung! Er nahm seinen Pinsel wieder auf und ging zuversichtlich an die Arbeit.

Ben Rogers kam soeben in Sicht, gerade der Junge, dessen Hohn er am meisten fürchtete. Bens Gang war ein einziges Hüpfen, Tanzen und Springen – Beweis genug, dass sein Herz leicht und seine Ziele hoch gesteckt waren. Er aß einen Apfel und stieß dabei ab und zu einen langen, melodischen Pfiff aus, dem jedes Mal ein tiefes »Bickebuckebickebuckebickebucke« folgte, denn er stellte einen Dampfer vor. Als er näher herankam, stoppte er den Motor, lenkte auf die Mitte der Straße, lehnte sich weit nach Steuerbord über und drehte bei. Das geschah mit mühseliger Umständlichkeit und großem Pomp, denn er war der »Große Missouri« und hatte sozusagen einen Tiefgang von neun Fuß. Er war Dampfboot, Kapitän und Schiffsglocke in einem und musste auf seinem eigenen Kommandodeck stehen, Befehle geben und sie selbst ausführen.

»Stoppen! Klingeling-ling!«

Die Hauptstraße war beinahe zu Ende und er bog langsam in den Seitenweg ein.

»Halbe Kraft rückwärts! Klingeling-ling!« Seine Arme hoben und senkten sich ruckweise.

»Steuerbord rückwärts! Klingeling-ling! Tuut! Tuhuut Tut!«

Der rechte Arm ruderte inzwischen gewaltig in der Luft umher, denn er stellte ein Schaufelrad von vierzig Fuß Umfang vor.

»Backbord rückwärts! Klingelingeling! Tuut! Tuhuut Tut!«

Die linke Hand begann ebenfalls zu rudern.

»Steuerbord stopp! Klingelingeling! Backbord stopp! Steuerbord langsam vorwärts – stopp! Anker frei! Klingelingeling! Tuut! Tuhutt! Achtung! Taue los! ... Heda, lustig, was ist mit dem Tau, hallo, fest das Tau an den Pfahl da! Maschine stoppen, Mann! Klingeling-ling.«

»Schtschtscht!« Die Ventile arbeiteten.

Seelenruhig tünchte Tom seinen Zaun, ohne den Dampfer zu bemerken. Ben starrte einen Augenblick, dann sagte er:

»He – he – auf dem Trocknen, was?«

Keine Antwort. Mit dem Blick des Künstlers betrachtete Tom seine Malerei, dann gab er dem Pinsel einen eleganten Schwung und prüfte wieder das Resultat. Ben legte sich längseits von ihm. Beim Anblick des Apfels lief Tom das Wasser im Mund zusammen, aber er blieb in seine Arbeit versunken.

Ben sagte:

»Hallo, alter Freund, du musst also arbeiten, was?«

Tom fuhr herum:

»Ach, du bist's, Ben! Hab dich gar nicht gesehen.«

»Du, ich gehe jetzt schwimmen. Möchtest du nicht auch? Aber ich glaube, du arbeitest lieber, was? Viel lieber, nicht?«

Tom betrachtete den Jungen von oben bis unten und sagte:

»Was nennst du denn arbeiten?«

»Wieso? Ist das vielleicht keine Arbeit?«

Tom fing wieder an zu streichen und antwortete gleichgültig:

»Kann sein ja, kann sein nein. Ich weiß nur, dass es Tom Sawyer Spaß macht.«

»Du willst doch nicht etwa sagen, dass du das gern tust?«

Der Pinsel ging weiter hin und her.

»Gern? Warum soll ich das nicht gern tun? Kriegt ein Junge vielleicht jeden Tag einen Zaun zu pinseln?«

Das setzte die Sache in ein neues Licht. Ben unterbrach sein Knabbern. Tom schwang den Pinsel rauf und runter, trat zurück, um die Wirkung zu prüfen, fügte hier und da einen Strich dazu, kritisierte wieder das Ergebnis. Ben bewachte jetzt jede Bewegung und sein Interesse wuchs.

Plötzlich sagte er:

»Tom, lass mich einmal ein bisschen streichen.«

Tom überlegte. Er schien schon bereit zuzustimmen, aber er änderte wieder seinen Entschluss:

»Nein, lieber nicht; es wird nicht gehen, Ben. Tante Polly nimmt es furchtbar genau mit dem Zaun, weißt du. Es ist auch gerade hier so an der Straße – wenn es so ein hinterer Zaun wäre, hätte ich ja nichts dagegen und sie auch nicht. Aber auf den Zaun hier ist sie mächtig scharf und es muss ganz sorgfältig gemacht werden. Ich glaube, es gibt nicht einen Jungen unter tausend, höchstens unter zweitausend, der das so machen kann, wie es sein muss.«

»Tatsächlich? Ach, komm, lass mich einmal versuchen, bloß ein bisschen, ich würde dich auch lassen, wenn ich es wäre, Tom.«

»Bei Gott, Ben, ich täte es gern, aber Tante Polly ... Jim wollte vorhin auch, aber sie hat es nicht erlaubt. Auch Sid wollte gern, aber sie lässt ihn auch nicht. Siehst du, ich bin festgenagelt. Wenn du den Zaun zu Ende streichst und irgendetwas geht schief ...«

»Ach, Quatsch! Lass mich einmal probieren. Du, ich geb dir den Rest von meinem Apfel.«

Tom gab ihm den Pinsel, Widerwillen im Gesicht, Frohlocken im Herzen. Und während das weiland Dampfboot »Big Missouri« in der heißen Sonne arbeitete und schwitzte, saß der in Ruhestand versetzte Künstler im Schatten auf einem Fass, ließ die Beine baumeln, knabberte an seinem Apfel und hielt nach neuen Opfern für seine Schlachtbank Ausschau. Es fehlte nicht an Material.

Immer wieder schlenderte ein Junge vorbei. Sie kamen, um sich lustig zu machen, und sie blieben, um zu – pinseln. Denn mit der Zeit wurde Ben müde. Tom hatte aber schon die nächsten Latten des Zaunes an Billy Fischer vermietet gegen einen gut erhaltenen Drachen. Als Billy fertig war, erwarb Jonny Miller das nächste Stück zum Malen. Er zahlte dafür eine tote Ratte und ein Stück Bindfaden, an dem man sie herumschwingen konnte. So ging es Stunde um Stunde weiter, und als der halbe Nachmittag um war, war aus dem kümmerlichen, mit Armut geschlagenen Tom des Morgens buchstäblich ein Kapitalist geworden, der im Reichtum schwamm. Außer den Dingen, die ich schon erwähnt habe, besaß er zwölf Murmeln, ein Stück von einer Mundharmonika, eine blaue Glasscherbe, als Monokel zu gebrauchen, ein zerbrochenes Blasrohr, einen Schlüssel, der nirgends passte, einen Brocken Kreide, einen Glasstöpsel von einer Karaffe, einen Zinnsoldaten, ein paar Kaulquappen, sechs Knallerbsen, ein lebendiges Kätzchen, das nur ein Auge hatte, einen Türgriff aus Messing, ein Hundehalsband, einen Messergriff, vier Stück Apfelsinenschale und einen demolierten Fensterrahmen. Zu alledem hatte er eine gute, vergnügte, faule Zeit gehabt, massenhaft Gesellschaft – und der Zaun war mit einer dreifachen Tünche versehen! Wenn nicht schließlich die Farbe ausgegangen wäre, hätte er bestimmt sämtliche Jungen des Ortes bankrott gemacht.

Tom fand, dass die Welt alles in allem doch gar nicht so schlecht sei. Er hatte, ohne es zu ahnen, ein wichtiges Gesetz entdeckt, welches das menschliche Handeln bestimmt: dass nämlich, um das Begehren eines Mannes oder eines Jungen nach etwas zu wecken, nichts weiter nötig ist, als die Sache schwer erreichbar zu machen. Es ist die alte Geschichte von den Kirschen in Nachbars Garten …

Wäre Tom ein großer und weiser Philosoph gewesen wie der Verfasser dieses Buches, würde er nun verstanden haben, dass Arbeit immer nur das ist, was man tun muss, und Vergnügen das, was man gern tut. Dann hätte er auch verstanden, warum es Arbeit ist, künstliche Blumen herzustellen oder in einer Tretmühle zu gehen, während Kegelscheiben oder auf den Montblanc steigen nur ein Vergnügen ist. In England gibt es reiche Herren, die im heißen Sommer einen Vierspänner an einem Tag zwanzig oder dreißig Meilen weit kutschieren, nur weil das Anrecht darauf sie eine ungeheure Summe Geld kostet. Wenn man ihnen aber vorschlagen wollte, dasselbe um Lohn zu tun, dann würden sie sich weigern, denn dann würde sich das »Dürfen« in »Müssen« und damit das Vergnügen in Arbeit umwandeln.

3

Tom trat vor Tante Polly hin, die am offenen Fenster des freundlichen Hinterzimmers saß, das Schlaf-, Wohn-, Ess- und Arbeitszimmer zugleich war. Die linde Sommerluft, die tiefe Stille, der starke Duft der Blumen und das einschläfernde Summen der Bienen hatten ihre Wirkung ausgeübt: Sie hatte ja auch keine andere Gesellschaft als die Katze und die war schon vor ihr auf ihrem Schoß eingeschlafen. Die Brille hatte sie sicherheitshalber auf ihren grauen Scheitel geschoben. Natürlich hatte Tante Polly gedacht, Tom sei längst auf und davon, und sie war verblüfft, dass er sich jetzt so furchtlos der Obrigkeit stellte.

»Kann ich jetzt spielen gehen, Tante?«, fragte er unschuldig.

»Was? Jetzt schon? Wie viel hast du denn?«

»Es ist alles fertig, Tante.«

»Lüg mich nicht an, Tom. Ich kann das nicht vertragen.«

»Ich lüge gar nicht, Tante. Es ist ganz und gar fertig.«

Tante Polly hatte nur wenig Vertrauen zu solchen Versicherungen. Sie ging hinaus, um die Sache zu besehen, und sie wäre vollauf zufrieden gewesen, hätte sie zwanzig Prozent gestrichen gefunden. Unbeschreiblich war ihr Erstaunen, als sie den ganzen Zaun nicht nur getüncht, sondern auch noch doppelt gestrichen fand und sogar bis hinunter zum Boden!

»Das hätte ich nie gedacht!«, rief sie. »Dagegen ist nichts zu sagen, wenn du willst, kannst du schon arbeiten, Tom!« Sofort aber schwächte sie das Lob wieder ab, indem sie hinzufügte: »Aber es ist leider sehr selten, dass du willst, muss ich schon sagen. Na, dann geh und spiel, aber wehe dir, wenn du nicht noch in dieser Woche nach Hause kommst!« Sie war so überwältigt von dem Glanz seiner Leistung, dass sie ihn mit in die Speisekammer nahm und ihm einen besonders schönen Apfel aussuchte, zusammen freilich mit einer eindrucksvollen Rede über den besonderen Wert und Reiz eines solchen Genusses, wenn er ein Lohn der Tugend sei. Und während sie mit einer wohl gelungenen Wendung aus der Heiligen Schrift ihre Predigt beendete, ließ Tom einen Pfannkuchen mitgehen.

Er lief hinaus und sah gerade Sid die äußere Treppe heraufsteigen, die zu den Hinterzimmern im zweiten Stock führte. Ein paar Lehmklumpen waren nicht weit und schon war die Luft voll davon. Sie prasselten um Sid wie ein Hagelsturm. Bevor Tante Polly ihre überraschten Sinne sammeln und zu Hilfe eilen konnte, hatten sechs oder sieben Klumpen den gewünschten Erfolg gehabt und Tom war bereits über den Zaun gesprungen. Es gab natürlich eine Tür, aber gewöhnlich war er zu sehr in Eile, um sie zu benutzen. Jetzt hatte seine Seele Ruhe. Die Rechnung mit Sid, der ihn durch den Hinweis auf den schwarzen Faden in die Klemme gebracht hatte, war beglichen.

Tom lief um den ganzen Garten herum und kam auf einen stachligen Weg, der hinten am Kuhstall der Tante vorbeiführte. Hier erst war er sicher vor Verfolgungen und wandte sich nun dem Marktplatz des Ortes zu, wo sich zwei Kompanien von Jungen in Schlachtordnung gegenüberstanden. Es war alles vorher verabredet worden. Tom war der General der einen dieser Armeen, Joe Harper, sein Busenfreund, Feldherr der anderen. Die Heereszüge setzten sich in Marsch. Die beiden Oberstkommandierenden ließen sich keineswegs herab, in eigener Person zu kämpfen – das war Sache des gemeinen Volkes –, sondern saßen zusammen auf einer kleinen Anhöhe und leiteten die Operationen durch Befehle, mit denen sie ihre Adjutanten herumschickten. Nach langer, harter Schlacht gewann Toms Armee einen großen Sieg. Dann wurden die Toten gezählt, die Gefangenen ausgetauscht, die Dauer des Waffenstillstandes und der Tag für die nächste Schlacht verabredet. Danach bildeten die Truppen Marschformationen und zogen ab und Tom machte sich allein auf den Heimweg.

Als er an dem Haus vorbeikam, wo Jeff Thatcher wohnte, bemerkte er im Garten ein fremdes Mädchen. Es war ein reizendes, blauäugiges Wesen mit zwei blonden Zöpfen und einem weißen Sommerkleid, unter dem die Stickerei der Spitzenhöschen hervorsah. Ohne einen Schuss abgegeben zu haben, kapitulierte der soeben zum Sieg gekrönte Held! Verschwunden war aus seinem Herzen eine gewisse Amy Lawrence und ließ nicht einmal eine blasse Erinnerung zurück. Er hatte geglaubt, er liebe sie für immer und bis zum Wahnsinn, er hatte seine Leidenschaft für Anbetung gehalten.

Jetzt stellte sich heraus, dass es nichts als eine armselige, flüchtige kleine Zuneigung gewesen war. Er hatte monatelang um sie geworben und erst vor einer Woche war ihr Widerstand gefallen. Sieben Tage lang war er der glücklichste und stolzeste Junge der Welt gewesen, nun war sie in weniger als einem Augenblick aus seinem Herzen entschwunden wie ein gelegentlicher Besucher, dessen Visite zu Ende ist.

Mit verstohlenen Blicken schmachtete er seinen neuen Engel an, bis er bemerkte, dass sie ihn entdeckt hatte. Von diesem Augenblick an schien er von ihrer Anwesenheit nichts mehr zu bemerken. Dagegen begann er nun sich aufzuspielen, auf alle jene tausend Arten, die Jungen zu erfinden pflegen, um scheinbar absichtslos Bewunderung zu erwecken. Er zeigte alle nur möglichen Narreteien, doch als er nach einer Weile mitten in einem halsbrecherischen Kunststück zur Seite schielte, sah er, wie sich das Mädchen dem Haus zuwandte.

Tom lehnte sich an den Gartenzaun. Er seufzte laut in der Hoffnung, sie noch etwas aufzuhalten. Einen Moment stockte sie, dann aber schritt sie zur Tür. Als sie ihren Fuß auf die Schwelle setzte, kam wieder ein schwerer, tiefer Seufzer von Toms Lippen, aber gleich darauf erhellte sich sein Gesicht, denn ehe sie verschwand, warf sie hastig ein Stiefmütterchen über den Zaun.

Tom rannte sofort auf die Blume zu, blieb einen Schritt davor plötzlich stehen und begann, die Hand über den Augen, scharf die Straße hinunterzusehen, als habe er dort unten etwas Interessantes entdeckt. Dann hob er einen Strohhalm auf und versuchte ihn auf seiner Nase zu balancieren, wobei er sich beinahe das Genick brach. Unter der Anstrengung dieser Kunstübung kam er immer näher an das Stiefmütterchen heran. Schließlich trat sein nackter Fuß darauf, die geübten Zehen umklammerten den Stängel, und er hüpfte mit seinem Schatz um die Ecke davon.

Aber nur für eine Minute, das heißt nur so lange, bis er die Blume in seiner Jacke geborgen hatte; über dem Herzen, vielleicht auch dem Magen – er war nicht allzu bewandert und auf jeden Fall nicht übermäßig kritisch.

Tom kehrte zurück und lungerte am Gartenzaun herum, bis es dunkel wurde. Er spielte sich wieder auf. Aber das Mädchen zeigte sich nicht mehr. Immerhin tröstete sich Tom ein wenig mit der Hoffnung, dass sie von irgendeinem Fenster aus seine Aufmerksamkeiten bemerkt haben mochte.

So ging er schließlich widerstrebend heim, den armen Kopf voll Fantasiegebilde.

Während des ganzen Abendbrotes war er so guter Stimmung, dass seine Tante sich wunderte, was bloß in den Jungen gefahren sei. Er steckte tüchtige Schelte ein, weil er Sid mit Erdklumpen beworfen hatte, doch schien es ihm nichts auszumachen. Er versuchte der Tante unter der Nase weg ein Stück Zucker zu stibitzen und bekam eins auf die Finger.

»Tante«, sagte er, »Sid haust du nie, wenn er Zucker nimmt.«

»Ja, Sid ärgert mich auch nicht so wie du. Du würdest überhaupt immer beim Zucker stecken, wenn ich dir nicht auf die Finger sähe.«

Gleich darauf ging sie in die Küche und Sid, im Triumphgefühl seiner Unverletzlichkeit, langte nach der Zuckerbüchse. Diese Demütigung schien Tom fast unerträglich.

Aber Sids Finger rutschten ab, die Büchse fiel zu Boden und zerbrach. Es war fast zu schön, um wahr zu sein. Tom war vor Wonne berauscht – so sehr berauscht, dass er sogar seine Zunge im Zaum hielt und schwieg. Er beschloss kein Wort zu sprechen, auch wenn die Tante hereinkäme, sondern ganz still zu sitzen, bis sie fragte, wer das getan hätte. Aber dann würde er es sagen, und nichts auf der Welt würde so herrlich sein wie zu sehen, wie der Musterknabe eines abkriegte. Er war so voll Frohlocken, dass er kaum an sich halten konnte, bis die alte Dame zurückkam und über ihre Brille hinweg zornblitzend auf die Scherben starrte.

»Jetzt kommt's!«, sagte er sich. Im nächsten Augenblick aber lag er schon auf dem Boden und die strafende Hand bearbeitete seinen Rücken.

Zu spät brachte er die Worte heraus: »Halt, halt! Was schlägst du mich denn? Sid hat es gemacht!«

Verblüfft hielt Tante Polly inne und Tom etwartete ihr linderndes Mitleid. Aber als sie ihre Sprache wiederfand, sagte sie nur:

»Hm, na, bestimmt hast du nicht umsonst Prügel gekriegt. Irgendetwas wirst du schon wieder ausgefressen haben.«

Danach aber erwachte doch wieder ihr Gewissen und sie hätte gern irgendetwas Freundliches gesagt. Aber das wäre ein Eingeständnis gewesen, dass sie im Unrecht war, und das war gegen die Disziplin. So schwieg sie und ging mit bekümmertem Herzen an ihre Arbeit.

Tom zog sich in eine Ecke zurück und überließ sich der angenehmen Situation des Märtyrers. Er wusste genau, dass seine Tante im innersten Herzen Abbitte tat, und dieses Bewusstsein gab ihm finstere Befriedigung. Er wollte kein Zeichen der Versöhnung geben, er wollte niemanden sehen. Er wusste, dass jetzt ein flehender Blick auf ihm ruhte, ein Blick, der durch einen Schleier von Tränen kam, aber er dachte nicht daran, davon Notiz zu nehmen.

Er sah sich todkrank darniederliegen und seine Tante sich über ihn beugen und um ein einziges Wort der Verzeihung flehen. Er jedoch würde sein Gesicht zur Wand kehren und sterben, ohne dieses Wort ausgesprochen zu haben. Ha, was empfände sie dann? Er sah sich mit triefenden Haaren aus dem Fluss gezogen und tot ins Haus gebracht, die armen Hände für immer reglos, das gequälte Herz zur Ruhe gekommen. Wie würde sie sich über ihn werfen! Ihre Tränen würden wie Regen fallen und ihr Mund würde zu Gott beten: Gib mir meinen Jungen zurück und ich will ihn nie wieder schlagen! Er aber läge kalt und bleich und gäbe kein Zeichen mehr von sich – ein armer, kleiner Dulder, der endlich ausgelitten hatte.

Mit diesen tragischen Vorstellungen steigerte er seine Gefühle dermaßen, dass er an sich halten musste, um nicht vor Selbstmitleid zu schluchzen. Es tat ihm wohl, dass er an dem Schluchzen beinahe erstickte. Seine Augen schwammen im Wasser, das bei jedem Zucken der Wimpern überfloss und in großen Tropfen von der Nasenspitze herunterlief.

Er schwelgte derart in seinem Kummer, dass er es nicht ertragen hätte, sich durch irgendeine weltliche Fröhlichkeit darin stören zu lassen – sie war zu heilig für solche Berührung-, und als jetzt seine Kusine Mary hereingetanzt kam, laut und lustig, frisch von einem achttägigen

Landaufenthalt zurück, den sie überaus genossen hatte, da sprang er auf und ging finster, umwölkten Hauptes zur einen Tür hinaus, wie sie mit Sang und Sonnenschein zur anderen hereinkam.

Er wanderte weit fort von den gewöhnlichen Jagdgründen der Jungen und suchte abgelegene Plätze auf, die mit seiner Stimmung im Einklang standen. Ein Floß lockte ihn aufs Wasser. Er saß an der einen Ecke und betrachtete die eintönige Weite des Stromes. Er wünschte, er könne ertrinken, ohne es zu merken und ohne erst die unbequeme Prozedur durchzumachen, die die Natur dafür ersonnen hat. Dann dachte er an seine Blume. Er nahm sie heraus, sie war zerknittert und verwelkt, und ihr Anblick steigerte sein wohliges Unglück.

Ob sie wohl Mitleid mit ihm hätte, wenn sie es wüsste? Würde sie weinen, würde sie wünschen, ihre Arme um seinen Hals zu legen und ihn zu trösten? Oder würde sie sich auch kalt von ihm abwenden wie die ganze übrige schale Welt?

Diese Vorstellung verschaffte ihm ein solches Übermaß angenehmen Schmerzes, dass er sich das Bild immer wieder und wieder ausmalte. Schließlich aber verloren die Bilder ihren Reiz und er stand seufzend auf und ging in die Dunkelheit hinein.

Gegen zehn Uhr ging er die verlassene Straße hinunter, wo die geliebte Unbekannte wohnte. Er hielt einen Augenblick an, aber kein Geräusch schlug an sein Ohr. Nur eine einzige Kerze warf ihr trübes Licht auf die Gardine eines Fensters im zweiten Stock. War die Geheiligte dort? Er schwang sich mit zwei Klimmzügen über den Zaun, schlich durch die Büsche und stand unter dem Fenster. Lange und bewegt sah er hinauf. Dann legte er sich auf den Boden, faltete die Hände über der Brust und hielt seine kleine verwelkte Blume fest. So wollte er sterben, hier draußen in der kalten Welt, ohne Dach über dem heimatlosen Haupt, ohne eine Freundeshand, die ihm den Todesschweiß von der Stirn wischte, ohne ein liebes Gesicht, das sich mitleidsvoll über ihn beugte, wenn die große Stille über ihn kam. Und so sollte sie ihn sehen, wenn sie in den fröhlichen Morgen hinausblickte! Ach, würde sie eine Träne auf seinen starren Leichnam fallen lassen? Würde sie wenigstens einen kleinen Seufzer ausstoßen über ein junges, blühendes Leben, das so jäh zerbrochen, so vor der Zeit dahingemäht?

Das Fenster öffnete sich, die misstönende Stimme eines Dienstmädchens entweihte die heilige Stille, und eine Sintflut von Schmutzwasser ergoss sich auf die sterblichen Überreste des Märtyrers! Der verhinderte Held sprang mit erleichtertem Prusten auf die Beine. Ein Wurfgeschoss sauste durch die Luft, ein mürrischer Fluch flog hinterher; danach folgte das Klirren splitternden Glases. Gleichzeitig huschte eine kleine, unbestimmte Gestalt über den Zaun und verschwand in der Dunkelheit.

Bald darauf, als Tom schon ausgezogen war und im Schein des Talglichtes seine durchnässten Kleider betrachtete, erwachte Sid. Falls dieser die Absicht gehabt hatte, ein paar Anzüglichkeiten zu sagen, so unterdrückte er sie und hielt Frieden – denn Toms Augen verhießen Gefahr.

Tom schlüpfte ohne die noch zusätzliche Plage des Betens ins Bett. Sid vermerkte diese Unterlassung sorgfältig in Toms Sündenregister.

4

Nach dem Frühstück hielt Tante Polly die Familienandacht ab; diese begann mit einem Gebet, das von Grund auf aus soliden Schichten von Bibelzitaten gebaut war, die von einem dünnen Mörtel eigener Worte zusammengehalten wurden, und von der Höhe dieses Gebäudes, wie vom Berg Sinai herab, verkündete sie ein grimmiges Kapitel des mosaischen Gesetzes.

Später gürtete Tom sozusagen seine Lenden – um im Bilde zu bleiben – und fing an, seine Bibelsprüche zu büffeln. Sid hatte seine Lektion seit Tagen gelernt. Tom strengte alle Kräfte an, um fünf Verse auswendig zu lernen, und er wählte sie wohlweislich aus der Bergpredigt, weil er keine kürzeren finden konnte.

Nach einer halben Stunde hatte er einen unbestimmten allgemeinen Begriff von seiner Lektion, mehr allerdings nicht, denn seine Gedanken schweiften auf dem ganzen Felde der menschlichen Fantasie und seine Hände waren allzu eifrig mit ablenkenden Tätigkeiten befasst. Mary nahm das Buch, um ihn abzuhören, und er versuchte sich einen Weg durch den Nebel zu bahnen.

»Selig sind, die – da – da ...«

»Geistig ...«

»Ja, ja, geistig, selig sind, die da geistig – geistig ...«

»Arm ...«

»Arm sind, selig sind, die da geistig arm sind, denn sie – sie …«

»… ihrer …«

»… denn ihrer. Selig sind, die da geistig arm sind, denn ihrer – ist das Himmelreich. Selig sind, die da Leid tragen, denn sie – sie …«

»S–o–«

»Denn sie so–o …«

»S–o–l …«

»Denn sie sool … Ich weiß nicht, was das ist!«

»Sollen!«

»Ja, ja, sollen! Denn sie sollen – sollen – sollen Leid tragen – äh, äh, selig sind, die da sollen – nein, die da Leid tragen, denn sie sollen … Was sollen sie denn? Warum sagst du's mir denn nicht, Mary? Du bist gemein!«

»Ach, Tom, du bist ein Esel, ich will dich doch gar nicht ärgern. Du musst es noch einmal lernen. Lass nur den Kopf nicht hängen, Tom. Du wirst es schon machen, du kriegst auch etwas Schönes von mir!«

»Schon recht, was ist's denn, Mary?«

»Wenn ich sage, es ist etwas Schönes, dann ist es etwas Schönes. Du errätst es doch nie, Tom.«

»Na, hoffentlich stimmt's. Ich will's noch einmal versuchen.«

Er versuchte es noch einmal und unter dem doppelten Druck von Neugierde und Aussicht auf Gewinn hatte er einen glänzenden Erfolg.

Mary gab ihm ein nagelneues Barlow-Messer, das mindestens zwölfeinhalb Cent wert war! Er war bis in seine Grundfesten erschüttert vor Begeisterung. Gewiss, das

Messer schnitt nicht, man konnte auf ihm bis New York reiten, wenn man ein Pferd darunter hatte, aber es war ein »garantiert echtes« Barlow-Messer, und das war etwas unvorstellbar Großartiges. Tom begann sofort die Klinge an der Tischkante zu erproben und war gerade im Begriff die Schnitzarbeit am Schreibtisch fortzusetzen, als er abberufen wurde, um sich für die Sonntagsschule anzuziehen.

Mary reichte ihm eine Blechschüssel mit Wasser und ein Stück Seife. Er ging damit vor die Tür und setzte das Becken auf eine kleine Bank. Dann tauchte er die Seife ins Wasser und legte sie hin, krempelte sich die Ärmel hoch, goss das Wasser vorsichtig auf die Erde und rannte in die Küche. Dort begann er eifrig sein Gesicht mit dem Handtuch »abzutrocknen«, das hinter der Tür hing. Aber Mary nahm ihm das Handtuch weg und schalt:

»Schämst du dich gar nicht, Tom? Sei doch nicht so feige. Wasser tut doch nicht weh.«

Tom war einigermaßen bestürzt. Es half ihm nichts, das Waschbecken wurde wieder gefüllt. Diesmal stand er einige Zeit darübergebeugt und rang mit sich selbst. Dann tat er einen mächtigen Atemzug und begann. Als er gleich darauf die Küche betrat, mit geschlossenen Augen hastig nach dem Handtuch rudernd, da triefte ein unumstößlicher Beweis von Schaum und Wasser von seinem Gesicht. Aber als er aus dem Handtuch emportauchte, war es immer noch nicht recht. Denn die Grenze des sauberen Landes lief kurz unter dem Kinn vorbei und umgab seine Backen wie eine Maske. Unterhalb und seitwärts dieser Grenze dehnte sich eine weite Prärie, die von der Kultur unbeleckt geblieben war. Mary nahm ihn schließlich selbst in Arbeit und aus ihren Händen ging er endlich doch tadellos gesäubert hervor – ein Mann, ein Bürger und ein Protestant.

Der Unterschied in der Hautfarbe war verschwunden, das noch feuchte Haar ordentlich gebürstet und die kurzen Locken waren symmetrisch angeordnet. Es muss allerdings gesagt werden, dass er die Locken heimlich wieder glatt strich und eine ungeheure Arbeit darauf verwendete, das Haar glatt an den Kopf anzuklatschen, denn er hielt Locken für weibisch und seine eigenen erfüllten sein Leben mit Bitterkeit. Nun holte Mary seinen Sonntagsanzug hervor – er hieß einfach der »andere« und das zeigt schon den Umfang seiner Garderobe. Er zog sich widerwillig an und das Mädchen zupfte ihn zurecht. Sie knöpfte die saubere Jacke bis unter das Kinn zu, legte den breiten Hemdkragen glatt über die Schultern, bürstete ihn ab und krönte ihn mit dem bunten Strohhut. Er sah nun ebenso eindrucksvoll wie beengt aus und er fühlte sich genauso unglücklich, wie er aussah. Er hatte einen unüberwindlichen Hass gegen vollständige Kleider und Sauberkeit. Er hoffte, Mary würde wenigstens die Schuhe vergessen, aber vergebens. Sie fettete sie sorgfältig mit Talg ein, wie es üblich war, und brachte sie ihm heraus. Seine Geduld riss. Er werde hier immer gezwungen, Sachen zu tun, die er nicht wollte, sagte er. Aber Mary redete ihm gut zu:

»Bitte, Tom, sei doch nett!«

So kletterte er stöhnend in seine Stiefel. Mary war schnell angezogen und bald machten sich die drei Kinder auf den Weg zur Sonntagsschule.

Tom hasste diesen Ort von ganzem Herzen und mit

ganzer Seele, Sid und Mary jedoch gefiel es dort sehr gut.

Die Sonntagsschule dauerte von neun bis halb elf. Dann kam noch der Gottesdienst. Zwei der Kinder blieben stets freiwillig zur Predigt da. Auch das dritte versäumte sie nie, gewiss aber aus gewichtigeren Gründen.

Die hochlehnigen, unbequemen Kirchenstühle boten etwa dreihundert Personen Platz. Die Kirche war klein und schlicht, als Turm diente eine Art Kasten aus Fichtenholz. In der Nähe der Tür blieb Tom einen Schritt zurück und begrüßte einen sonntäglich gekleideten Kameraden:

»Du, Bill, hast du einen gelben Zettel?«

»Kann sein.«

»Was willst du dafür?«

»Was gibst du?«

»Ein Bonbon und einen Angelhaken.«

»Erst zeigen.«

Tom zeigte die angebotenen Gegenstände vor, sie waren zufriedenstellend und wechselten den Besitzer. Danach verschacherte Tom zwei weiße Glaskugeln für drei rote Zettel und noch ein paar andere Kleinigkeiten gegen einige blaue Zettel. Er lauerte auch den anderen Jungen auf und fuhr eine Viertelstunde lang fort, Zettel von verschiedenen Farben zu kaufen.

Mit einem ganzen Schwarm von gewaschenen, lärmenden Jungen und Mädchen kam er dann in die Kirche, ging auf seinen Platz und begann mit dem ersten besten Jungen, der zur Hand war, Streit. Der Lehrer, ein ernster, älterer Mann, mischte sich ein; jedoch kaum hatte er den Rücken gekehrt, als Tom bereits einen Jungen in der nächsten Bank an den Haaren riss. Als dieser herumfuhr, war der Angreifer andächtig in sein Buch vertieft, um im nächsten Augenblick einen anderen Jungen mit einer Stecknadel zu stechen, ganz ohne böse Absicht, eigentlich nur, um dessen »Au!« zu hören. Der Erfolg war ein neuer Rüffel von seinem Lehrer.

Toms ganze Klasse war vom gleichen Kaliber, unruhig, laut und streitsüchtig. Als ihre Aufgaben an die Reihe kamen, konnte nicht einer seine Bibelsprüche ohne Stocken wiedergeben. Immerhin, mit einiger Unterstützung von Lehrer und Schülern stammelten sie sich durch, und jeder bekam seinen Lohn in Gestalt eines blauen Zettels, auf dem jeweils ein Bibelspruch stand. Zehn blaue Zettel galten für einen roten und konnten umgetauscht werden; für zehn rote Zettel gab es einen gelben, für zehn gelbe jedoch erteilte der Superintendent eine Prämie in Gestalt einer billig gebundenen Bibel.

Mary hatte bereits zwei Bibeln auf diese Weise erworben. Es war das mühevolle Werk zweier Jahre. Von einem Jungen deutscher Abkunft sagte man, dass er sogar vier oder fünf Bibeln besaß. Einmal sagte er hintereinander dreitausend Verse auf; die geistige Anstrengung war jedoch zu groß und von dem Tag an war er kaum mehr als ein Idiot – ein Unglück für die Schule, denn bei großen Anlässen, wenn Besuch da war, hatte der Superintendent stets diesen Jungen nach vorn gerufen und loslegen lassen, wie Tom es bezeichnete.

Nur die älteren Jungen brachten es fertig, ihre Zettel zu behalten und genug Ausdauer aufzubringen, um schließlich eine Bibel zu bekommen. Daher war die Übergabe einer solchen Prämie ein seltenes und denkwürdiges Ereignis. Der erfolgreiche Schüler war an einem solchen Tage eine große und angesehene Persönlichkeit, dass auf der Stelle jedes anderen Brust mit neuem Ehrgeiz erfüllt wurde, der oft wochenlang anhielt. Höchstwahrscheinlich hatte Toms seelischer Magen niemals nach einem solchen Preis gehungert, aber sicher hatten der Ruhm und das Aufsehen, das damit verbunden war, oft genug seine tiefe Sehnsucht erweckt.

Der Augenblick kam, da der Pastor Walters aufrecht vor der Kanzel stand, den Zeigefinger zwischen die Blätter eines geschlossenen Gesangbuches legte und um Aufmerksamkeit bat. Immer wenn ein Sonntagsschulpastor seine übliche kleine Rede hält, braucht er dazu ein geschlossenes Gesangbuch in der Hand, ebenso unfehlbar wie ein Sänger, der an der Rampe steht und ein Solo schmettert, das unlesbare Notenblatt. Warum, das weiß kein Mensch, denn weder das Gesangbuch noch das Notenblatt werden je benutzt.

Der Pastor war ein magerer Herr von fünfunddreißig Jahren, mit Ziegenbärtchen und kurzem, sandfarbenem Haar. Er trug einen hohen Stehkragen, dessen obere Ecken fast bis zu seinen Ohren reichten und dessen scharfe Kante ihm in die Mundwinkel stieß. Er steckte in diesem Kragen wie in einem Käfig und war dauernd gezwungen, geradeaus zu sehen. War ein Blick zur Seite erforderlich, musste er den ganzen Körper herumdrehen. Sein Kinn lag auf einer mächtigen Krawatte, die so breit und lang wie eine große Banknote war und ausgefranste Enden hatte. Die Spitzen seiner Schuhe waren der Mode der Zeit entsprechend scharf nach oben gebogen, wie Schlittenkufen – eine Wirkung, die von jungen Männern mühsam und geduldig erzielt wurde, indem sie stundenlang ihre Zehen gegen eine Wand pressten. Mr. Walters war ungeheuer ernsthaft und sein Herz war gut und ehrlich. Er brachte den heiligen Dingen und Orten so viel Ehrfurcht entgegen und hielt sie so getrennt von den weltlichen Angelegenheiten, dass seine Sonntagsschulstimme, ihm völlig unbewusst, einen ganz besonderen Klang hatte, der seiner Alltagsstimme fehlte. Er begann seine Predigt folgendermaßen:

»Zunächst, meine lieben Kinder, möchte ich euch bitten, ganz gerade und ruhig zu sitzen und mir zwei Minuten lang mit aller Aufmerksamkeit zuzuhören. So, das ist recht, so machen es brave kleine Jungen und Mädchen. Ich sehe dort ein kleines Mädchen, das aus dem Fenster blickt. Ich fürchte, sie glaubt, ich bin dort draußen irgendwo, vielleicht oben in einem Baum, um den kleinen Vöglein meine Predigt zu halten.« Beifälliges Kichern.

»Es tut mir so wohl, so viele helle und saubere kleine Gesichter an einem Orte wie diesem versammelt zu sehen, wo sie das Wahre und Gute erkennen lernen sollen.«

In dieser Tonart ging es weiter. Die Predigt war die übliche und ist uns allen vertraut. Ihr letzter Teil wurde gestört durch die Wiederaufnahme der Feindseligkeiten unter den bösen Buben. Gleichzeitig breitete sich ein allgemeines Umherrutschen und Flüstern aus, dessen Wogen schließlich auch an die Grundfesten von so einsamen und unverrückbaren Felsen wie Sid und Mary brandeten.

Aber mit dem Augenblick, als Mr. Walters' Stimme sich

zum würdevollen Schluss erhob, erstarb jedes Geräusch und das Ende der Predigt wurde mit einem Ausbruch dankbarer Stille begrüßt.

Ein Teil des Geflüsters war durch ein recht seltenes Ereignis veranlasst worden: durch das Erscheinen fremder Besucher.

Rechtsanwalt Thatcher trat ein, begleitet von einem gebrechlichen alten Männchen, ihm folgte ein vornehmer, stattlicher Gentleman mit grauem Haar und eine feine Dame, die zweifellos dessen Frau war. Die Dame führte ein kleines Mädchen an der Hand.

Tom war bis dahin ruhelos gewesen und wurde von Skrupeln und Gewissensbissen gequält. Er konnte Amy Lawrence nicht in die Augen sehen, er konnte ihren liebenden Blick nicht aushalten. In dem Augenblick jedoch, als er die kleine Fremde sah, wurde seine Seele frei und freudevoll. Er begann sofort sich »aufzuspielen«: Er boxte die Jungen, riss sie an den Haaren, schnitt Grimassen – mit einem Wort, er gebrauchte alle jene Kunststücke, die geeignet schienen, den Beifall eines Mädchens zu erringen. Über seiner Begeisterung lag nur ein Schatten – die Erinnerung an die Demütigung im Garten des Engels. Aber diese feuchte Erinnerung versank in den Wellen des Glücks, die jetzt über sie hinspülten.

Man wies den Gästen die Ehrenplätze zu und als Mr. Walters seine Rede beendet hatte, stellte er sie der Schule vor. Der Gentleman mit den grauen Haaren entpuppte sich als eine prominente Persönlichkeit: Er war nichts Geringeres als der Landrichter. Das war ungefähr das erhabenste Wesen, das die Kinder je gesehen hatten, und sie starrten ihn an, ob er wohl auch aus Fleisch und Blut sei. Halb wünschten sie, halb fürchteten sie, ihn brüllen zu hören.

Er war aus Constantinople, das zwölf Meilen entfernt lag. Er hatte also etwas von der Welt gesehen! Diese Augen hatten das Gebäude des Landgerichtes erblickt, von dem die Sage ging, dass es ein Kupferdach habe! Die ehrfurchtsvolle Scheu, die diese Überlegung einflößte, drückte sich in lautloser Stille und aufgerissenen Augen aus. Dies war also der berühmte Richter Thatcher, der Bruder ihres Rechtsanwalts. Jeff Thatcher ging sofort nach vorn und zeigte sich ganz vertraut mit dem großen Mann. Die Schule beneidete ihn glühend. Hätte er das Flüstern gehört, das jetzt umherging – es wäre Musik für seine Ohren gewesen.

»Sieh doch, Jim! Er geht hin. Sieh doch bloß! Er gibt ihm die Hand; wirklich, er schüttelt ihm die Hand, Donnerwetter! Möchtest du auch Jeff sein?«

Auch Mr. Walters fing nun an, sich mit allen möglichen amtlichen Tätigkeiten aufzuspielen. Er erteilte Befehle, verkündete Urteile, gab Richtlinien, hier und da und überall, wo es nur irgend möglich war. Ebenso spielte sich der Bibliothekar auf, rannte immerfort hin und her mit Armen voller Bücher und einem mächtigen Lärm und Getue, wie es solche winzigen Autoritäten immer tun. Die jungen Lehrerinnen spielten sich auf, indem sie sich sanft über Schüler beugten, die sie eben noch geohrfeigt hatten, anmutig warnende Zeigefinger gegen Störenfriede hoben und den braven Jungen liebevoll über den Kopf strichen. Die jungen Lehrer spielten sich auf, indem sie

Ermahnungen erteilten und andere kleine Beweise ihrer Autorität erbrachten, und mühten sich ab, Disziplin zu halten. Fast alle aber verstanden es, irgendeine Beschäftigung zu finden, die sie nahe an die Kanzel brachte, und es war immer eine Beschäftigung, die sie drei- oder viermal dorthin führte, scheinbar zu ihrem eigenen Verdruss. Die kleinen Mädchen spielten sich auf, so gut sie konnten, und die Jungen endlich spielten sich so gründlich auf, dass die Luft erfüllt war von papierenen Gewehrkugeln und dem Lärm der unterirdischen Schlachten.

Über alldem thronte der große Mann. Sein majestätisches Richterlächeln strahlte über das Haus hin und wärmte ihn selbst mit den Sonnenstrahlen seiner eigenen Größe – auch er spielte sich auf. Nur eines fehlte, Mr. Walters' Seligkeit zu vervollkommnen: die Gelegenheit, eine Bibel zu überreichen für ein paar gelbe Zettel, aber keiner hatte genug. Er hatte schon bei den Musterschülern leise, aber vergebens Nachfrage gehalten. Ein Königreich hätte er dafür gegeben, wenn er jetzt den deutschen Jungen wieder mit normalem Verstand hier gehabt hätte.

Da aber, in diesem Augenblick, als alle Hoffnung schon erstorben war, erhob sich Tom Sawyer! Er kam nach vorn und zählte kalt und triumphierend neun gelbe Zettel, neun rote und zehn blaue Zettel auf den Tisch. Er forderte eine Bibel.

Das war ein Blitz aus heiterem Himmel! Nie hätte Walters gerade von dieser Seite für die nächsten zehn Jahre ein solches Verlangen erwartet. Aber es war nicht daran zu rütteln: Die Scheine waren echt und gut erhalten und forderten ihren Lohn. Tom wurde auf einen erhöhten

Platz neben dem Richter und den anderen Auserlesenen gesetzt und die große Neuigkeit vom Hauptquartier aus dem Volke verkündet. Es war die Sensation des Jahres – ja, es war die größte Überraschung seit einem Jahrzehnt! So auffallend war dieses Ereignis, dass es den neuen Heros in eine Höhe mit dem angestaunten Richter erhob. Die Schule hatte nun zwei Wunder statt des einen zu begaffen.

Die Buben platzten vor Neid. Die größten Qualen aber litten die, die zu spät entdeckten, dass sie selbst mit ihren Zetteln zu Toms verhasstem Ruhm beigetragen hatten, verlockt durch Reichtümer, die er erst gestern beim Verkauf der Anstreichprivilegien angesammelt hatte. Sie verachteten sich selbst, dass sie willige Opfer eines arglistigen Betrügers, einer im Gras verborgenen heimtückischen Schlange geworden waren. Mit aller Eloquenz, die der Pastor unter diesen Umständen aufbringen konnte, wurde Tom der Preis überreicht. Immerhin war das Pathos des Predigers ein wenig unsicher, denn der Instinkt sagte dem armen Mann, dass hier ein Geheimnis vorliegen müsse, welches das Licht scheute. Es war ja einfach absurd, dass gerade dieser Junge ein Lager von zweitausend Bibelsprüchen in seinem Schädel angelegt haben sollte. Schon ein Dutzend würde zweifellos über seine Kräfte gegangen sein!

Amy Lawrence strahlte vor Stolz und suchte sich Tom bemerkbar zu machen. Er wollte jedoch nicht hinsehen. Das wunderte sie, sie war etwas beunruhigt. Dann aber tauchte ein tiefer Verdacht in ihr auf, verschwand und kam wieder. Sie passte auf: Ein verstohlener Blick sprach

Bände. Ihr Herz brach, Eifersucht und Wut bemächtigten sich ihrer, die Tränen kamen und sie hasste alle Menschen; Tom am meisten, wie sie glaubte.

Tom wurde dem Landrichter vorgestellt. Seine Zunge war wie gelähmt, er vermochte kaum zu atmen, sein Herz hämmerte – zum Teil wegen der ungeheuren Größe des Mannes, vor allem aber, weil er ihr Vater war. Wenn es dunkel gewesen wäre, wäre er auf die Knie gefallen, um ihn anzubeten.

Der Richter legte Tom die Hand auf den Scheitel, nannte ihn einen prächtigen kleinen Mann und fragte nach seinem Namen. Tom stammelte, druckste und brachte ihn schließlich heraus:

»Tom.«

»Aber doch nicht ›Tom‹ … Wie heißt du?«

»Thomas.«

»Aha, so ist's richtig. Aber da muss doch etwas hinterherkommen, scheint mir. Du hast doch noch einen Namen, nicht? Willst du mir den nicht auch sagen?«

»Sage dem Herrn Richter deinen Nachnamen«, mischte sich Walters ein, »und sage gefälligst Sir, du vergisst ja deine Manieren.«

»Thomas Sawyer – Sir.«

»Na also! Bist ein guter Junge. Prachtkerl, wahrhaftig, ein netter, mannhafter junger Bursche. Zweitausend Sprüche sind eine Menge – eine große, große Menge. Aber du wirst es nie bedauern, sie gelernt zu haben. Du wirst eines Tages ein großer Mann werden und ein berühmter Mann dazu, Thomas. Dann wirst du zurückblicken und sagen: ›Das alles verdanke ich meiner fleißigen Arbeit in der Sonntagsschule, das alles verdanke ich meinen Lehrern, die mich zum Lernen anhielten, das alles verdanke ich dem guten Herrn Pastor, der mich ermutigte und auf mich sah und mir eine wundervolle Bibel gab, eine prachtvolle, elegante Bibel, damit ich sie immer als mein Eigentum bewahre, das alles verdanke ich der sorgfältigen Erziehung, die ich genossen habe!‹ So wirst du sprechen, lieber Thomas, und du wirst deine zweitausend Sprüche nicht für Geld hergeben, nein, gewiss nicht.

Jetzt aber erzähle mir und dieser Dame doch etwas von dem, was du gelernt hast, ja? Wir sind doch stolz auf kleine Jungen, die etwas gelernt haben. Du weißt doch sicherlich die Namen der zwölf Apostel. Möchtest du uns nicht einmal die Namen der beiden sagen, die zuerst berufen wurden?«

Tom drehte an einem Knopf und sah schafsdumm aus. Er wurde rot und seine Augen richteten sich auf den Boden. Mr. Walters' Herz sank mit ihnen dorthin. Es ist völlig unmöglich, sagte er sich, dass dieser Junge auch die einfachste Frage beantworten kann. Warum musste der Richter auch fragen? Doch er fühlte sich verpflichtet etwas zu sagen und warf ein:

»Antworte doch dem Herrn Richter, Thomas – sei doch nicht ängstlich.«

Tom verzögerte die Explosion.

»Aber mir wirst du es doch sagen«, ermahnte jetzt die Dame. »Die ersten zwei Apostel hießen …«

»David und Goliath!«

Lasst uns den Schleier der Barmherzigkeit über das Ende dieser Szene breiten.

5

Gegen halb elf Uhr begann die brüchige Glocke der kleinen Kirche zu läuten und alsbald versammelten sich die Bürger zur Morgenpredigt. Die Sonntagsschüler verteilten sich im ganzen Hause und setzten sich zu ihren Eltern, um unter Aufsicht zu sein. Tante Polly erschien und Tom, Sid und Mary setzten sich zu ihr. Tom erhielt den Platz am Mittelgang, damit er so weit wie möglich vom offenen Fenster und den verführerischen Vorgängen draußen entfernt sei. Die Menge füllte das Haus: der alte, ärmliche Postmeister, der einmal bessere Tage gesehen hatte, der Bürgermeister mit seiner Frau – denn man hatte neben anderen überflüssigen Dingen auch einen Bürgermeister –; der Friedensrichter; die Witwe Douglas, eine hübsche, flotte Vierzigerin, eine großzügige, herzensgute Seele und in guten Verhältnissen – ihr Haus auf dem Hügel war der einzige Palast des Ortes und in Bezug auf Festlichkeiten der imposanteste Platz, mit dem Sankt Petersburg aufwarten konnte. Dann der gebeugte, Achtung gebietende Major Ward mit der Majorin; Rechtsanwalt Riverson, der von weit her kam; endlich die Schönheit der Stadt, mit einem Gefolge von Verehrern in bunt bebändertem Sportdress; dann sämtliche Ladenjünglinge des Ortes auf einmal – denn sie hatten im Vorraum gestanden und an ihren Stockknäufen geknabbert: eine ganze

Wand pomadisierter und einfältig grinsender Jünglinge, die so lange stehen blieben, bis auch das letzte Mädchen Spießruten gelaufen war. Als Letzter von allen aber kam Willie Mufferson, der Musterknabe. Er führte seine Mutter herein mit einem Gehabe, als wäre sie aus Glas. Er geleitete immer seine Mutter zur Kirche und war daher der Stolz aller alten Damen. Die Jungen hassten ihn; er war ein Streber und außerdem wurde er ihnen immer als Beispiel vorgehalten. Sein weißes Taschentuch hing aus der Jackentasche heraus, wie das bei ihm sonntags üblich war – zufällig. Tom hatte kein Taschentuch und betrachtete die Jungen, die eins hatten, als Snobs.

Die Gemeinde war nun vollzählig versammelt. Die Glocke fing noch einmal an zu läuten, um Nachzügler und Bummler zu mahnen. Dann senkte sich feierliche Stille auf die Versammlung, nur durch das Kichern und Wispern des Chores auf der Galerie unterbrochen. Dieses Flüstern im Chor dauerte immer genauso lange wie der ganze Gottesdienst. Es geht die Sage, dass es einmal einen Kirchenchor gegeben hatte, der diszipliniert gewesen sei, aber das ist viele Jahre her.

Der Geistliche nannte den Choral und las ihn mit sichtlichem Vergnügen und in einem eigentümlichen Tonfall vor, der in jener Gegend sehr bewundert wurde. Seine Stimme begann in mittlerer Tonlage und kletterte dann stetig aufwärts, bis ein bestimmter Punkt erreicht war, wo sie das im höchsten Ton gesprochene Wort stark unterstrich, um dann wie von einem Sprungbrett in die Tiefe zu tauchen.

Man hielt ihn für einen wundervollen Vorleser. Bei

den »Kränzchen« der Gemeinde wurde er immer gebeten, Gedichte vorzulesen, und wenn er fertig war, hoben die Damen jedes Mal ihre Hände zum Klatschen und ließen sie hilflos wieder in den Schoß sinken; dabei rollten sie die Augen und schüttelten erschauernd das Haupt, als wollten sie sagen:

»Worte können es nicht ausdrücken, es ist zu schön, zuuuh schön für diese irdische Welt!«

Nach dem Choral verwandelte sich der Pastor in ein Anschlagbrett und las die Bekanntmachungen von Vereinen und Versammlungen und allerhand merkwürdigen Veranstaltungen vor. Es schien, als ob die Liste bis zum Ende der Tage dauern sollte – dieser verrückte Brauch herrschte noch immer in Amerika, sogar in Städten, die doch wahrhaftig einen Überfluss an Zeitungen haben. Aber es ist oft so: Je weniger Sinn ein alter Brauch hat, desto schwieriger ist es, ihn zu beseitigen.

Dann aber betete der Geistliche. Es war immer ein ordentliches, großzügig bemessenes Gebet und ging ins Einzelne: Er erflehte Segen für die Kirche und für die Kinder der Kirche, für die anderen Kirchen des Ortes, für den Ort selbst, für den Kreis, für den Staat Missouri, für die Beamten des Staates, für die Vereinigten Staaten, für den Kongress, für den Präsidenten, für die Mitglieder der Regierung, für die armen, vom sturmgepeitschten Meer hin- und hergetriebenen Matrosen, für die Unterdrückten, die unter dem Stiefel europäischer Monarchen und orientalischer Despoten stöhnten, für jene, welchen das Licht gebracht und die Frohe Botschaft verkündet wurde und die dennoch nicht die Augen erhoben, um zu sehen, und die Ohren, um zu hören, für die Heiden auf den fernen Inseln des Meeres, und das Gebet schloss mit der Bitte, dass seine Worte in Huld und Gnade aufgenommen werden und dass sie wirken möchten wie Samenkorn, das in fruchtbare Erde fällt und aufgeht zu seiner Zeit als eine überreiche Ernte des Guten. Amen.

Ein Rauschen von raschelnden Kleidern ging durch die Kirche und die stehende Gemeinde setzte sich nieder. Der Junge, dessen Geschichte hier geschrieben wird, liebte das Gebet nicht. Er duldete es nur – und wer weiß, ob er das freiwillig tat. Er war voller Widerstand. Unbewusst verfolgte er jede Einzelheit des Gebetes, obwohl er nicht eigentlich zuhörte, denn er kannte es von jeher und wusste, dass der Pastor immer den gleichen Weg nahm. Wenn aber einmal eine geringfügige Abweichung eintrat, vermerkte sie sein Ohr und sein ganzes Wesen lehnte sich dagegen auf. Er hielt jeden Zusatz für Betrug, ja für eine Gemeinheit.

Mitten im Gebet hatte sich eine Fliege auf der Rücklehne der Bank vor ihm niedergelassen und ihr friedliches Gekrabbel bereitete seinem Geiste furchtbare Qualen. Sie umarmte ihren Kopf mit den vorderen Beinen und polierte ihn so heftig, dass er fast vom Körper abging und der dünne Faden des Halses zum Vorschein kam; dann putzte sie die Flügel mit den Hinterbeinen und legte sie glatt an den Körper wie zwei Rockschöße, kurz, sie machte mit aller Sorgfalt Toilette, als wisse sie, dass sie sich in völliger Sicherheit befand. Und sie war es auch. Denn wie sehr auch Toms Hände nach ihr zuckten, er wagte es nicht; er fürchtete, seine Seele würde auf der Stelle verdammt werden, wenn er so etwas während des Gebetes tat. Aber als die wohl bekannte Schlussphrase heranrückte, begann seine Hand sich zu krümmen und sich anzuschleichen, und im selben Moment, in dem das »Amen« verklang, war die Fliege seine Kriegsgefangene. Tante Polly beobachtete den Überfall und zwang ihn, sie wieder fliegen zu lassen.

Der Pastor verkündete nunmehr den Text seiner heutigen Predigt. Er wand sich eintönig durch öde Gedankenfelder hindurch und nach und nach ließ so mancher seinen Kopf sinken.

Dabei handelte die Predigt von ewigem Feuer und Schwefel und lichtete die Reihen der Auserwählten auf eine so kleine Schar, dass sich die Erlösung kaum lohnte.

Tom zählte die Seiten der Predigt. Nach dem Gottesdienst wusste er immer genau, wie viele Seiten es gewesen waren, dagegen wusste er fast nie irgendetwas anderes darüber.

Gleich darauf fiel Tom ein Schatz ein, den er bei sich trug, und er holte ihn hervor. Es war ein großer schwarzer Käfer mit riesigen Zangen, ein »Kneifkäfer«, wie Tom ihn nannte. Er steckte in einer Zündholzschachtel. Das Erste, was der Käfer tat, als er ans Licht kam, war Tom in den Finger zu zwicken. Natürlich folgte darauf ein unwillkürliches Schlenkern, der Käfer flog in den Mittelgang und der verwundete Finger fuhr in den Mund. Der Käfer lag auf dem Rücken und arbeitete hilflos mit den Beinen. Tom angelte nach ihm, aber er war außer Reichweite. Auch andere Leute fanden, gequält von der Predigt, Trost in dem Tierchen und ließen kein Auge von ihm.

Ein umherschweifender Pudel kam vorbei, des Wartens

vor der Kirche müde, der Sommerglut und der Stille überdrüssig, spähte er nach Abwechslung. Er sah den Käfer; der hängende Schweif hob sich und wedelte. Er umkreiste prüfend die sichere Beute, schnupperte sie aus einiger Entfernung an, kreiste wieder, wurde kühner, schnüffelte näher, hob die Schnauze und schnappte nachlässig zu. Er verfehlte das Tier, schnappte wieder, fehlte und wiederholte das Spiel. Es begann ihm Spaß zu machen; er legte sich auf den Bauch, nahm den Käfer zwischen die Vorderpfoten und setzte seine Bemühungen fort. Schließlich aber wurde er müde. Lässig und geistesabwesend ließ er das Haupt sinken. Immer tiefer fiel die Schnauze herab, bis sie den Feind erreicht hatte, der sie packte. Ein gellendes Aufjaulen folgte, der Pudel schüttelte den Kopf und der Käfer lag ein paar Schritte weiter wieder auf dem Rücken. Die in der Nähe sitzenden Zuschauer bogen sich vor innerem Vergnügen; mehrere Gesichter verschwanden hinter Fächern und Taschentüchern. Tom war selig. Der Hund sah verblüfft aus und fühlte sich vermutlich auch so. Aber es waren auch Groll und Rachedurst in seinem Herzen. Er ging auf den Käfer zu und machte wieder eine zaghafte Attacke. Er sprang von jedem Punkt eines Kreises auf den Feind zu, landete aber jedes Mal mit den Vorderpfoten einen Zoll vor ihm, schnappte mit den Zähnen nach ihm und zuckte mit dem Kopf zurück, dass seine Ohren flogen. Aber nach einer Weile wurde es ihm wieder langweilig. Er versuchte sich mit einer Fliege zu trösten, verfolgte eine Ameise, wurde ihrer gleich wieder überdrüssig. Er gähnte, seufzte, vergaß den Käfer vollkommen und ließ sich auf ihm nieder!

Ein wildes Jaulen erscholl und der Pudel raste in Todesangst den Gang hinauf. Die Schreie tobten weiter, der Hund auch, er sauste kreuz und quer in der Kirche umher, am Altar vorbei, den andern Gang hinunter, vor den Türen hin und her. Sein Klagen erfüllte das Haus. Immer schlimmer wurden seine Schmerzen, je mehr er sich bewegte, und schließlich schoss er wie eine wollige Sternschnuppe mit dem Glanz und der Schnelligkeit eines Kometen seine Bahn. Zuletzt wich der ungeduldige Märtyrer vom Wege und sprang seinem Herrn in den Schoß. Gleich darauf flog er zum Fenster hinaus und die Stimme der Verzweiflung entfernte sich schnell und erstarb in der Ferne.

Inzwischen platzte die ganze Kirche beinahe vor unterdrücktem Lachen. Die Predigt war auf einem toten Punkt angelangt. Die Argumente wiederholten sich, aber sie wurden lahm und stockend. Jede Möglichkeit, Eindruck zu machen, war vorbei, denn auch die ernstesten Sentenzen wurden hinter den schützenden Stuhllehnen mit einem kaum zurückgehaltenen Sturm unheiliger Heiterkeit aufgenommen, als hätte der arme Pastor irgendetwas furchtbar Lächerliches gesagt. Es war ein wahrer Trost für die ganze Versammlung, als die Prüfung vorüber war und der Segen kam.

Tom Sawyer ging mit heiterem Gemüt nach Hause und meinte, es läge doch eine gewisse Befriedigung im Gottesdienst – nur ein bisschen Abwechslung müsse dabei sein. Seine reine Freude wurde nur durch einen bitteren Tropfen getrübt; es war ja sehr anständig von dem Hund gewesen, mit seinem Kneifkäfer zu spielen – aber es war nicht sehr anständig von ihm, ihn davonzuschleppen.

6

DER MONTAGMORGEN fand Tom Sawyer in trübseliger Stimmung. Jeder Montagmorgen fand ihn so, denn es begann eine neue Woche des Leidens in der Schule. Jedes Mal wünschte er, es wäre kein Sonntag gewesen, denn der machte es einem noch verhasster, sich wiederum in Gefangenschaft zu begeben.

Tom lag im Bett und dachte nach. Wenn man krank wäre, dachte er, könnte man zu Hause bleiben. Eine vage Möglichkeit zeigte sich. Er untersuchte seinen Organismus, fand aber keine Störung. Er forschte noch einmal und diesmal glaubte er gewisse Anzeichen einer Durchfallneigung zu bemerken. Er begann sie mit steigender Hoffnung zu ermutigen. Aber sie wurden schwächer und verschwanden bald ganz. Er suchte weiter. Plötzlich entdeckte er etwas. Einer seiner vorderen Zähne war locker! Das war ein Glücksfall, und er wollte gerade anfangen, die Aktion mit einem Stöhnen einzuleiten, als ihm einfiel, dass dieses Argument vor dem Hohen Gerichtshof seiner Tante zu nichts weiter führen würde, als dass sie ihm den Zahn herauszog. Das tat weh. Er entschloss sich also, den Zahn vorläufig in Reserve zu halten, und suchte weiter. Zunächst fand er nichts, dann aber erinnerte er sich, dass der Doktor neulich von einer Sache erzählt hatte, die einen Mann für zwei oder drei Wochen krank gemacht hatte und bei der er beinahe einen Finger verloren hätte. Erwartungsvoll holte der Junge seine wunde Zehe unter der Decke hervor und inspizierte sie genau. Schlimm war, dass er die notwendigen Symptome nicht kannte. Aber immerhin, man konnte es versuchen. Er begann alsbald mit Inbrunst zu stöhnen. Aber Sid schlief weiter und merkte nichts. Tom stöhnte lauter. Die Schmerzen in der Zehe begannen sich bereits einzustellen.

Sid rührte sich nicht. Tom atmete bereits schwer vor Anstrengung. Er machte eine Pause, atmete tief und erzeugte eine Folge bewundernswerter Seufzer.

Sid schnarchte weiter. Tom war beleidigt.

»Sid!«, rief er und schüttelte ihn. Das wirkte und Tom nahm das Stöhnen wieder auf. Sid gähnte, streckte sich, richtete sich schnaufend auf den Ellbogen auf und stierte Tom an.

Tom fuhr fort zu stöhnen.

»Tom! Du, Tom!«

Keine Antwort.

»Hallo, Tom! Tom! Was ist denn los, Tom?«

Er schüttelte ihn und sah ihn ängstlich an.

Tom jammerte:

»Oh, oh, lass los, Sid. Fass mich doch nicht an.«

»Was ist denn los, Tom? Ich werde Tantchen rufen.«

»Nein, lass nur. Es wird schon vorbeigehen. Du brauchst niemanden zu rufen.«

»Doch, ich muss. Stöhn doch nicht so, Tom, das ist ja grässlich. Wie lange liegst du denn schon so?«

»Stundenlang. Au! Fass mich doch nicht so an, Sid! Du bringst mich um.«

»Warum hast du mich denn nicht eher geweckt? Ach, Tom, lass doch das! Ich kriege eine Gänsehaut, wenn ich dich höre. Was ist denn nur los, Tom?«

»Sid, ich vergebe dir alles.« Er stöhnte. »Alles, was du mir je angetan hast. Wenn ich tot bin …«

»Oh, Tom, du wirst doch nicht sterben? Nein, tu es nicht, Tom! Am Ende …«

»Ich vergebe allen, Sid.« Er stöhnte wieder. »Sag es ihnen, Sid. Und, Sid, meinen Fensterrahmen und die einäugige Katze gibst du dem Mädchen, das neu angekommen ist, und sagst ihr …«

Aber Sid hatte schon seine Kleider gepackt und war fort.

Tom litt nun wirklich, so gut arbeitete seine Einbildungskraft.

Seine Seufzer hatten einen ganz echten Ton bekommen.

Sid rannte die Treppe hinunter und rief:

»Tante Polly, komm schnell, Tom stirbt!«

»Waaas tut er?«

»Ja, wirklich! Schnell, komm!«

»Unsinn, ich glaub's nicht.«

Nichtsdestoweniger rannte sie nach oben, Sid und Mary hinter ihr her. Ihr Gesicht war weiß geworden, ihre Lippen zitterten. Als sie an das Bett trat, stöhnte sie bereits selber.

»Tom, Tom! Was ist denn mit dir?«

»Huuuh! Tante, ich bin …«

»Was ist mit dir, sag doch, was ist denn mit dir, Kind?«

»Huuh, Tantchen, meine wunde Zehe hat den Brand!«

Die alte Dame sank in den Stuhl, lachte ein bisschen, weinte ein bisschen und vermischte schließlich beides. Das beruhigte sie.

»Tom«, sagte sie, »wie du mich wieder erschreckt hast. Jetzt lass gefälligst diesen Unsinn sein und klettere da heraus.«

Das Stöhnen hörte auf und der Schmerz verschwand aus der Zehe. Der Junge kam sich ein bisschen komisch vor und sagte:

»Wirklich, Tante Polly, es hat genauso ausgesehen, wie wenn sie den Brand hätte, und sie hat so wehgetan, dass ich gar nicht mehr an den Zahn gedacht habe.«

»Dein Zahn? Was ist denn mit deinem Zahn?«

»Einer ist locker, der tut furchtbar weh.«

»Na ja, fang bloß nicht wieder mit dem Stöhnen an. Mach mal den Mund auf! Ja, der Zahn ist wirklich locker, aber daran stirbst du noch nicht. Mary, hol mir einen Seidenfaden und ein brennendes Scheit aus der Küche.«

Tom schrie auf:

»Ach, bitte Tantchen, reiß ihn nicht heraus! Es tut auch gar nicht mehr weh. Ich werde nichts mehr sagen, wenn er mir wehtut! Bitte, tu es nicht, Tantchen, ich will schon gar nicht mehr zu Hause bleiben …«

»Aha! So, du willst nicht, du willst wirklich nicht? Also dazu war dieses ganze Theater, weil du geglaubt hast, du kannst von der Schule wegbleiben und ein bisschen fischen gehen, was? Tom, Tom! Ich hab dich so lieb, und du benutzt jede Gelegenheit, mir mit deinen niederträchtigen Streichen mein altes Herz zu brechen.«

Inzwischen waren die Instrumente für die Zahnoperation herbeigeschafft. Die alte Dame machte ein Ende des Seidenfadens an Toms Zahn fest und band das andere an den Bettpfosten.

Dann nahm sie das brennende Scheit und stieß plötzlich dem Jungen fast ins Gesicht damit. Schon baumelte der Zahn am Bettpfosten.

Aber jedes Leid trägt seinen Lohn in sich. Als Tom nach dem Frühstück in die Schule schlenderte, war seine Zahnlücke der Neid aller Jungen, denn sie ermöglichte es ihm, auf eine neuartige und bewundernswerte Weise zu spucken. Durch diese Schaustellung versammelte er ein Gefolge von Jungen hinter sich, und einer, der sich in den Finger geschnitten hatte und noch kurz vorher im Mittelpunkt des Interesses gestanden war, fand sich alsbald unbeachtet und seines Ruhmes beraubt. Sein Herz war schwer, und er sagte mit einer Verachtung, die er nicht empfand, es sei gar nichts Besonderes, so zu spucken wie Tom Sawyer.

»Saure Trauben!«, sagte ein anderer Junge. Der gestürzte Held verzog sich.

Bald danach stieß Tom auf den jugendlichen Paria des Ortes, Huckleberry Finn, den Sohn eines stadtbekannten Trunkenboldes. Alle Mütter hassten und fürchteten Huckleberry, denn er war ein Faulpelz, er war frech, ordinär und schlecht – und ihre Kinder bewunderten ihn über alles. Ja, seine verbotene Gesellschaft war ihnen eine Ehre, und sie wünschten nichts sehnlicher, als so zu werden wie er.

Darin war Tom wie alle anderen. Er beneidete Huckleberry um seine glanzvolle Stellung eines von der Gesellschaft Ausgestoßenen, und da er strikten Befehl hatte, nicht mit ihm zu spielen, ließ er keine Gelegenheit, mit ihm zu spielen, ungenutzt vorübergehen. Huckleberry hatte immer abgelegte Anzüge von erwachsenen Männern an, sie schienen unvergänglich, aber sie hingen ihm in Fetzen vom Leib. Sein Hut war eine wüste Ruine mit einem zerbröckelten Burgwall ringsum. Sein Rock, wenn er zufällig einen trug, hing ihm fast auf die Fersen herab, und die Knöpfe saßen weit unten im Rücken. Nur ein Träger hielt seine Hose, der Hosenboden schleppte tief unten und war sozusagen leer, die zerfransten Hosenbeine säuberten die Straße, wenn sie nicht gerade aufgekrempelt waren.

Huckleberry kam und ging, wie es ihm beliebte. Bei gutem Wetter übernachtete er im Freien und bei schlechtem in einem großen leeren Fass. Er brauchte weder zur Schule noch zur Kirche zu gehen, er brauchte niemanden zu fragen, keinem zu gehorchen, er konnte fischen oder schwimmen, wann und wo er wollte, und bleiben, solange es ihm gefiel. Niemand verbot ihm zu raufen. Er konnte aufbleiben, bis er müde wurde. Er war immer der erste Junge, der im Frühling barfuß ging, und im Herbst der letzte, der sich der Stiefel erinnerte. Er brauchte sich nie zu waschen und nie saubere Kleider anzuziehen und – er konnte prachtvoll fluchen. Mit einem Wort, dieser Junge hatte alles, was das Leben lebenswert macht. So dachte jeder gequälte, eingeengte, wohlerzogene Knabe von St. Petersburg.

Tom begrüßte das geächtete Idol:

»Hallo, Huckleberry!«

»Selber hallo! Mal sehn, ob dir's gefällt.«

»Was hast'n da?«

»Tote Katze.«

»Zeig mal her, Huck. Hm, schon schön steif. Wo hast'n die her?«

»... Jungen abgekauft.«

»Was hast'n dafür gegeben?«

»Ein' blauen Zettel und eine Schweinsblase aus dem Schlachthaus.«

»Blauen Zettel? Woher hast du denn den?«

»Gekauft von Ben Rogers schon vor vierzehn Tagen für'n Reifenstock.«

»Du, wozu sind denn tote Katzen gut?«

»Wozu? Zum Warzenkurieren.«

»Ach, dazu! Da weiß ich was Besseres.«

»Wetten, dass nicht? Was denn?«

»Wasser von faulem Holz.«

»Wasser von faulem Holz! Nicht einen Dreck würd ich dafür geben.«

»Was, du glaubst nicht daran? Hast du's mal versucht?«

»Ich nicht, aber Bob Tanner!«

»Wer hat dir das erzählt?«

»Ach, er hat es Jeff Thatcher erzählt und Jeff hat es Jonny Baker erzählt und Jonny dem Jim Hollis und der dem Ben Rogers und Ben einem Nigger und der Nigger hat's mir erzählt.«

»Weiter nichts? Die lügen alle. Am wenigsten vielleicht der Nigger, den kenne ich nicht. Aber bis jetzt habe ich noch keinen Nigger gesehen, der nicht lügt. Na, meinetwegen. Wie hat es denn Bob Tanner gemacht, Huck?«

»Na, er hat seine Hand in einen morschen Baumstamm getaucht, wo Regenwasser drin war.«

»Bei Tag? Mit dem Gesicht zum Baumstamm?«

»Natürlich.«

»Hat er irgendetwas dabei gesagt?«

»Ich weiß nicht, ich glaube nicht.«

»Aha! Der will über Warzenkurieren mit Wasser aus faulem Holz reden, der Depp! So kann das natürlich überhaupt nichts helfen! Man muss allein mitten in den Wald gehen, wo ein alter, fauler Baumstamm ist, und genau um Mitternacht muss man mit dem Rücken gegen den Stumpf treten und die Hand reinstecken. Dann sagte man:

›Recht ist die Stunde und recht ist der Ort,
Holzwasser, Holzwasser, Warzen nimm fort!‹

Dann musst du schnell elf Schritt gehen, dich mit geschlossenen Augen dreimal umdrehen und dann nach Hause, ohne mit jemandem zu sprechen. Wenn du irgendwas redest, ist der Zauber weg.« »Gott, das klingt ja ganz einleuchtend. Aber so hat es Bob Tanner bestimmt nicht gemacht.«

»Natürlich nicht, da kannst du dich drauf verlassen! Bob hat die meisten Warzen von uns allen, und er würde bestimmt keine einzige mehr haben, wenn er verstünde, mit Wasser von faulem Holz umzugehen. Ich habe selbst Tausende von Warzen so weggebracht, Huck. Ich spiele viel mit Kröten, sodass ich immer furchtbar viele Warzen kriege. Manchmal bring ich sie auch mit einer Bohne weg.«

»Ja, Bohnen sind gut. Ich habe es auch versucht.

»Tatsächlich? Wie machst du's?«

»Na, du spaltest eine Bohne, dann schneidest du in die Warze, bis Blut kommt. Dann tust du das Blut auf die eine Hälfte der Bohne und vergräbst sie um Mitternacht in einem Loch am Kreuzweg. Es darf aber kein Mond scheinen. Und dann verbrennst du den Rest von der Bohne. Das Stück mit dem Blut fängt dann an zu ziehen und zu ziehen, um das andere Stück wiederzukriegen, und dabei zieht dann das Blut alle Warzen heraus. Es dauerte nicht lange, da sind sie alle weg.«

»Ganz recht, Huck, so wird es gemacht Aber wenn du sie vergräbst, musst du sagen:

›Bohnen am Ort – Warzen fort,
kommt nicht mehr – zu mir her!‹

So macht's Joe Harper und der ist beinahe bis Coonville gekommen, überhaupt, der ist furchtbar viel herumgekommen. Aber sag mal, wie bringst du sie mit toten Katzen weg?«

»Na, du schleichst dich mit der Katze auf den Kirchhof, so gegen Mitternacht, aber nach einem Tage, wo ein schlechter Mensch begraben worden ist. Um Mitternacht kommt dann ein Teufel oder manchmal auch zwei oder drei. Aber man kann sie nicht sehen, man hört nur so was wie Wind; manchmal hört man sie auch sprechen. Wenn sie dann mit dem Kerl abziehen, schmeißt du ihnen die Katze nach und sagst:

›Leiche geht zum Teufel, Katze zur Leiche,
Warzen zur Katze und ich nach Haus!‹

Davon geht jede Warze weg.«

»Klingt gut. Hast du's schon mal versucht, Huck?«

»Ich nicht, aber Mutter Hopkins hat's mir gesagt.«

»Na, dann glaube ich es, die soll ja eine Hexe sein. Die muss es wissen.«

»Sie soll? Tom, sie ist es sogar ganz bestimmt! Die hat doch meinen Alten verhext. Er sagt es selber. Er kam einmal da vorbei und hat gesehen, wie sie ihn verhext hat. Da nahm er einen Stein, und wenn sie sich nicht geduckt hätte, dann hätt er sie gekriegt. Na und noch in derselben Nacht rollt er vom Heuboden runter, wo er ganz betrunken liegt, und bricht sich den Arm.«

»Das ist furchtbar. Woher wusste er denn, dass sie ihn verhext hat?« »Herrgott, mein Alter merkt das gleich. Er sagt, wenn sie einen so richtig mit Glotzaugen anstieren, dann verhexen sie einen. Besonders, wenn sie noch dabei vor sich hin murmeln, dann sagen sie nämlich das Vaterunser von rückwärts.«

»Du, Huck, wann machst du das mit der Katze?«

»Heute Nacht. Ich denke, sie werden heute den alten Ross Williams holen kommen.«

»Aber den haben sie doch schon Samstag begraben, Huck. Haben sie den nicht schon Samstag Nacht geholt?«

»Ach, was du denkst! Die können doch nicht vor Mitternacht arbeiten und dann ist Sonntag. Glaub nicht, dass sich die Teufel am heiligen Sonntag blicken lassen, oder?«

»Natürlich nicht. Da hast du Recht. Kann ich mitgehen?«

»Klar – wenn du keine Angst hast.«

»Angst? Keine Spur! Du wirst miauen, ja?«

»Ja, aber du musst wieder miauen, wenn es geht. Das

letzte Mal hast du mich so lange rummiauen lassen, bis der alte Hays angefangen hat mit Steinen zu schmeißen und geschrien hat: ›Verdammtes Katzenvieh!‹ Na, dem hab ich einen Ziegel ins Fenster gehaut! Aber dass du nichts sagst!«

»Tu ich nicht. Ich konnte nicht miauen, weil die Tante aufgepasst hat. Aber heute Nacht miaue ich bestimmt. Du, Huck, was hast du denn da?«

»Bloß einen Holzbock.«

»Woher hast du den?«

»Aus dem Wald.«

»Was willst du dafür haben?«

»Weiß nicht. Ich verkaufe ihn überhaupt nicht.«

»Na schön. Ist sowieso nur ein winziger Holzbock.«

»Hm, das kann jeder, Holzböcke anderer Leute schlechtmachen. Mir genügt er. Für mich ist es gerade so der richtige Holzbock.«

»Meinetwegen, Holzböcke gibt es genug. Wenn ich wollte, könnte ich tausend haben.«

»Hm, warum willst du denn nicht? Weil du weißt, du kannst nicht. Schätze, das ist ein ziemlich früher Holzbock. Der erste, den ich dieses Jahr gesehen hab.«

»Du, Huck – ich gebe dir meinen Zahn dafür!«

»Zeig mal her.«

Tom holte ein Stück Papier hervor und entfaltete es umständlich. Huckleberry sah den Zahn verlangend an. Die Versuchung war groß. Schließlich sagte er:

»Ist er echt?«

Tom zog die Lippe hoch und ließ die Lücke sehen.

»All right!«, knurrte Huckleberry. »Abgemacht.«

Tom ließ den Holzbock in der Streichholzschachtel verschwinden, die noch vor Kurzem das Gefängnis des Kneifkäfers gewesen war, und die Jungen trennten sich. Jeder glaubte sich wohlhabender als zuvor. Tom erreichte das einsame, kleine Schulhaus und trat voll Schwung ein wie jemand, der berechtigte Eile hat. Er warf seinen Hut auf den Haken und sich in seine Bank. Der Lehrer thronte hoch oben auf seinem großen, geflochtenen Armsessel. Er döste, eingelullt von dem schläfrigen Summen der Lernenden. Die Störung weckte ihn.

»Thomas Sawyer!«

Tom wusste, wenn er bei seinem vollen Namen gerufen wurde, bedeutete das Verdruss.

»Bitte, Herr Lehrer?«

»Komm einmal her. Nun, mein Herr, was hast du heute wieder für einen Grund zu spät zu kommen?«

Tom war gerade dabei, eine Lüge zu erfinden, als er zwei lange blonde Zöpfe bemerkte. Sie hingen von einem Kopf herunter, den er mit dem Scharfblick der Liebe sofort erkannte. Er sah zugleich, dass neben diesem Kopf der einzige freie Platz auf der Mädchenseite des Schulzimmers war. Ohne Besinnung sagte er:

»Ich bin stehen geblieben, um mit Huckleberry Finn zu sprechen!« Dem Lehrer stand das Herz still. Er starrte hilflos umher. Das Gesumm der Lernenden brach ab. Es gab keinen Schüler, der nicht glaubte, der Junge habe seinen Verstand verloren. Der Lehrer sagte:

»Du bist – waas bist du …?«

»Ich bin stehen geblieben, um mit Huckleberry Finn zu sprechen!« Diese Worte ließen kein Missverständnis zu.

»Thomas Sawyer, das ist das erstaunlichste Geständnis, das ich jemals gehört habe. Auf diese Frechheit ist nur eine Tracht Prügel die richtige Antwort. Zieh deine Jacke aus.«

Der Arm des Lehrers schlug zu, bis er nicht mehr konnte und die Kraft der Schläge sichtlich abnahm. Dann befahl er: »So, mein Sohn. Und nun wirst du dich hier zu den Mädchen setzen! Lass dir das eine Warnung sein!«

Das Kichern, das jetzt ringsumher entstand, schien den Jungen niederzudrücken. In Wirklichkeit war er nur schüchtern geworden aus übermäßiger Ehrfurcht vor seinem unbekannten Idol und aus toller Freude über sein Glück.

Er setzte sich auf den Rand der hölzernen Bank. Das Mädchen rückte von ihm ab und warf den Kopf zurück. Puffen, Winken und Wispern gingen im Raume hin und her, aber Tom saß still, stützte die Arme auf die lange, niedrige Schulbank und schien in seinem Buch zu lesen. Nach und nach hörte man auf, sich um ihn zu kümmern, und das gewohnte Schulgemurmel erfüllte wieder die dumpfe Luft. Nun begann der Junge verstohlene Seitenblicke zu werfen. »Sie« bemerkte es, maulte und zeigte ihm für eine volle Minute den Rücken. Als sie sich vorsichtig wieder umsah, lag ein Pfirsich vor ihr. Sie schob ihn weg, Tom legte ihn sachte wieder hin. Sie schob ihn zum zweiten Male fort, aber schon mit weniger Entschiedenheit. Tom beförderte ihn geduldig wieder auf seinen Platz. Diesmal ließ sie ihn liegen. Tom kritzelte auf seine Tafel:

»Bitte nimm ihn, ich hab noch mehr.«

Sie sah flüchtig auf die Worte, gab aber kein Zeichen.

Nun begann der Junge auf seiner Tafel irgendetwas zu zeichnen und verbarg sein Werk hinter der linken Hand. Eine Zeit lang wehrte sich das Mädchen dagegen, es zur Kenntnis zu nehmen, aber schließlich zeigte sich seine allzu menschliche Neugier doch in allerlei kaum bemerkbaren Zeichen. Tom arbeitete weiter und schien ganz vertieft. Die Kleine machte einen vorsichtigen Versuch etwas zu entdecken, aber der Junge wollte es noch immer nicht sehen. Endlich gab sie nach und flüsterte zögernd:

»Lass mich bitte sehen.«

Tom gab die kümmerliche Karikatur eines Hauses frei, mit zwei Giebeln und einem Korkenzieher, der als Rauch aus dem Schornstein stieg. Das Mädchen war ganz gefesselt von dem Werk. Es vergaß alles andere darüber. Als die Zeichnung fertig war, staunte das Mädchen und flüsterte dann:

»Sehr schön. Mach noch einen Mann.«

Der Künstler zeichnete einen Mann im Vorgarten, der ein Riese zu sein schien. Er konnte ohne Weiteres über das Haus steigen. Aber das Mädchen war nicht so kritisch, der Riese gefiel ihr.

»Ein wunderschöner Mann – jetzt muss noch ich vorbeikommen.« Tom zeichnete eine Sanduhr mit einem Vollmond drauf und Strohhalmen als Glieder. Dann bewaffnete er die gespreizten Finger mit einem mächtigen Fächer.

»Wie hübsch! Wenn ich doch auch so zeichnen könnte.«

»Das ist doch ganz leicht«, flüsterte Tom. »Ich werd's dir beibringen.«

»Au ja! Wann?«

»Mittags. Gehst du zum Essen nach Hause?«

»Wenn du hierbleibst, bleibe ich auch.«

»Fein, abgemacht! Wie heißt du?«

»Becky Thatcher! Und du? Ach, ich weiß schon – Thomas Sawyer.«

»Ja, wenn ich so heiße, werd ich verprügelt. Wenn ich gut bin, heiße ich Tom. Du nennst mich Tom, ja?«

»Ja.«

Nun fing Tom an, hinter der Hand etwas auf die Tafel zu kritzeln. Diesmal hielt sie ihre Neugierde nicht zurück, sie wollte es sehen.

»Ach, es ist nichts«, sagte Tom.

»Doch ist es was.«

»Nein, gar nichts; du brauchst es nicht zu sehen.«

»Ich will's aber sehen! Bitte, lass mich doch.«

»Du sagst es weiter.«

»Nein, nein, bestimmt nicht, ganz bestimmt nicht!«

»Niemandem? Solange du lebst?«

»Nein, ich sage es niemals weiter. Jetzt lass mich doch sehen!«

»Ach, du willst es gar nicht sehen.«

»Jetzt will ich es gerade sehen. Wenn du so bist.«

Sie legte ihre kleine Hand auf die seine und ein kleines Gefecht entstand.

Tom tat, als wenn er sich wirklich wehrte, aber wie zufällig ließ er seine Hand doch wegziehen, bis schließlich die Worte zum Vorschein kamen:

Ich liebe dich.

»Ach, du frecher Kerl!«

Sie schlug ihm empört auf die Hand, dann wurde sie rot und sah sehr vergnügt aus.

In diesem entscheidenden Moment fühlte der Junge sein Ohr von der kräftigen Hand des Geschickes ergriffen und mitsamt dem daranhängenden Kopfe emporgezogen. In diesem Schraubstock wurde er unter dem aufreizenden Gelächter der ganzen Schule quer durch die Klasse bis zu seinem alten Sitz geführt. Der Schulmeister stand noch ein paar fürchterliche Augenblicke neben ihm, schließlich aber trat er ohne ein Wort den Rückzug zu seinem Thron an. Toms Ohr brannte, aber sein Herz war voller Jubel.

Die Schule beruhigte sich wieder und Tom machte eine ehrliche Anstrengung zu lernen. Aber er war zu aufgeregt. Als er zum Lesen drankam, versagte er schmählich. Später, in der Geografiestunde, verwandelte er Seen in Gebirge, Berge in Flüsse, Flüsse in Erdteile, bis das Chaos vor der Schöpfung wieder hergestellt schien. Beim Buchstabieren gab er sich von einer Folge kinderleichter Worte besiegt und verwechselte alles derart, dass er die Zinnmedaille, die er seit Monaten mit ungeheurem Stolz getragen hatte, wieder abgeben musste.

7

Je mehr sich Tom bemühte, seine Gedanken an das Buch zu fesseln, desto schlimmer wanderte seine Fantasie umher. Zuletzt gab er es seufzend und gähnend auf. Es schien ihm, dass die Mittagspause überhaupt nicht mehr kommen wollte. Die Luft war völlig still. Nicht der leiseste Windhauch regte sich. Es war der schläfrigste aller schläfrigen Tage. Das dösende Gemurmel von fünfundzwanzig lernenden Schülern umhüllte die Seele wie das magische Gesumme der Bienen. Fern im flimmernden Sonnenschein erhob der Hügel seine sanften, grünen Hänge, mit dem Schleier der brütenden Hitze verhangen, der sie rot erscheinen ließ. Auf trägen Schwingen schwebten hoch oben am Himmel ein paar Vögel. Sonst war kein lebendes Wesen zu sehen, außer ein paar Kühen, und die schliefen.

Toms Herz lechzte nach Freiheit oder doch nach irgendetwas Interessantem, um die endlose Zeit totzuschlagen. Seine Hand wanderte suchend in die Tasche. Langsam und vorsichtig kam die Zündholzschachtel ans Tageslicht. Er befreite den Holzbock und setzte ihn auf das lange, flache Pult. Wahrscheinlich empfand das Geschöpf in diesem Augenblick ebenfalls eine Dankbarkeit, die einem Gebet gleichkam; aber das war voreilig, denn als es sich frohlockend entfernen wollte, schubste es Tom mit einer Nadel zur Seite und zwang es in eine neue Richtung.

Neben Tom saß sein bester Freund, der ebenso litt, wie Tom gelitten hatte. Mit Erleichterung wandte sich auch sein Interesse der neuen Unternehmung zu. Der Busenfreund war Joe Harper. Die beiden Jungen waren die ganze Woche verschworene Freunde, aber am Samstag beim Kriegsspiel waren sie Todfeinde. Joe zog eine Stecknadel aus dem Kragen und begann sich an der Zähmung des Gefangenen zu beteiligen. Der Sport gewann sofort an Spannung. Bald aber stellte Tom fest, dass sie sich gegenseitig störten und so keiner von beiden etwas von dem Holzbock hatte. Er legte also Joes Schiefertafel auf den Tisch und zog darauf eine Linie von oben bis unten.

»So«, erklärte er, »solange er auf deiner Seite ist, kannst du ihn schubsen und ich lasse ihn zufrieden, und wenn du ihn auslässt und er kommt zu mir rüber, musst du ihn mir so lange lassen, wie ich ihn in meinem Land behalten kann.«

»Gemacht. Los, treib ihn an.«

Der Holzbock entschlüpfte Tom sofort und marschierte über den Äquator. Joe jagte ihn eine Weile hin und her, bis er auswanderte und hinüberwechselte. Diese Überschreitungen wiederholten sich immer wieder. Während der eine atemlos den Holzbock exerzieren ließ, passte der andere auf wie ein Schießhund und beide hatten ihre Köpfe über die Tafel gebeugt und sahen und hörten nichts anderes. Schließlich schien das Kriegsglück sich für Joe zu entscheiden. Der Käfer nahm diesen und jenen Weg und wieder einen anderen; er war so aufgeregt und ängstlich wie die Jungen selber. Aber jedes Mal, wenn er entronnen zu sein glaubte und Toms Finger schon zuckten, um ihn in Empfang zu nehmen, ereilte ihn Joes Nadel und zwang ihn zurück. Das konnte Tom endlich nicht mehr mitansehen. Die Versuchung war zu groß. Er griff hinüber und korrigierte das Schicksal mit seiner Stecknadel.

Joe wurde ärgerlich und sagte:

»Lass ihn zufrieden, Tom.«

»Ich will ihn nur ein bisschen aufmuntern, Joe.«

»Nein, mein Lieber, das gibt's nicht. Jetzt lässt du ihn in Frieden.«

»Verdammt, ich will ihn doch gar nicht antreiben.«

»Du lässt das sein, das sag ich dir!«

»Ich denk gar nicht daran.«

»Was heißt denn das? Er ist auf meiner Seite vom Strich.«

»Nanu, Joe Harper, wessen Holzbock ist es denn, he?«

»Das geht mich gar nichts an, wessen Holzbock das ist; er ist auf meiner Seite vom Strich und du fasst ihn nicht an.«

»Das wollen wir mal sehen. Verdammt noch mal, es ist mein Holzbock und ich kann mit ihm machen, was ich will!«

Ein niederschmetternder Schlag sauste auf Toms Schulter, während das Gegenstück dieses Hiebes Joe traf. Zwei Minuten lang flog der Staub aus zwei Jacken und die ganze Schule hatte ihr Vergnügen. Die Jungen waren viel zu beschäftigt gewesen, um zu merken, wie es plötzlich still wurde und der Lehrer auf Zehenspitzen heranschlich. Er hatte schon eine Zeit lang den Streitfall mit angesehen, ehe er seinen Teil zur Unterhaltung beitrug. Als um zwölf Uhr die Schule zu Ende war, flog Tom zu Becky Thatcher und flüsterte ihr zu:

»Setz deine Kappe auf und tu, als wenn du nach Hause gingest; wenn du an die Ecke kommst, drück dich und geh durch die Hecke zurück. Ich gehe den andern Weg und komm zu derselben Stelle.«

Jeder von ihnen ging mit einer Gruppe von Schülern davon. Etwas später trafen sich beide hinter der Hecke, und als sie wieder zum Schulhaus kamen, hatten sie es ganz für sich.

Sie saßen zusammen über eine Schiefertafel gebeugt und Tom gab Becky einen Griffel in die Hand. Er umschloss dann ihre Hand mit seiner und führte sie, und sie brachten ein neues Wunderwerk von Haus zustande. Aber der Kunsteifer verging bald und die beiden fingen an zu schwatzen. Tom war selig.

»Hast du Ratten gern?«, fragte er.

»Nein, nein, die sind abscheulich!«

»Na ja, lebendige ja. Aber ich meine doch tote, die kann man mit einer Schnur um den Kopf schwingen.«

»Scheußlich, nein, Ratten mag ich überhaupt nicht. Aber Kaugummi mag ich.«

»Ach, das hab ich mir gedacht. Wenn ich nur einen hätte.«

»Du, ich habe einen. Du kannst ein bisschen kauen, aber du musst ihn mir wieder zurückgeben.«

Das war mehr als angenehm. Sie kauten abwechselnd und ließen vor Zufriedenheit die Beine baumeln.

»Warst du schon einmal im Zirkus?«, fragte Tom.

»Ja, und mein Vater will mich wieder mitnehmen, wenn ich artig bin.«

»Ich war schon drei- oder viermal, ach, überhaupt xmal im Zirkus; Zirkus ist viel schöner als Kirche. Im Zirkus ist doch immer was los. Wenn ich groß bin, werde ich Clown in einem Zirkus.«

»Ach, wirklich? Das ist hübsch. Die sind so nett scheckig.«

»Ja, das stimmt. Und sie verdienen haufenweise Geld, jeden Tag einen Dollar, sagt Ben Rogers. Du, Becky, warst du schon einmal verlobt?«

»Was ist denn das?«

»Na verlobt, dann heiratet man sich.«

»Nein.«

»Hast du nicht Lust dazu?«

»Ich glaube – ich weiß nicht. Wie ist es denn?«

»Wie? Na, es ist wie gar nichts anderes. Aber du brauchst bloß einem Jungen zu sagen, dass du ihn bestimmt nehmen willst, für immer, ganz und gar für immer, und dann musst du ihm einen Kuss geben. Das ist alles. Das kann jeder machen.«

»Einen Kuss? Wozu denn einen Kuss?«

»Weil – weißt du, es ist, damit – na ja, sie machen es doch alle.«

»Alle?«

»Natürlich, alle, die verlobt sind. Weißt du noch, was ich vorhin auf die Schreibtafel geschrieben habe?«

»J – j – a.«

»Was denn?«

»Ich weiß es nicht mehr.«

»Soll ich es dir sagen?«

»J – a – a, aber lieber ein andermal.«

»Nein, jetzt.«

»Nein, nicht jetzt, morgen.«

»Ach, bitte, Becky, jetzt. Ich sage es ganz leise, ich sage es dir ins Ohr.«

Becky zögerte, Tom nahm das Schweigen für Zustimmung, rückte etwas näher, legte seinen Arm um sie und flüsterte ihr ganz sanft die uralten Worte zu. Sein Mund lag dicht an ihrem Ohr. Dann sagte er:

»Jetzt musst du es zu mir sagen, genau dasselbe.«

Sie sträubte sich eine Weile. Dann sagte sie:

»Du musst aber dein Gesicht ganz wegdrehen, dass du nichts sehen kannst! Und du darfst es niemals jemandem sagen, willst du das, Tom? Ach, du sagst es doch, ja?«

»Nein, ganz bestimmt nicht. Jetzt, Becky?«

Er drehte sein Gesicht weg.

Sie beugte sich furchtsam zu ihm, bis ihr Atem seine Locken bewegte, und flüsterte:

»Ich – liebe – dich!«

Dann sprang sie fort und rannte zwischen den Pulten und Bänken herum, Tom immer hinter ihr her. Sie flüchtete sich in eine Ecke und verbarg ihr Gesicht hinter ihrer kleinen, weißen Schürze.

Tom fasste sie um den Hals und redete ihr zu.

»Es ist ja schon alles vorbei, Becky. Bloß noch der Kuss. Du brauchst keine Angst zu haben, es ist gar nicht so schlimm. Bitte, Becky.«

Er zupfte an ihrer Schürze und ihren Händen.

Nach und nach ergab sie sich und ließ ihre Hände sinken.

Ihr Gesicht war glühend von der Anstrengung. Tom küsste ihre roten Lippen und sagte:

»Siehst du, Becky, jetzt ist alles vorbei. Also darfst du nie mehr einen anderen lieben außer mir und du darfst auch keinen anderen heiraten, nie, nie, in alle Ewigkeit, willst du das?«

»Ja, Tom. Ich werde niemals jemanden außer dir lieben oder heiraten. Aber du darfst auch keine andere heiraten als mich!«

»Aber sicher, natürlich nicht. Das gehört ja dazu. Und immer, wenn du zur Schule gehst oder auf dem Heimweg, musst du mit mir gehen, das heißt, wenn es niemand sieht. Und beim Spielen wählst du immer mich und ich dich. Das macht man so, wenn man verlobt ist.«

»Das ist hübsch. Ich hab das nie gewusst.«

»Ja, das ist furchtbar lustig. Ich und Amy Lawrence …«

Beckys aufgerissene Augen verrieten ihm seinen Schnitzer. Verwirrt unterbrach er sich.

»Oh, Tom; also bin ich nicht die Erste, mit der du verlobt bist!« Die Kleine fing an zu weinen. Tom tröstete sie:

»Ach, wein doch nicht, Becky, ich denke gar nicht mehr an die.« »Doch denkst du, Tom, das weiß ich ganz genau.«

Tom versuchte seinen Arm um ihren Hals zu legen, aber sie stieß ihn weg, drehte sich gegen die Wand und weinte weiter. Tom versuchte es noch einmal mit beruhigenden Worten, aber er wurde wieder abgewiesen. Da erwachte sein Stolz und er ging schweigend hinaus. Dort stand er eine Weile unruhig und gequält herum und lugte nach der Tür, denn er hoffte, sie würde reuevoll zu ihm kommen. Aber sie kam nicht. Da begann er sich unglücklich zu fühlen und zu befürchten, dass er vielleicht doch im Unrecht sei. Er kämpfte lange, ob er einen neuen Vorstoß machen sollte. Schließlich bezwang er sich und ging hinein. Sie stand noch immer in der Ecke und schluchzte gegen die Wand. Es tat Tom sehr weh. Er ging zu ihr und stand einen Augenblick unentschlossen da.

Endlich brachte er stockend heraus:

»Becky, ich mag wahrhaftig keine andere als dich.«

Keine Antwort – nur Schluchzen.

»Becky«, bat er. »Becky, warum sagst du denn gar nichts?«

Das Schluchzen wurde immer stärker.

Da holte Tom seinen größten Schatz aus der Tasche: einen Messingknopf von dem oberen Rand eines Küchenherdes. Er fuhr damit vor ihren Augen hin und her, dass sie ihn sehen musste, und sagte:

»Becky, bitte, willst du ihn nicht haben?«

Sie schlug den angebotenen Messingknopf zu Boden.

Da ging Tom aus dem Haus und wanderte weit weg über die Hügel, um an diesem Tage nicht mehr in die Schule zurückzukehren. Kaum war er fort, da schöpfte Becky Verdacht. Sie rannte zur Tür, aber er war nicht mehr zu sehen. Sie flog um den Vorgarten herum, aber kein Tom war da.

»Tom!«, rief sie. »Tom, komm zurück!«

Sie horchte gespannt. Es kam keine Antwort. Stille und Einsamkeit waren ihre einzigen Gefährten. Sie setzte sich nieder und begann wieder zu weinen, gequält von Selbstvorwürfen. Allmählich versammelten sich die Schüler wieder, und sie musste ihren Gram in dem gebrochenen Herzen verbergen und das Kreuz eines langen, traurigen Nachmittags auf sich nehmen, ohne eine einzige Freundesseele, der sie ihre Sorgen hätte anvertrauen können.

8

Tom schlüpfte im Zickzack durch die Gassen davon, bis er außer Reichweite der zurückkehrenden Schüler war. Dann fiel er in ein nachdenkliches Schlendern. Zwei- oder dreimal sprang er über einen kleinen Graben, denn er hatte die feste Überzeugung, dass das Überkreuzen von Wasserläufen auch die hartnäckigsten Verfolger irreführe. Eine halbe Stunde später war er hinter dem Haus der Witwe Douglas auf dem Kamm des Hügels verschwunden. Das Schulhaus lag kaum erkennbar weit unten im Tal. Dann ging er quer durch den dichten Wald, ohne Weg, und setzte sich schließlich unter einer weitverzweigten Eiche auf das angenehm weiche Moos nieder. Es regte sich kein Lüftchen. Die Mittagsglut hatte sogar den Gesang der Vögel ersterben lassen, und die Natur lag in tiefem Schlaf, der nur selten durch das ferne Hämmern eines Spechts unterbrochen wurde; und auch dieser Ton schien die lastende Stille und Einsamkeit, die ihm folgte, nur umso deutlicher zu machen. Toms Seele war voll Melancholie. Seine Gefühle stimmten auf harmonische Weise mit seiner Umgebung überein. Er saß lange ganz still, die Ellenbogen auf die Knie gestützt und das Kinn in den Händen vergraben. Er grübelte. Das Leben schien bestenfalls ein Jammertal, und er beneidete geradezu Jimmy Hodgers, der kürzlich davon erlöst worden war. Es muss so friedlich sein, dachte er, für immer und ewig schlummernd dazuliegen und zu träumen. Der Wind flüstert in den Baumkronen und streichelt das Gras und die Blumen auf dem Grab; es gibt überhaupt nichts mehr, über das man wütend oder traurig sein müsste. Wenn er nur eine gute Zensur in der Sonntagsschule aufweisen könnte, so wäre er sofort bereit abzugehen und mit der ganzen Welt zu brechen. Überhaupt dieses kleine Mädchen. Was hatte er denn getan? Gar nichts. Er hatte die allerbesten Absichten von der Welt gehabt und war wie ein Hund behandelt worden, wie ein Hund – wie ein Hund! Aber es würde ihr eines Tages leidtun und dann würde es zu spät sein! Ach, wenn er doch wenigstens vorübergehend sterben könnte …!

Aber das elastische Herz der Jugend lässt sich nicht lange in die enge Form der Melancholie pressen.

Tom begann bald wieder auf den Wassern des Lebens umherzusegeln. Wie wäre es, fiel ihm ein, wenn er jetzt allem den Rücken kehrte und geheimnisvoll verschwände? Niemand wusste, wohin. Wenn er weit, weit fortginge in ferne, unbekannte Länder hinter den Weltmeeren und niemals wiederkäme! Was würde sie dann wohl fühlen? Der Gedanke Clown zu werden erfüllte ihn nur noch mit Abscheu, denn Leichtfertigkeit, dumme Späße und gescheckte Kleider sind eine lächerliche Zumutung für einen Geist, der sich in die gefährlichen, erhabenen Gefilde der Romantik begeben hat.

Nein, er wollte Soldat werden und nach langen Jahren kampfesmüde und ruhmbeladen heimkehren. Nein, noch besser, er wollte zu den Indianern gehen und Büffel jagen, den Kriegspfad im wilden Gebirge entlangziehen und die ungeheuren weglosen Prärien des fernen Westens durchstreifen! In später Zukunft einmal würde er als großer Häuptling nach Hause kommen, geschmückt mit einer Stirnkrone aus Adlerfedern, furchtbar blickend unter der Kriegsbemalung. Dann wollte er an einem schläfrigen Sommermorgen mit einem Kriegsruf, der das Blut gerinnen ließ, in die Sonntagsschule hineinstürzen, wo die aufgerissenen Augen seiner Kameraden mit unbeschreiblichem Neid auf ihn blicken sollten. Doch nein, es gab noch etwas Größeres: Er wollte Seeräuber werden! Das war das Höchste. Klar lag seine Zukunft vor ihm, leuchtend in unausdenklicher Pracht. Sein Name sollte die Welt erfüllen und alle Herzen erschauern lassen! Ruhmvoll würde er die wogenden Meere durchpflügen, mit seinem langen, schmalen schwarzen Schiff, dem »Sturmgespenst«, die grauenerweckende Flagge am Bug. Dann, auf der Höhe seines Ruhmes, wollte er plötzlich in dem alten Städtchen erscheinen, mit seinem schwarzen Samtwams und Pluderhosen, seinen mächtigen Wasserstiefeln, der purpurnen Schärpe, den Gürtel mit Pistolen gespickt, an der Seite den blutbefleckten Türkensäbel, einen wallenden Federbusch auf dem Schlapphut – so wollte er in die Kirche treten und seine schwarze Fahne mit dem Totenkopf und den gekreuzten Knochen entfalten. Mit geschwellter Brust würde er das Geflüster ringsum hören:

»Das ist Tom Sawyer, der Pirat! Der schwarze Rächer der spanischen Meere!«

Ja, er war entschlossen. Seine Laufbahn war bestimmt. Morgen früh würde er von zu Hause weglaufen und seinen Weg antreten. Jetzt aber galt es sich fertig zu machen. Er musste seine Hilfsmittel zusammensuchen. Er ging zu einem morschen Baum in der Nähe und begann mit seinem Taschenmesser unter dem einen Ende zu graben. Bald stieß er auf Holz, das hohl klang.

Er steckte seine Hand in das Loch und sprach feierlich die Beschwörung:

»Komme, was nicht ist! Bleibe, was ist!«

Dann scharrte er die Erde fort und legte ein Stück Tannenholz frei. Er hob es hoch und zum Vorschein kam eine kleine Schatzkammer, die ringsum aus Holzschindeln bestand. Darin lag eine Murmel.

Toms Erstaunen war grenzenlos! Völlig perplex kratzte er sich am Kopf und stieß hervor:

»Da hört sich doch alles auf!«

Er warf die Murmel erbarmungslos fort und stand dann nachdenklich da. In der Tat, es war hier ein Glaube zusammengebrochen, den er zugleich mit seinen Kameraden allezeit als unfehlbar betrachtet hatte.

Wenn man eine Murmel unter bestimmten Beschwörungen vergräbt und sie vierzehn Tage liegen lässt, wenn man sie dann mit genau denselben Beschwörungen wieder hervorholt, dann muss man alle Murmeln, die man jemals verloren hat, dort versammelt finden, denn die vergrabene muss sie sammeln, ganz gleich, wie weit sie verstreut sind.

Jetzt aber hatte sich diese Sache tatsächlich und unzweifelhaft als falsch erwiesen. Toms ganzes Glaubensgebäude war in seinen Fundamenten erschüttert. Oft genug hatte er gehört, dass dieses Experiment gelungen war, niemals, dass es fehlschlug. Es beirrte ihn nicht, dass er es selbst schon mehrfach versucht hatte, denn bis jetzt hatte er niemals die Schatzkammer wiedergefunden. Er grübelte lange über die Sache nach, schließlich entschied er, dass irgendeine Hexe dazwischengekommen sein musste, die den Zauber unwirksam gemacht hatte. Er wollte sich darüber Gewissheit verschaffen und suchte deshalb die Umgebung ab, bis er einen schmalen Sandflecken fand, der eine kleine trichterförmige Vertiefung aufwies.

Er legte sich auf den Bauch und rief, den Mund dicht über der Öffnung:

»Faulkäfer, Faulkäfer, sage,

Was ich dich jetzt frage!«

Sofort begann es im Sand zu arbeiten und eine Sekunde lang erschien ein kleiner schwarzer Käfer, tauchte aber gleich darauf erschrocken wieder unter.

»Er darf es nicht sagen. Also war es doch eine Hexe. Ich wusste es ja.«

Gegen Hexen konnte er nicht aufkommen, das war klar. Er gab also den Kampf auf. Aber er wollte wenigstens die Murmel wiederhaben, die er weggeworfen hatte. Er machte sich geduldig auf die Suche, aber er fand sie nicht. Er ging zu seiner Schatzkammer zurück und stellte sich ganz genauso hin, wie er vorhin gestanden war, als er die Murmel fortwarf. Dann nahm er noch eine andere Murmel aus der Tasche und schleuderte sie genauso fort, indem er sagte:

»Bruder, hol deinen Bruder!«

Er passte genau auf, wo sie niederfiel, ging hin und suchte. Aber sie musste zu kurz oder zu weit gefallen sein. Er versuchte es also noch zweimal. Das letzte Mal hatte seine Aufforderung Erfolg. Die beiden Murmeln lagen einen Fußbreit voneinander entfernt.

In diesem Augenblick ertönte der schwache Klang einer Blechtrommel durch den Wald. Sofort warf Tom Jacke und Hose ab, band sich einen Hosenträger als Gürtel um, schob einen Haufen Reisig hinter dem Baumstumpf fort und holte Bogen und Pfeile, ein Holzschwert und eine Blechtrompete hervor. So bewaffnet rannte er davon, barfuß, mit flatterndem Hemd. Er hielt unter einer großen Ulme, blies auf seiner Trompete einen Antworttusch und begann schleichend weiterzupirschen und vorsichtig nach allen Seiten Umschau zu halten. Mit unterdrückter Stimme befahl er einer eingebildeten Truppe:

»Halt, Leute; versteckt euch hier, bis ich blase.«

Da erschien Joe Harper, ebenso luftig gekleidet und ebenso bis an die Zähne bewaffnet wie Tom.

»Halt!«, rief Tom, »wer wagt sich ohne meine Erlaubnis in den Forst von Sherwood?«

»Guy von Guisborne bedarf keines Menschen Erlaubnis! Wer seid Ihr, der Ihr – der Ihr ...«

»... es wagt, solche Sprache zu führen?«, half Tom schnell aus. Sie sprachen nämlich »nach dem Buch«, das sie auswendig kannten. »Wer seid Ihr, der Ihr es wagt, solche Sprache zu führen?«

»Ha! Wer ich bin? Ich bin Robin Hood, das soll Euer jämmerlicher Leichnam bald erfahren.«

»So seid Ihr in der Tat der berühmte Geächtete? Dann will ich gern mit Euch um das Recht auf diese fröhlichen Wälder streiten. Seht Euch vor!«

Sie zogen ihre Lattenschwerter, warfen die anderen

Waffen auf die Erde, setzten sich in Positur und begannen Fuß an Fuß ernsthaft und vorsichtig ein den Regeln gemäßes Gefecht: »Zweimal oben gekreuzt, zweimal unten gekreuzt.«

»Leg doch los, wenn du dran bist«, rief Tom.

Sie legten los, keuchend und schwitzend vor Anstrengung.

Nach einer Weile schrie Tom:

»Fallen! Fallen! Warum fällst du denn nicht?«

»Ich will nicht! Warum fällst du nicht selbst? Du kriegst ja das Schlimmste ab!«

»Das hat ja gar nichts damit zu tun. Ich kann doch nicht fallen, das steht nicht im Buch! Im Buch steht: ›Und mit einem einzigen von links nach rechts geführten furchtbaren Streich streckte er den armen Guy von Guisborne zu Boden!‹ Du musst dich umdrehen und mich dich von hinten erschlagen lassen.«

Über die Autorität des Buches gab es keinen Streit. Wohl oder übel musste sich Joe umdrehen, erhielt den Todesstreich und fiel. Sofort stand er wieder auf.

»Jetzt musst du dich aber von mir erschlagen lassen. Das ist nur gerecht.«

»Ach wo, das geht doch nicht, das steht doch nicht im Buch.«

»Das ist eine Gemeinheit, weißt du das?«

»Na, weißt du, Joe, du kannst ja mal der Mönch Tick sein, oder Much, der Müllerssohn, und mich mit einem Knüppel prügeln. Oder ich bin der Sheriff von Nottingham und du bist Robin Hood und erschlägst mich, ja?«

Das war eine befriedigende Lösung und so wurden

diese Abenteuer in die Tat umgesetzt. Später war Tom dann wieder Robin Hood und verblutete an einer Wunde, die eine verräterische Nonne vernachlässigt hatte. Zuletzt schleifte ihn Joe, der eine ganze Kompanie trauernder Räuber darstellte, mit sich, gab ihm den Bogen in die zitternden Hände und Tom sprach:

»Wo dieser Pfeil niederfällt, da sollt ihr den armen Robin Hood begraben unter den grünenden Bäumen.«

Er schoss den Pfeil ab und fiel zurück. Zweifellos wäre er gestorben, aber er fiel in die Brennnesseln und sprang, für einen Leichnam allzu munter, in die Höhe.

Die Jungen zogen sich wieder an, versteckten ihre Waffen und gingen. Sie beklagten es tief, dass es keine Räuber mehr gab, und zweifelten daran, dass die moderne Zivilisation irgendetwas aufzuweisen habe, das für den Verlust Ersatz bieten konnte. Sie schworen, sie wollten lieber ein Jahr lang Räuber im Wald von Sherwood sein als Präsident der Vereinigten Staaten auf Lebenszeit.

9

Um halb zehn wurden Tom und Sid wie gewöhnlich ins Bett geschickt. Sie sagten ihr Abendgebet und Sid war bald eingeschlafen. Tom aber lag wach und wartete voller Ungeduld. Als er schon glaubte, es müsste gleich Tag werden, hörte er die Uhr zehn schlagen. Es war zum Verzweifeln. Er hätte sich herumgewälzt und nervös hin und her geworfen, hätte er nicht gefürchtet, Sid zu wecken. So lag er reglos da und starrte in die Finsternis. Erst nach und nach unterschied er kleine, kaum bemerkbare Geräusche in der Stille. Das Ticken der Uhr wurde hörbar. Hie und da krachte ein alter Balken geheimnisvoll. Die Treppenstufen knarrten leise. Es war klar, dass Gespenster umgingen. Aus Tante Pollys Zimmer kam ein regelmäßiges, schweres Schnarchen. Und jetzt begann eine Grille ihren unermüdlichen Gesang, ohne dass man hätte feststellen können, von wo er kam. Unheimlich tickte ein Totenwurm am Kopfende des Bettes und ließ Tom zusammenzucken, denn das bedeutete, dass irgendeines Menschen Tage gezählt waren. Das Heulen eines Hundes klang von fern durch die nächtliche Luft und ein noch ferneres Geheul antwortete ihm. Tom lag starr vor Todesangst. Schließlich war er davon überzeugt, dass die Zeit aufgehört und die Ewigkeit begonnen hatte. Gegen seinen Willen begann er zu dösen, und als die Uhr elf schlug, war er eingeschlafen.

Mitten aus seinen undeutlichen Halbträumen schreckte ihn ein jämmerliches Katzengeschrei. Er hörte nebenan ein Fenster öffnen und jemand schrie: »Geh zum Teufel, Katzenvieh, elendes!« Gleichzeitig krachte eine leere Flasche gegen die Rückwand von Tante Pollys Holzspeicher und das Klirren machte Tom völlig wach. Eine halbe Minute später war er angezogen und aus dem Fenster hinaus. Er kletterte auf allen vieren auf dem Vorbau entlang. Er miaute vorsichtig ein- oder zweimal, dann ließ er sich auf das Dach des Holzschuppens fallen und sprang von da zur Erde. Huckleberry Finn war mit seiner toten Katze da. Sie setzten sich in Marsch und verschwanden in der Dunkelheit. Nach einer halben Stunde wateten sie durch das hohe Gras des Kirchhofes.

Es war ein Friedhof, wie sie früher im Westen allgemein üblich waren. Er lag anderthalb englische Meilen vom Dorfe entfernt auf einem Hügel und war mit morschen Latten eingezäunt, die sich stellenweise nach innen, an anderen Stellen nach außen lehnten, nirgends aber aufrecht standen. Das schien niemanden zu bekümmern. Gras und Unkraut überwucherte den ganzen Friedhof. Die alten Gräber waren alle eingesunken. Kein einziger Grabstein war da, wurmstichige Bretter mit rundem Kopf schwankten über den Gräbern, suchten nach Halt und fanden keinen. »Geweiht dem Andenken des … so und so« war früher einmal darauf gemalt worden, aber bei den meisten konnte man es selbst bei Tageslicht nicht mehr lesen.

Ein leiser Wind ächzte in den Bäumen. Tom war überzeugt, dass es die Geister der Verstorbenen seien, die über die Störung klagten. Die Jungen sprachen wenig und nur flüsternd, denn Zeit und Ort und die lastende, feierliche Stille bedrückten ihr Gemüt. Sie fanden den frischen Grabhügel, den sie suchten, und traten in den Schutz von drei großen Ulmen, die einen Schritt vom Grabe entfernt eine Gruppe bildeten.

Sie warteten schweigend; es schien ihnen eine Ewigkeit.

Das Schreien eines Käuzchens war der einzige Laut, der die Todesstille unterbrach. Toms Gedanken wurden immer drückender. Er musste unbedingt ein Gespräch beginnen.

»Hucky«, flüsterte er, »glaubst du, dass es den Toten gefällt, dass wir hier sind?«

»Möcht ich selber wissen«, wisperte Huckleberry, »furchtbar feierlich ist's hier, was?«

»Na und ob!«

Dann kam eine lange Pause, während der die Jungen die Frage überdachten. Dann flüsterte Tom wieder:

»Du, Hucky, ob Ross Williams uns reden hört?«

»Natürlich. Zumindest sein Geist.«

Tom nach einer Pause:

»Wenn ich nur Mister Williams gesagt hätte! Aber ich hab es nicht böse gemeint. Sie nennen ihn ja alle Ross.«

»Man kann sich nicht genug vorsehen, Tom, wenn man von toten Leuten spricht.«

Das war wieder ein Dämpfer und die Unterhaltung erstarb.

Plötzlich ergriff Tom den Arm seines Kameraden und stieß hervor:

»Scht!«

»Was ist denn, Tom?«

Mit klopfenden Herzen hielten sich die beiden aneinander fest. »Scht! Da ist es wieder! Hast du gehört?«

»Ich …«

»Da, da, jetzt hörst du's!«

»Herrgott, Tom, sie kommen! Ganz bestimmt, sie kommen, was machen wir bloß?«

»Weiß nicht; ob sie uns sehen?«

»Ach, Tom, die sehen im Dunkeln wie Katzen. Oh, wär ich nur nie hergekommen!«

»Ach, hab doch keine Angst. Sie werden uns schon nichts tun. Wir tun ihnen doch auch nichts. Wenn wir ganz still sind, bemerken sie uns vielleicht gar nicht.«

»Ich werd mir Mühe geben, Tom, aber mein Gott, ich zittere von oben bis unten!«

»Horch!«

Die Jungen steckten die Köpfe zusammen und hielten den Atem an.

Vom anderen Ende des Friedhofs hörte man gedämpfte Stimmen. »Sieh! Sieh bloß!«, flüsterte Tom. »Was ist das?«

»Das ist ein Irrlicht. Ach, Tom, das ist ja furchtbar.«

Ein paar schwankende Gestalten tauchten aus der Dunkelheit auf, sie schwangen eine altertümliche Blechlaterne, die den Boden mit Lichtpünktchen sprenkelte. Huckleberry flüsterte schaudernd:

»Ganz sicher, das sind die Teufel. Drei sogar. Herrgott, Tom, wir sind verloren! Kannst du beten?«

»Will's versuchen. Aber sei doch nicht so ängstlich! Sie tun uns ja nichts! – Müde bin ich, geh zur Ruh, schließe beide …«

»Scht!«

»Was denn, Huck?«

»Es sind Menschen. Einer bestimmt. Dem einen seine Stimme ist dem alten Muff Potter seine.«

»Das gibt's doch nicht!«

»Ganz sicher! Beweg dich bloß nicht! Der ist nicht schlau genug, um uns zu bemerken. Außerdem ist er wahrscheinlich besoffen, wie immer …«

»Ich bin ganz still. Da halten sie an. Sie finden es nicht. Jetzt kommen sie wieder. Da, es ist heiß. Wieder kalt, ganz kalt. Jetzt heiß, heiß, Rotglut! Diesmal sind sie in der richtigen Richtung. Du, Huck, ich kenne auch eine Stimme: der Indianer-Joe.«

»Tatsächlich! Das verdammte Halbblut. Da wär's mir immer noch lieber, es wären Teufel. Was die hier bloß wollen?«

Das Flüstern hörte jetzt völlig auf, denn die drei Männer hatten das Grab erreicht und standen nur wenige Meter von dem Versteck der Jungen entfernt.

»Hier ist es«, sagte die dritte Stimme und ihr Besitzer hielt die Laterne hoch und beleuchtete das Gesicht des jungen Doktor Robinson.

Potter und der Indianer-Joe trugen eine Bahre, auf der ein Seil und ein paar Schaufeln lagen. Sie setzten ihre Last ab und fingen an, das Grab aufzugraben.

Der Doktor stellte die Laterne am Kopfende des Grabes nieder und setzte sich, an eine der drei Ulmen gelehnt, auf die Erde.

Er war jetzt so dicht bei den Jungen, dass sie ihn hätten berühren können.

»Beeilt euch, Leute!«, sagte er mit leiser Stimme. »Der Mond kann jeden Moment herauskommen.«

Die Antwort war ein Knurren. Sie gruben weiter und eine Zeit lang hörte man nichts als das Knirschen der Spaten und das Niederfallen von Erde und Steinen. Endlich stieß ein Spaten mit dumpfem, hölzernem Krachen auf den Sarg. Bald hatten die Männer den Sarg freigelegt und aus der Grube gehoben. Sie stemmten den Deckel mit den Schaufeln auf, hoben die Leiche heraus und warfen sie grob auf den Boden. Der Mond erschien hinter den Wolken und beleuchtete das weiße Gesicht. Die Bahre wurde zurechtgemacht und der Leichnam daraufgelegt. Sie deckten ihn mit einer Decke zu und banden ihn mit dem Seil fest. Potter zog ein großes Fangmesser heraus, schnitt das überstehende Ende des Seiles ab und sagte:

»Also, Knochensäger, das verdammte Ding wäre gedreht. Jetzt noch ein Zwanziger raus oder der bleibt hier liegen.«

»So ist's richtig!«, sagte der Indianer-Joe.

»Hallo, was soll das heißen?«, rief der Doktor. »Ihr habt die Bezahlung im Voraus verlangt und habt sie bekommen.«

»Ja, und wir haben noch mehr bekommen«, hetzte Indianer-Joe und näherte sich dem Arzt, der aufgestanden war. »Vor fünf Jahren haben Sie mich aus Ihres Vaters Küche hinausgeworfen, als ich eines Abends kam und ein bisschen zu essen haben wollte. Sie haben gesagt, ich hätte nichts Gutes im Sinn. Ich hab damals geschworen, dass ich Ihnen das heimzahle, und wenn es hundert Jahre dauert, und da hat mich Ihr Vater als Vagabund einsperren lassen. Denken Sie, ich vergesse so etwas? Ich habe nicht umsonst Indianerblut. Und jetzt habe ich dich und jetzt wird abgerechnet, verstanden?«

Er hielt dem Doktor die Faust unter die Nase. Der aber schlug unversehens zu und streckte den Raufbold zu Boden. Potter ließ sein Messer fallen und rief:

»Sie! Ich lasse meinen Kameraden nicht schlagen!«

Im nächsten Moment schon ging er auf den Doktor los. Die beiden schlugen sich mit aller Kraft, zertrampelten das Gras und wühlten sich mit den Absätzen in den Boden ein. Indianer-Joe sprang wieder auf die Füße, die Augen glühend vor Wut. Er ergriff Potters Messer und schlich wie eine Katze um die Ringenden herum, nach einer Gelegenheit suchend. Plötzlich riss sich der Doktor mit einem Ruck los, packte das schwere Kopfende des Sarges und schmetterte Potter damit zu Boden. Das war der Augenblick, auf den das Halbblut gewartet hatte. Er sprang hinzu und stieß dem jungen Mann das Messer bis ans Heft in die Brust. Der wankte und fiel auf den bewusstlosen Potter, auf den das Blut niederfloss. Die Wolken verhüllten das Ende des furchtbaren Schauspiels und in der Dunkelheit rannten die beiden entsetzten Jungen davon.

Als der Mond wieder hinter den Wolken hervorkam, stand Indianer-Joe neben den beiden leblosen Körpern und betrachtete sie. Der Arzt röchelte, stieß noch ein paar Seufzer aus und war still. Das Halbblut knurrte: »Zum Teufel, die Rechnung ist bezahlt!« Er raubte die Leiche aus. Dann steckte er das verhängnisvolle Messer in Potters geöffnete rechte Hand und setzte sich auf den zerbrochenen Sarg. Drei, vier, fünf Minuten vergingen. Da begann Potter sich ächzend zu regen. Seine Hand schloss sich fest um das Messer, er hob es hoch, starrte es eine Weile an und ließ es schaudernd fallen. Dann schob er den Leichnam fort, setzte sich auf und sah sich verwirrt um. Seine Augen trafen Joes Blick.

»Gott im Himmel, was ist das, Joe?«, fragte er.

Joe saß unbeweglich.

»Ein schlechtes Geschäft, Potter. Warum hast du das auch gemacht?«

»Ich? Ich habe das doch nicht getan!«

»Hör mal her. Diese Art Gerede zieht nicht.«

Potter zitterte und erblasste.

»Ich dachte, ich wäre schon wieder nüchtern gewesen. Warum habe ich auch heute Abend gesoffen. Mir brummt der Kopf noch, schlimmer als vorher. Ich weiß gar nicht mehr, was los war. Sag mal, Joe, auf Ehre, alter Bursche! Hab ich das wirklich getan? Joe, ich wollt es nicht, auf Ehre und Gewissen, ich wollt es nicht. Joe, erzähl mir doch, wie das zuging. Joe. Ach, es ist fürchterlich – er war so jung und hoffnungsvoll.«

»Ja, ihr habt euch eben geschlagen, und er hat dir eins mit dem Brett auf den Schädel gegeben, dass du hingeschlagen bist, und kaum warst du wieder auf, so ganz schwindelig und dösig, da hast du das Messer genommen und es ihm zwischen die Rippen gejagt. Gerade wie er dir wieder eine mit dem Brett verpassen wollte. Hier habt ihr beide gelegen wie Klötze, bis jetzt eben.«

»Ach, ich hab ja nicht gewusst, was ich tue. Ich will auf der Stelle sterben, wenn ich's gewusst hab. Mein Leben lang hab ich noch keine Waffe gebraucht, Joe. Ich hab oft gerauft, aber nie mit der Waffe. Das werden sie dir alle sagen. Joe, du wirst doch nichts sagen? Versprich mir, dass du nichts sagst, Joe. Du bist doch immer ein guter Kerl gewesen, ich habe dich immer gern gehabt, Joe, und bin immer für dich eingetreten. Weißt du noch? Du wirst nichts sagen. Joe, nicht?«

Der arme Kerl sank in die Knie vor dem abgebrühten Mörder und faltete beschwörend die Hände.

»Ja, du bist anständig zu mir gewesen, Muff Potter, und ich fall dir nicht in den Rücken. Das ist alles, was man von einem anständigen Kerl verlangen kann.«

»Joe, du bist ein Engel. Dafür werde ich dich segnen, solange ich lebe.«

Und Potter begann zu weinen.

»Na, weißt du, jetzt mach aber Schluss. Das ist keine Zeit zum Heulen. Los, fort mit uns, du da und ich hier. Mach, dass du fortkommst, und lass keine Spuren hinter dir!«

Potter setzte sich in Trab, der bald in wildes Rennen überging. Der Bastard sah ihm nach und murmelte:

»Wenn der so hin ist von dem Schlag und so blau von dem Rum, wie er aussieht, dann denkt er nicht an das Messer, bis er so weit fort ist, dass er sich nicht mehr zurücktraut, der Feigling!«

Zwei oder drei Minuten später bewachte nur noch der Mond den Ermordeten, die eingewickelte Leiche, den offenen Sarg und das zerwühlte Grab. Es herrschte wieder vollkommene Stille.

10

STUMM VOR SCHRECK waren die beiden Jungen zum Dorf hinuntergeflohen. Ab und zu warfen sie einen angstvollen Blick über die Schulter, als ob sie sich verfolgt glaubten. Jeder Baumstamm, der am Wege stand, schien ihnen ein Mann und ein Feind zu sein und raubte ihnen den Atem. Als sie an einigen einsamen Gehöften vorbeikamen, die nahe am Orte lagen, schien ihnen das Heulen der erwachten Hunde Flügel zu verleihen.

»Wenn wir nur noch bis zur alten Gerberei kommen!«, keuchte Tom zwischen den kurzen Atemstößen. »Lange halte ich es nicht mehr aus.«

Huckleberrys Keuchen war die einzige Antwort. Die Jungen hefteten ihre Augen fest auf das Ziel ihrer Hoffnungen und spannten all ihre Kräfte an. Sie kamen ihm immer näher und schließlich stürzten sie Schulter an Schulter durch das offene Tor und fielen dankbar und erschöpft im schützenden Schatten zu Boden. Nach und nach beruhigten sich ihre Pulse.

Tom flüsterte:

»Huckleberry, was meinst du, was da draus wird?«

»Wenn Doktor Robinson stirbt, wird einer gehenkt.«

»Meinst du wirklich?«

»Tom, ich kenne das.«

Tom dachte eine Weile nach und fragte:

»Wer wird's sagen? Wir?«

»Du bist wohl nicht gescheit? Stell dir vor, irgendetwas kommt dazwischen und der Indianer-Joe hängt nicht, na, dann bringt er uns über kurz oder lang um, so sicher, wie wir hier liegen.«

»Genau das habe ich auch gedacht, Huck.«

»Wenn es jemand erzählen soll, überlass das Muff Potter, wenn der so blöd ist, sich so anzusaufen. Das heißt, er ist gewöhnlich besoffen genug dazu.«

Tom sagte nichts, er dachte wieder nach. Plötzlich sagte er leise: »Huck, Muff Potter weiß es doch nicht. Wie soll der's erzählen?« »Wieso weiß er es nicht?«

»Na, der hatte doch eben den Schlag gekriegt, wie der Indianer-Joe zustieß. Glaubst du, der konnte noch irgendetwas sehen? Oder meinst du, der weiß überhaupt noch etwas?«

»Donnerwetter, Tom, tatsächlich!«

»Übrigens, sieh mal, vielleicht war er auch hin von dem Schlag!« »Na, das glaub ich nicht. Er hatte doch genug Schnaps getrunken, das hab ich gesehen. Übrigens hat er es immer. Wenn mein Alter betrunken ist, dann kann ihm ein Kirchturm auf den Schädel fallen, das stört ihn gar nicht. Er sagt das selbst. Genauso ist es natürlich mit Muff Potter. Wenn der Mann nüchtern gewesen wär, vielleicht hätt der Schlag ihn hingemacht, wer weiß?«

Wieder folgte eine nachdenkliche Stille.

Dann sagte Tom: »Hucky, bist du sicher, dass du den Mund halten kannst?«

»Tom, wir müssen dichthalten. Der Indio macht sich nichts daraus, uns zu ersäufen wie ein paar Katzen, wenn wir den Mund aufmachen, und er wird nicht gehenkt. Hör mal, Tom. Wir wollen uns gegenseitig schwören, ja, das ist das Richtige, schwören, dass wir den Mund halten.«

»Einverstanden, Huck. So ist es am besten. Also heb die Hand hoch und schwöre, dass du …«

»Halt, du, das reicht nicht für so eine Sache. Das ist gut genug für eine kleine gewöhnliche Dummheit, mit Mädchen oder so, denn die gehen nachher doch hin und verraten dich, wenn es ernst wird. Aber hier hilft nichts als aufschreiben. Und zwar mit Blut.«

Tom stimmte dem mit Leib und Seele zu. Das war eine Idee! Tief, düster und grauenhaft, wie Ort und Stunde und die ganzen Vorgänge es verlangten. Er hob eine glatte Holzschindel auf, die im Mondlicht lag, holte einen Stummel Rotstift aus der Tasche und kritzelte im Schein des Mondes mühselig die folgenden Zeilen:

Huck Finn und Tom Sawyer schwören,
sie wollen hierüber den Mund halten
und sie wollen auf der Stelle tot
niederfallen, wenn sie je darüber reden.

Jeder Grundstrich war dabei eine solche Anstrengung, dass Tom seine Zunge zwischen die Zähne klemmte. Und er ließ seine Zunge erst dann wieder los, wenn der nächste Aufstrich begann.

Huckleberry war voller Bewunderung für Toms Schreibkünste und die Erhabenheit seines Stils.

Er zog eine Stecknadel aus dem Jackenkragen und wollte sich ins Fleisch stechen, aber Tom hinderte ihn:

»Halt! Nicht so, Stecknadeln sind doch aus Messing, da kann Grünspan dran sein!«

»Grünspan? Was ist denn das?«

»Gift. Gift ist es. Brauchst bloß einmal etwas davon schlucken, dann wirst du schon sehen.«

Tom wickelte den Zwirn von einer seiner Nähnadeln ab. Jeder stach sich dann in den Daumenballen und quetschte einen Blutstropfen heraus.

Nach und nach brachte Tom durch häufiges Quetschen seine Anfangsbuchstaben zustande, indem er die Spitze des kleinen Fingers als Feder benutzte. Dann zeigte er Huckleberry, wie er ein H und ein F machen sollte, und der Eid war fertig. Sie vergruben die Schindel dicht an der Mauer, unter fürchterlichen Zeremonien und Zauberformeln. Damit waren nun die Fesseln, die von jetzt ab ihre Zungen banden, mit eisernen Schlössern verschlossen und der Schlüssel weggeworfen.

Durch eine Lücke in der Mauer am anderen Ende des verfallenen Gebäudes stahl sich eine Gestalt herein, ohne dass die beiden sie bemerkten.

»Tom«, flüsterte Huckleberry, »jetzt dürfen wir also niemals etwas erzählen, niemals!«

»Klar. Ganz egal, was passiert, wir haben den Mund zu halten, sonst fallen wir auf der Stelle um – weißt du nicht?«

»Ja, ja, ich glaub auch.«

Eine Zeit lang flüsterten sie noch.

Plötzlich fing draußen ein Hund lang gezogen und jämmerlich zu heulen an, kaum fünf Schritte von ihnen entfernt. Unwillkürlich klammerten sich die Jungen aneinander. Sie waren starr vor Schreck.

»Wen von uns beiden meint er?«, hauchte Huckleberry.

»Weiß nicht – schau mal durch den Spalt, schnell!«

»Ich nicht, du, Tom.«

»Ich kann nicht – ich kann doch nicht, Huck!«

»Tom, bitte! Da, schon wieder!«

»Gott sei Dank, es ist alles gut«, flüsterte Tom. »Die Stimme kenne ich. Es ist Bull Harbison.«

»Ah, das ist gut. Ich sage dir, Tom, ich war mehr tot als lebendig. Ich hätte gewettet, es ist ein wilder Hund.«

Der Köter heulte wieder laut auf. Abermals sank den Jungen das Herz.

»Ogottogott! Es ist doch nicht Bull!«, keuchte Huckleberry. »Sieh doch nach, Tom.«

Angstschlotternd gab Tom nach und sah durch den Spalt. Kaum hörbar hauchte er:

»Huck, es ist ein wilder Hund.«

»Schnell, schnell, Tom. Sag doch, wen meint er?«

»Huck, er muss uns beide meinen, wir sind ja auch zusammen.« »Ach, Tom, jetzt ist es aus mit uns. Ich weiß genau, wohin ich komme, ich weiß. Ich bin ja so schlecht.«

»Siehst du, das kommt vom Schuleschwänzen und lauter solchen Sachen. Ich hätt ja auch gut sein können wie Sid, wenn ich es nur versucht hätt – aber ich hab's ja nicht versucht. Aber wenn ich diesmal davonkomme, dann will ich für die Sonntagsschule mehr lernen als alle anderen, das schwöre ich!«

Und Tom begann ein bisschen zu schlucken.

»Du und schlecht!« Und auch Huckleberry begann jetzt zu schluchzen. »Mensch, Tom Sawyer, du bist ja noch ein Engel gegen mich. Ogottogottogott, ich wünschte, ich hätt nur halb so viele Aussichten wie du.«

Tom schluchzte laut und flüsterte:

»Sieh doch, sieh doch, Hucky! Er dreht uns ja den Rücken zu!«

Hucky spähte hinaus und jauchzte:

»Wahrhaftig, vorhin auch schon?«

»Ja, doch, aber ich Narr hab's nicht gemerkt. Das ist ja komisch, weißt du. Wen kann er denn meinen?«

Das Geheul verstummte. Tom spitzte die Ohren.

»Scht! Was ist das?«, wisperte er.

»Klingt wie – wie Schweinegrunzen. Nein, da schnarcht jemand, Tom.«

»Schnarcht? Wo denn, Huck?«

»Glaube, da unten, am andern Ende. Klingt jedenfalls so. Mein Alter schläft hier manchmal mit den Schweinen zusammen, aber das kann ich dir sagen, der sprengt die Wände auseinander, wenn er schnarcht. Glaub auch nicht, dass er wieder in die Stadt kommt.« Der Abenteuergeist regte sich wieder im Herzen des Jungen.

»Hucky, traust du dich mitzugehen, wenn ich führe?«

»Viel Lust habe ich nicht, Tom. Vielleicht ist es der Indianer-Joe.« Tom schrak zusammen. Aber die Versuchung war stärker und schließlich beschlossen die Jungen es zu versuchen. Allerdings, wenn das Schnarchen aufhörte, wollten sie Fersengeld geben. Sie gingen also auf Zehenspitzen hinunter, einer hinter dem anderen. Sie waren kaum noch fünf Schritte von dem Schnarchenden entfernt, da trat Tom auf einen Stock, der mit scharfem Krachen zerbrach. Der Mann stöhnte, drehte sich ein bisschen um und sein Gesicht wurde vom Mond beschienen. Es war Muff Potter. Die Jungen standen still und ihre

Herzen auch, als der Mann sich bewegte. Aber ihre Angst war jetzt vorüber.

Sie schlichen hinaus durch die zerfallene Mauer und blieben ein Stück weiter stehen, um voneinander Abschied zu nehmen.

Wieder kam das lang gezogene, jämmerliche Heulen durch die nächtliche Luft! Sie sahen den fremden Hund ein paar Schritte weit von der Stelle stehen, wo Potter schlief. Er äugte immerfort dorthin und stieß dann heulend die Nase zum Himmel auf.

»Ojemine, es gilt ihm!«, riefen beide Jungen zugleich aus.

»Du, Tom, ich hab gehört, vor Johnny Millers Haus hat um Mitternacht ein wilder Hund geheult, schon vor vierzehn Tagen, und ein Käuzchen saß auf dem Giebel und schrie am selben Abend. Und es ist doch keiner gestorben.«

»Ja, ich weiß. Gestorben ist keiner, aber gleich nächsten Samstag ist Gracy Miller ins Herdfeuer gefallen und hat sich furchtbar verbrannt, du weißt doch.«

»Na ja, aber sie ist doch nicht tot. Was ist denn dabei, es ist doch schon wieder besser.«

»Besser, ja, warte nur erst ab! Die ist hin, so sicher wie Muff Potter geliefert ist. Die Nigger sagen es auch und die kennen sich aus in solchen Sachen, Huck.« Dann trennten sie sich.

Als Tom durchs Fenster in sein Schlafzimmer kroch, war es fast Morgen. Er zog sich mit äußerster Vorsicht aus und legte sich ins Bett. Er gratulierte sich selbst, dass kein Mensch seinen Ausflug bemerkt hatte. Dabei ahnte er nicht, dass der sanft schnarchende Sid schon seit einer Stunde wach lag.

Tom erwachte. Sid hatte sich bereits angezogen und war fortgegangen. Die Sonne stand schon hoch, es lag überhaupt etwas Spätes in der Luft. Er erschrak. Warum hatte man ihn nicht geweckt? Man ließ ihn doch sonst nicht in Ruhe, bis er auf war? Dieser Gedanke erfüllte ihn mit Besorgnis; in fünf Minuten war er angezogen und die Treppen hinunter. Er fühlte sich matt und schläfrig. Die Familie saß noch bei Tisch, aber man hatte schon gefrühstückt. Niemand machte ihm einen Vorwurf, aber alle Augen wandten sich ab. Er versuchte fröhlich zu scheinen, aber das war vergebliche Liebesmüh; kein Lächeln, keine Antwort erfolgte, und er versank in Schweigen, während ihm das Herz immer tiefer sank.

Nach dem Frühstück nahm ihn die Tante beiseite. Tom war beinahe froh bei dem Gedanken, dass er jetzt Prügel bekommen würde. Aber es kam anders. Die Tante weinte und fragte ihn, wie er es nur fertig bringen könne, ihr so das Herz zu brechen, schließlich sagte sie, er solle nur so weitermachen, sie zugrunde richten und vor Kummer ins Grab bringen, denn es habe keinen Zweck, dass sie sich noch länger mit ihm abmühe. Das war schlimmer als tausend Schläge und Toms Herz wurde noch matter als sein Körper. Er weinte, er bat um Verzeihung, er versprach wieder und wieder, sich zu bessern. Aber als er entlassen wurde, fühlte er, dass er nur unvollständig Vergebung gefunden hatte und dass das Vertrauen in ihn schwer erschüttert war. Als er die Szene verließ, war er so elend, dass er sogar vergaß, Sid Rache zu schwören. Der eilige Rückzug, den dieser durch die Hintertür antrat, war ganz überflüssig. Tom trottete finster und schwermütig zur Schule und nahm die Prügel, die er zugleich mit Joe Harper für das gestrige Schwänzen bekam, mit der Haltung eines Mannes entgegen, dessen Herz mit unendlich schweren Leiden beschäftigt ist und solche Mückenstiche kaum beachtet.

Dann begab er sich auf seinen Platz, stützte die Ellbogen auf das Pult und das Gesicht in die Hände und starrte an die Wand, mit dem steinernen Blick des Leidens, das seine äußerste Grenze erreicht hat und nicht mehr zu übertreffen ist. Sein Ellbogen presste sich gegen irgendeinen harten Gegenstand. Erst nach langer Zeit veränderte er langsam und schwermütig seine Stellung und nahm mit einem Seufzer diesen Gegenstand in die Hand. Er war in Papier eingewickelt. Er packte ihn aus. Ein lang gezogener Seufzer folgte und sein Herz brach. Es war sein Messingknopf vom Küchenherd! Dieser letzte Tropfen brachte das Fass der Trostlosigkeit zum Überlaufen.

11

Punkt zwölf Uhr traf die grausige Nachricht das ganze Städtchen wie ein elektrischer Schlag. Überflüssig war der Telegraf, von dem damals noch niemand träumte; die Nachricht flog von Mann zu Mann, von Gruppe zu Gruppe, von Haus zu Haus. Selbstverständlich gab der Schulmeister für diesen Nachmittag frei. Die Stadt würde es für unverantwortlich gefunden haben, hätte er es nicht getan.

Ein blutiges Messer war dicht bei dem Ermordeten gefunden worden und irgendjemand hatte festgestellt, dass es Muff Potter gehörte, erzählte man sich. Und man sagte, dass ein spät heimkehren der Bürger Potter getroffen habe, als er sich gegen ein oder zwei Uhr morgens im Bache wusch, und dass Potter hastig davongeschlichen war. Verdächtige Tatsachen, besonders das Waschen, denn das pflegte Potter sonst nicht zu tun. Man sprach auch davon, dass der Ort schon nach dem »Mörder« durchsucht worden war, denn die Leute sind immer schnell bei der Hand, Beweise zu sichten und ein Urteil zu fällen. Aber man hatte ihn noch nicht gefunden. Berittene waren nach allen Richtungen abgeschickt worden, und der Sheriff war überzeugt, dass man den Gesuchten noch vor dem Abend erwischen würde. Die ganze Stadt war unterwegs nach dem Friedhof. Toms gebrochenes Herz war schnell wieder geheilt und er schloss sich der Prozession an; nicht, dass er nicht tausendmal lieber ganz anderswohin gegangen wäre, aber eine schreckliche, unerklärliche Kraft zog ihn dorthin. Als er an dem Ort des Grauens ankam, drängte er seine schmale Gestalt durch die dichte Menge und sah das grässliche Bild. Es schien ihm eine Ewigkeit, seit er zuletzt hier gewesen war. Jemand zwickte ihn in den Arm. Er fuhr herum und sah Huckleberry. Beide blickten sofort wieder weg. Sie fürchteten schon, dass jemand ihren Blick beobachtet haben könnte. Aber alle unterhielten sich miteinander und waren ganz gefangen genommen von dem grauenhaften Anblick.

»Armer Kerl! ... Armer junger Mensch! ... Das wird den Grabschändern eine Lehre sein! ... Muff Potter hängt, wenn sie ihn kriegen! ...«

Die Bemerkungen flogen hin und her und der Pastor sagte:

»Es war ein Gottesgericht! Hier wirkt die Hand des Herrn.«

Tom zitterte von Kopf bis Fuß, denn sein Auge fiel auf das unbewegte Gesicht des Indianer-Joe. Aber in diesem Augenblick ging ein Schieben und Stoßen durch die Menge und ein paar Stimmen schrien auf: »Da ist er, da ist er! Er kommt von selbst!«

»Wer? Wer?«

»Muff Potter!«

»Hallo, er bleibt stehen! Passt auf, er dreht um! Lasst ihn nicht fort!«

Leute, die in den Zweigen der Bäume über Toms Kopf saßen, riefen, er versuche gar nicht auszureißen, er sähe nur erstaunt und verblüfft aus.

»Unerhörte Unverschämtheit!«, sagte ein Zuschauer. »Kommt hierher und will sich in aller Ruhe sein Werk ansehen! Hat wohl hier keine Gesellschaft erwartet!«

Die Menge teilte sich; der Sheriff schritt gewichtig hindurch und führte Potter am Arm. Der arme Kerl sah verstört aus und in seinen Augen stand die Angst. Als er vor dem Ermordeten stand, schüttelte er sich wie im Fieberfrost, dann verbarg er das Gesicht in den Händen und brach in Tränen aus.

»Ich habe es nicht getan, Freunde«, schluchzte er, »auf Ehre und Seligkeit, ich habe es nicht getan.«

»Wer hat dich denn beschuldigt?«, rief eine Stimme.

Der Schuss schien getroffen zu haben. Potter hob das Gesicht und sah sich mit grenzenloser Hoffnungslosigkeit um. Sein Blick traf Indianer-Joe.

»Oh, Indianer-Joe«, rief er, »du hast mir doch versprochen, dass du niemals …«

»Ist das Ihr Messer?« Der Sheriff hielt es ihm unter die Augen.

Potter wäre umgefallen, wenn man ihn nicht aufgefangen und langsam auf die Erde gelegt hätte. Nach einer Weile sagte er:

»Ich dachte mir ja, wenn ich nicht zurückkäme und es holte …« Er schauderte und machte mit der Hand eine kraftlose Gebärde.

»Sag es nur, Joe, sag es nur – es hat ja keinen Zweck mehr.«

Huckleberry und Tom standen stumm da und hörten, wie der hartherzige Lügner gelassen seine Aussage machte. Sie erwarteten jeden Augenblick, dass aus dem heiteren Himmel Gottes Blitz auf dieses Haupt niederschmettern würde, und je länger dieser Streich auf sich warten ließ, desto höher wuchs ihr Erstaunen. Aber als er geendet hatte und noch immer lebend und unversehrt dastand, erlosch der Impuls, der sich leise in ihrem Inneren geregt hatte, ihren Eid zu brechen und den armen verratenen Potter zu retten. Denn offensichtlich hatte sich dieser Bösewicht dem Teufel verschrieben, und mit einer solchen Macht konnten sie es unmöglich aufnehmen.

»Warum bist du nicht fortgeblieben, Potter? Was hast du denn hier zu suchen?«, fragte jemand.

»Ich konnte nicht, ich konnte nicht«, stöhnte Potter. »Ich wollte fortlaufen, aber es ging nicht anders, ich musste wieder hierher.« Er fing wieder an zu schluchzen. Indianer-Joe wurde ein paar Minuten später im Verhör unter Eid vernommen und wiederholte seine Vorstellung genauso ruhig. Die Jungen, die sahen, dass der Blitz noch immer nicht kam, wurden noch verstärkt in ihrer Überzeugung, dass Joe sich dem Teufel verschrieben hatte. Für sie war er zum leibhaftigen Teufelsbraten geworden und sie konnten den Blick gar nicht von ihm abwenden. Sie beschlossen innerlich, ihn bei nächster Gelegenheit einmal nachts heimlich zu beobachten, um einen Blick auf seinen gestrengen Herrn zu riskieren.

Indianer-Joe half den Körper des Ermordeten auf den Wagen heben und durch die schaudernde Menge ging ein Gemurmel, die Wunde habe ein wenig angefangen zu bluten. Schon dachten die Jungen, dieser glückliche Zufall würde den Verdacht auf die richtige Fährte lenken, aber sie wurden enttäuscht, denn ein paar Bürgersleute meinten:

»Muff Potter war ja bloß drei Schritte entfernt.«

Das fürchterliche Geheimnis und die Stimme des Gewissens störten Toms Schlaf noch eine ganze Woche lang. Eines Morgens beim Frühstück sagte Sid:

»Tom, du wälzt dich so im Schlaf und sprichst immerzu, dass ich die halbe Nacht wach liege.«

Tom erblasste und senkte die Augen

»Ein schlechtes Zeichen«, sagte Tante Polly ernst, »was bedrückt dich denn so?«

»Nichts, ich weiß nicht, gar nichts.«

Aber seine Hand zitterte so, dass er den Kaffee vergoss.

»Und solchen Blödsinn redest du«, sagte Sid. »Heute Nacht hast du gesagt: ›Es ist Blut, es ist Blut, Blut ist es!‹ Immerzu hast du dasselbe gesagt und dann: ›Quäl mich doch nicht so, ich will's ja erzählen.‹ Was denn erzählen? Was willst du erzählen?«

Tom schwamm es vor den Augen. Es ist nicht auszudenken, was jetzt hätte passieren können – da verschwand plötzlich die Besorgnis aus Tante Pollys Gesicht und sie kam, ohne es zu wissen, Tom zu Hilfe.

»Ach so«, sagte sie, »ja, der schreckliche Mord ist es. Ich träume auch fast jede Nacht davon. Manchmal träume ich sogar, ich wäre es selbst gewesen.«

Mary bemerkte, ihr sei es genauso gegangen.

Sid schien befriedigt zu sein. Tom machte sich aus dem Staub, so schnell er nur konnte, und von da an klagte er eine Woche lang über Zahnschmerzen und band sich jede Nacht mit einem Tuch den Mund zu. Er ahnte nicht, dass Sid Nacht für Nacht aufpasste und oft genug die Binde weghob, sich auf die Ellbogen stützte und eine gute Weile horchte und dann die Binde wieder an ihren Platz zurückschob. Mit der Zeit nahm Toms Verstörtheit ab und die Zahnschmerzen wurden unbequem. Er gab sie auf. Wenn es Sid wirklich fertig gekriegt hatte, sich aus Toms unzusammenhängendem Gemurmel einen Vers zu machen, so behielt er es jedenfalls für sich. Tom schien es, dass seine Schulkameraden überhaupt nicht mehr fertig würden mit ihrer Leichenschau an toten Katzen, mit der sie ihn immer wieder an seinen Schmerz erinnerten.

Sid stellte fest, dass Tom niemals den Anführer bei diesen Feierlichkeiten spielte, obwohl es sonst seine Gewohnheit war, alle diese Unternehmungen zu leiten. Er stellte weiterhin fest, dass Tom nicht einmal als Sachverständiger auftrat, und das war sehr seltsam. Sid übersah auch die Tatsache nicht, dass Tom sogar eine besondere Abneigung gegen diese Untersuchungen hatte und sie mied, wo er nur konnte. Sid wunderte sich, aber er sagte nichts.

Jedoch auch die Leichenschauen kamen einmal aus der Mode und hörten auf, Toms Gewissen zu martern. Während dieser Zeit passte Tom jeden Tag eine Gelegenheit ab, sich an das kleine vergitterte Gefängnisfenster zu schleichen und dem »Mörder« allerlei kleine Liebesgaben, die er gerade auftreiben konnte, hineinzuschmuggeln. Das Gefängnis war ein brüchiger, kleiner Backsteinkasten, der mitten im Moor am Rande des Ortes stand. Man hielt es nicht für nötig, eine besondere Wache davorzustellen, und tatsächlich war es auch selten besetzt. Diese kleinen Gaben trugen viel dazu bei, Toms Gewissen zu erleichtern.

Die Bürgerschaft hatte nicht übel Lust, den Indianer-Joe für seine Leichenschändung zu teeren und zu federn, aber sein Ruf war so schrecklich, dass sich niemand fand, der den Mut hatte, die Sache in die Hand zu nehmen, und so ließ man es. Der Kerl war schlau genug gewesen, beide Zeugenaussagen mit dem Kampf auf dem Grabe zu beginnen, ohne sich mit dem Grabraub zu befassen, der vorangegangen war. Man hielt es deshalb für das Klügste, diesen besonderen Fall vorläufig nicht vor Gericht zu bringen.

12

Einer der Umstände, die Toms Gedanken von seinen geheimen Sorgen ablenkten, war, dass Becky Thatcher nicht mehr zur Schule kam. Tom hatte ein paar Tage mit seinem Stolz gekämpft und versucht, sie sich »aus dem Sinn zu schlagen«, aber vergebens. Er ertappte sich immer wieder dabei, dass er abends heimlich um ihres Vaters Haus strich, und ihm war sehr elend zumute. Sie war krank. Wenn sie nun stürbe? Dieser schreckliche Gedanke lähmte ihn. Er hörte auf, sich für Krieg und Seeräuberei zu begeistern. Das Leben hatte seinen Reiz verloren, es war nichts als Jämmerlichkeit geblieben. Er legte Reifen und Schläger fort, denn er hatte keine Freude mehr daran.

Seine Tante wurde besorgt und fing an, alle Arten von Medizinen an ihm zu versuchen. Sie gehörte zu jenen Leuten, die unermüdlich jede neue Patentmedizin für die einzig Richtige halten und jede neu aufkommende Heilmethode mit Begeisterung begrüßen. Sie war eine Liebhaberin von Experimenten auf diesem Gebiet, und sobald etwas Neues herauskam, fieberte sie danach, es auszuprobieren, nicht an sich selbst, denn ihr fehlte nie etwas, aber an jedem, der gerade zur Hand war. Sie kramte ihre Kurpfuscherzeitschriften und ihre Kurpfuschermedizinen zusammen und ritt, wie der Tod persönlich, bildlich gesprochen, auf ihrem fahlen Klepper einher, »die Hölle in ihrem Gefolge«. Es kam ihr jedoch nie der Verdacht, dass sie für ihre leidenden Nachbarn keineswegs ein Engel der Heilkunst sein könnte. Jetzt waren Wasserkuren das Neueste und Toms schlechter Zustand kam ihr wie gerufen. Jeden Morgen zerrte sie ihn bei Sonnenaufgang aus dem Bett, stellte ihn im Holzschuppen auf und überschwemmte ihn mit einer Sintflut von kaltem Wasser. Dann schrubbte sie ihn mit einem Handtuch ab wie mit einem Pferdestriegel, damit er wieder zur Besinnung kam, rollte ihn in ein nasses Leintuch und trug ihn unter einem Berg von Decken ins Haus, damit er seine Seele rein schwitze und »ihre gelben Flecken« ihm »aus allen Poren drangen«, wie Tom sich ausdrückte.

Trotz alledem aber wurde der Junge immer bedrückter, blasser und melancholischer. Tante Polly verordnete heiße Bäder, Sitzbäder, Schauerbäder und Sturzbäder. Der Junge blieb schwermütig wie ein Leichenbitter. Sie fing an, die Wasserkur mit einer dünnen Haferschleimdiät und täglichen Zugpflastern zu unterstützen. Sie berechnete seine Aufnahmefähigkeit für Heilmittel wie die einer Kanne für Wasser und danach füllte sie ihn Tag für Tag bis an den Rand mit Medizin an.

Mit der Zeit wurde Tom völlig gleichgültig gegen ihre Verfolgungen. Dieser Zustand erfüllte das Herz der alten Dame geradezu mit Bestürzung. Diese Gleichgültigkeit musste um jeden Preis gebrochen werden. Nun hatte sie gerade von einem schnell wirkenden »Schmerztöter« gehört. Sie bestellte gleich ein Dutzend Flaschen auf einmal, kostete die »Medizin« und war voller Dankbarkeit, denn es war geradezu flüssiges Feuer. Sie hörte also mit der Wasserkur und dem ganzen übrigen Zeug auf und setzte alles auf die Karte des »Schmerztöters«. Zunächst gab sie Tom einen Teelöffel voll und erwartete mit gespanntester Aufmerksamkeit das Resultat. Alsbald waren ihre Sorgen restlos verschwunden, und der Frieden zog wieder in ihre Seele ein, denn die Teilnahmslosigkeit war gebrochen. Wenn sie dem Jungen ein Feuer unter dem Sitz angemacht hätte, er hätte keine heftigere Reaktion zeigen können.

Denn Tom fühlte jetzt, dass es höchste Zeit war aufzuwachen. Dieses Leben mochte ja ganz schön romantisch sein in seiner Bedauernswürdigkeit, aber es wurde allmählich zu langweilig. Er dachte über verschiedene Pläne nach, sich zu retten, und verfiel schließlich darauf, in dem Schmerztöter die Gesundung zu finden. Er bat so oft darum, dass es der Tante schon lästig wurde und sie ihm sagte, er solle sich selbst nehmen und sie endlich in Ruhe lassen. Wenn es Sid gewesen wäre, so hätte sicherlich kein Misstrauen sich in ihre Freude gemischt, aber bei Tom war ihr doch das Verlangen etwas verdächtig und sie maß regelmäßig die Flasche ab. Sie musste feststellen, dass die Medizin tatsächlich abnahm – allerdings wusste sie nicht, dass der Junge damit eine kranke Ritze in der Wohnzimmerdiele gesund machte. Eines Tages war Tom wieder mit seiner Ritze beschäftigt, als Tante Pollys gelber Kater schnurrend hereinkam. Das Tier strich um den Teelöffel herum und bettelte um eine Kostprobe.

»Wenn du es nicht wirklich brauchst, reiß dich nicht drum, Peter.« Aber Peter gab zu verstehen, dass er es wirklich brauchte.

»Bist du ganz sicher?«

Peter war ganz sicher.

»Gut, du hast es gewollt, also will ich es dir geben. Du sollst nicht sagen, dass ich knausrig bin. Aber wenn du etwa findest, es bekommt dir nicht, dann darfst du niemandem einen Vorwurf machen als dir selbst.«

Damit war Peter einverstanden. Tom klemmte ihm das Maul auf und goss ihm die halbe Flasche »Schmerztöter« hinunter.

Peter machte unverzüglich einen Luftsprung von ein paar Metern und raste im Zimmer umher. Er warf sämtliche Blumentöpfe herunter und hinterließ eine vollendete Zerstörung. Dann hob er sich auf die Hinterpfoten und tanzte in begeisterter Verzückung, den Kopf seitwärts auf die Schulter gelegt, nach den Klängen eines unbeschreiblichen Freudengesangs umher. Danach schoss er wieder im Haus herum und verbreitete Chaos und Verwüstung auf seinem Wege. Tante Polly erschien gerade rechtzeitig, um ihn ein paar doppelte Purzelbäume schießen zu sehen, dann segelte er mit einem letzten mächtigen Hurra durch das offene Fenster, der Rest der Blumentöpfe mit ihm. Die alte Dame stand starr vor Erstaunen und äugte über ihre Brille hinweg. Tom lag auf dem Boden, vor Lachen dem Tode nahe.

»Was in aller Welt fehlt denn dem Kater?«

»Ich weiß es auch nicht, Tante«, ächzte Tom.

»So etwas ist mir noch nicht vorgekommen, was hat er denn bloß angestellt?«

»Ich weiß doch nicht, Tante Polly, Katzen machen das immer so, wenn sie vergnügt sind.«

»So, machen sie das?« Es lag etwas in dem Ton, das Tom vorsichtig machte.

»Ja, ja. Das heißt, ich glaube wenigstens.«

»So, du glaubst!«

»Ja, ja.«

Sie beugte sich nieder und musterte Tom mit einem Interesse, das durch einen ganz bestimmten Verdacht verstärkt wurde. Zu spät bemerkte er, woher der Wind wehte. Der Griff des verräterischen Teelöffels sah unter der Bettdecke hervor. Tante Polly nahm ihn und hielt ihn in die Höhe. Tom erschrak und senkte schnell die Augen. Sie zog ihn an dem üblichen Henkel – dem Ohr – hoch und klopfte hörbar mit ihrem Fingerhut auf seinem Kopf herum. »So, so, mein Herr, wie kommst du denn dazu, das arme Tier so zu behandeln?«

»Ich hab's nur aus Mitleid getan – weil er keine Tante hat.«

»Keine Tante? Du Schafskopf! Was hat denn das damit zu tun?«

»Doch. Wenn er eine hätte, würde sie ihm selbst den Magen ausgebrannt haben! Sicher hätte sie ihm die Eingeweide geröstet und nicht mehr dabei gefühlt, als wenn es ein Mensch wäre!«

Tante Polly fühlte einen plötzlichen Stich in der Nähe ihres Herzens.

Das setzte ja die Sache in ein ganz neues Licht. Was für eine Katze grausam war, mochte doch für einen Jungen nicht weniger schlimm sein. Sie begann weich zu werden: Es tat ihr leid. Ihre Augen wurden ein bisschen feucht, sie legte Tom die Hand auf den Kopf und sagte sanft:

»Ich hab ja nur das Beste gewollt, Tom. Und Tom, es hat dir doch wirklich gutgetan.«

Tom sah ihr ins Gesicht, und nur ein kaum merkliches Zwinkern blinkte durch den Ernst seiner Augen.

»Ich weiß ja, dass du mein Bestes wolltest, Tantchen, aber ich wollte es doch bei Peter auch. Und es hat ihm doch gutgetan! Ich habe ihn noch nie so lustig herumspringen gesehen.«

»Ach, mach, dass du fortkommst, Tom, sonst ärgerst du mich wieder. Versuch doch einmal, ob du nicht ein einziges Mal ein guter Junge sein kannst. Übrigens, du brauchst keine Medizin mehr zu nehmen.«

Tom kam etwas vor der Zeit in die Schule. Sid hatte bemerkt, dass diese seltsame Tatsache in der letzten Zeit fast täglich vorkam. Er lungerte neuerdings beim Tor des Schulhofs herum, anstatt mit seinen Kameraden zu spielen. Er erklärte, er sei krank, und sah auch so aus. Er versuchte sich den Anschein zu geben, als blicke er überallhin außer in die Richtung, in die er wirklich blickte – die Straße hinunter.

Als Jeff Thatcher in Sicht kam, leuchtete Toms Gesicht etwas auf. Er gaffte einen Augenblick, dann wandte er sich bekümmert ab. Als Jeff ankam, begrüßte ihn Tom und versuchte das Gespräch diplomatisch auf Becky zu lenken. Aber der Esel merkte nichts. Tom lauerte und lauerte; jedes Mal, wenn ein wehendes Röckchen sich nahte, hoffte er; aber sobald er sah, dass die Besitzerin nicht die Richtige war, richtete er seinen Hass auf sie. Schließlich kamen keine Röcke mehr und er sank hoffnungslos in seine Trübsal zurück. Langsam ging er in das leere Schulhaus und setzte sich nieder, um die Leidenszeit zu beginnen. Jetzt aber schlüpfte doch noch ein Rock durch die Gartentür! Toms Herz machte einen riesigen Sprung. Im Augenblick war er draußen und wie ein Indianer »schlich er sich an«. Er schrie, lachte, jagte Kameraden, sprang mit Todesverachtung über den hohen Zaun, vollführte einen Handstand, schlug Rad, kurz, er vollbrachte Heldentaten, so viel er nur konnte. Bei alledem behielt er Becky Thatcher verstohlen im Auge, um zu sehen, ob sie es bemerkte. Aber sie schien gar nicht hinzusehen. War es möglich, dass sie gar nicht merkte, dass er hier war? Er verlegte den Ort seiner Taten in ihre unmittelbare Nähe, raste mit Kriegsgeheul um sie herum, riss einem Jungen die Mütze herunter und warf sie auf das Schuldach, brach in eine Gruppe von Knaben ein, dass er sie beinahe umriss. Sie aber wandte sich ab, die Nase hoch in die Luft, und er hörte, wie sie sagte:

»Pf! Manche Leute halten sich für Wunder was, immer müssen sie sich aufspielen.«

Toms Wangen brannten wie Feuer. Er rappelte sich hoch und schlich davon, zutiefst gedemütigt und niedergeschmettert.

13

Tom fasste einen Entschluss. Sein Herz war schwer und verzweifelt. Er war ein verlassener, ausgestoßener Junge, sagte er sich; niemand liebte ihn. Vielleicht würden sie es bereuen, wenn sie erst bemerkten, wohin sie ihn getrieben hatten. Er jedenfalls hatte versucht, das Rechte zu tun und weiterzukommen, aber sie ließen ihn ja nicht. Nichts anderes konnte mehr helfen, als dass sie ihn loswürden. Das sollten sie haben. Mochten sie immer ihn verfluchen, warum denn auch nicht? Was für ein Recht hat ein Mensch ohne Freunde dazu, sich zu beklagen? Ja, so weit hatten sie es jetzt mit ihm gebracht: Er wollte ein Verbrecher werden. Es gab keine andere Wahl mehr.

Unter solchen Gedanken war er weit hinaus auf die Wiesen gekommen und die Glocke zum Schulanfang klingelte nur noch ganz schwach herauf. Er schluckte ein wenig, als er dachte, dass er nun nie, nie, nie wieder den alten, lieb gewordenen Ton hören würde. Es war hart genug – aber es war eben sein Schicksal. Da er einmal in die kalte Welt hinausgetrieben worden war, musste er auch das erdulden. Er verzieh ihnen. Doch jetzt wurden seine Seufzer schwerer und schneller. Denn in diesem Augenblick traf er den auserwählten Freund seiner Seele: Joe Harper. Der kam mit finsteren Blicken daher und trug augenscheinlich einen großen und furchtbaren Plan auf dem Herzen. Bei Gott, hier waren »zwei Seelen und ein Gedanke«! Tom wischte sich mit dem Ärmel über die Augen und fing an, allerlei herauszuschluchzen: über seinen Entschluss, der harten Behandlung und der Lieblosigkeit zu Hause zu entfliehen, weit fort in die große Welt zu gehen und nie wieder heimzukehren. Er schloss mit der Hoffnung, dass Joe ihn nicht vergessen möge.

Es stellte sich jedoch heraus, dass dies gerade die Bitte war, die auch Joe seinerseits an Tom hatte richten wollen, und zu diesem Zweck war er auf der Suche nach ihm gewesen. Seine Mutter hatte ihn verprügelt, weil er angeblich Sahne genascht habe, eine Sahne, die er niemals gekostet und überhaupt gar nicht gesehen hatte! Es war klar, die Mutter war seiner satt und wollte ihn loswerden. Herrgott, wenn sie es wollte, so gedachte er seinerseits, ihrem Wunsche nicht entgegenzustehen. Er hoffte, sie würde jetzt glücklicher werden und niemals bereuen, ihren armen Jungen in die gefühllose Welt hinausgetrieben zu haben, wo er leiden und sterben musste. In tiefem Gram zogen die beiden Jungen davon. Sie schlossen einen neuen Pakt, fest zueinander zu stehen, Brüder zu sein und sich nie zu trennen, bis der Tod sie von ihren Leiden erlösen würde. Darauf begannen sie ihre Pläne zu entwickeln. Joe hatte vor, Einsiedler zu werden, in einer fernen Felsenhöhle von Wurzeln und Baumrinden zu leben und dereinst vor Kälte, Hunger und Gram zu sterben. Nachdem er aber Tom angehört hatte, gab er doch zu, dass in dem Leben eines Verbrechers außerordentliche Vorteile lägen, und erklärte sich bereit, mit ihm Seeräuber zu werden.

Drei englische Meilen unterhalb von St. Petersburg, an einer Stelle, wo der Mississippi eine gute Meile breit ist, liegt eine schmale, lang gestreckte bewaldete Insel, vor der eine flache Sandbank lag. Dieser Platz eignete sich ausgezeichnet als Schlupfwinkel. Die Insel war nicht bewohnt und lag ziemlich gegen das andere Ufer zu, einem dichten, fast ungangbaren Wald gegenüber. So fiel die Wahl der Jungen auf die Jackson-Insel.

Wer eigentlich das Opfer ihrer Seeräubereien sein sollte, das war eine Sache, die sie nicht weiter beschäftigte. Sie spürten zunächst einmal Huckleberry Finn auf. Der schloss sich ihnen sofort an, denn ihm war jede Karriere recht.

Dann trennten sie sich, um sich zu günstiger Stunde, um Mitternacht, an einem einsamen Ort am Flussufer, zwei Meilen oberhalb des Ortes, wieder zu treffen. Dort lag ein kleines Floß, das sie zu kapern gedachten. Jeder sollte Angelhaken und Leinen mitbringen und so viel Vorrat, als er auf dunkle und geheimnisvolle Weise stehlen konnte – wie es Verbrechern zukommt. Noch ehe der Nachmittag vorbei war, hatten sie schon alles beisammen und konnten die süße Genugtuung auskosten, die ihnen das Verbreiten der Mitteilung verlieh, »die Stadt würde bald etwas zu hören bekommen«. Jeder, der diesen unbestimmten Wink bekam, wurde bedeutungsvoll beschworen, den Mund zu halten und abzuwarten. Gegen Mitternacht kam Tom an, mit einem gekochten Schinken und ein paar anderen Vorräten beladen. Er machte in dem dichten Unterholz einer steilen Anhöhe halt, von der man den Versammlungsort überblicken konnte. Es war sternenhell und ganz still. Der ungeheure Fluss lag wie ein Ozean da. Tom lauschte einen Augenblick, aber kein Laut störte das Schweigen. Er gab einen leisen, scharfen Pfiff von sich. Unten am Ufer ertönte die Antwort. Tom pfiff noch zweimal. Jedes Mal wurde das Signal in gleicher Weise beantwortet. Dann rief eine halblaute Stimme:

»Wer da?«

»Tom Sawyer, der schwarze Rächer der spanischen Meere. Nennt eure Namen!«

»Huck Finn mit der roten Hand und Joe Harper, der Schrecken des Ozeans.«

Diese Titel hatte ihnen Tom aus dem Namensvorrat seiner Lieblingsbücher verliehen.

»Es ist gut. Sagt die Losung!«

Zwei heisere Flüsterstimmen stießen gleichzeitig das grauenvolle Wort in die schreckenverheißende Nacht hinaus:

»Blut!«

Dann ließ Tom seinen Schinken über die Klippe hinunterfallen und glitt selbst hinterher, wobei er sich die Haut nicht weniger als den Anzug zerriss. Es gab zwar einen leichten, bequemen Weg unterhalb der Klippe am Ufer entlang, aber der bot nicht die Schwierigkeiten und Gefahren, wie sie von Piraten geschätzt werden.

Der Schrecken des Ozeans hatte eine Speckseite mitgebracht, unter der er beinahe zusammengebrochen war. Finn, die Rothand, hatte einen Kochtopf gestohlen und eine Hand voll halb getrockneter Tabakblätter. Außerdem schleppte er ein paar Maiskolben mit, um Pfeifen daraus zu machen. Außer ihm selbst rauchte allerdings keiner der Piraten.

Der schwarze Räuber der spanischen Meere erklärte nun, man könne unmöglich ohne ein Feuer losfahren; Streichhölzer waren damals in dieser Gegend kaum bekannt. Ein paar Hundert Meter oberhalb sahen sie auf einem großen Floß ein Feuer glimmen, dahin krochen sie und eroberten sich ein glühendes Scheit. Aus diesem Gang machten sie ein eindrucksvolles Abenteuer. Jeden Augenblick hielten sie plötzlich den Finger auf den Mund und machten: Pst! Dann griffen sie mit der Hand nach eingebildeten Dolchgriffen und gaben in dumpfem Flüstern Befehle: Wenn der Feind sich bewege, müsse ihm das Messer bis aufs Heft in die Brust gestoßen werden, denn ein »toter Mann redet nicht«. Sie wussten ganz gut, dass die Flößer allesamt unten im Ort in den Kneipen saßen oder ihrerseits Abenteuer hatten, aber das war durchaus kein Grund, ihre Aufgabe nicht seeräubermäßig durchzuführen.

Bald darauf stießen sie vom Lande ab. Tom kommandierte, Huck arbeitete am hinteren Ruder und Joe an dem vorderen. Tom stand mit zusammengezogenen Brauen und verschränkten Armen mittschiffs und gab mit leiser, aber fester Stimme seine Befehle.

»Luven! Bringt sie in den Wind!«

»Aye, aye, Sir!«

»Stet! Stee-et!«

»Ist stet, Käptn!«

»Einen Strich abfallen!«

»Strich ab, Käptn!«

Während die Jungen das Floß mit ruhigen, gleichmäßigen Schlägen gegen die Mitte des Stromes steuerten, verstand es sich allerdings von selbst, dass alle diese Befehle lediglich des »Stiles« wegen gegeben wurden und in Wirklichkeit gar nichts bedeuteten.

»Was für Segel trägt sie?«

»Hauptsegel, Topp und Klüver, Käptn!«

»Bramsegel hoch! Alle Fetzen in den Wind! Sechs Mann an den Vormast! Hoch damit!«

»Aye, aye, Käptn!«

»Holt das Groß-Bramsegel ein! Schoten und Brassen! Jetzt los, Jungens!«

»Aye, aye, Käptn!«

»Ruder nach Lee! Hart backbord! Haltet euch bereit, sie kommen! Backbord, backbord! Los, Leute! Ranhalten! Steet!«

»Ist stet, Käptn!«

Das Floß überquerte jetzt die Mitte des Stromes. Die Jungen legten es schräg in den Fluss und zogen die Ruder ein. Das Wasser war nicht hoch, sie hatten nicht mehr als zwei bis drei Meilen Geschwindigkeit pro Stunde. Eine Dreiviertelstunde lang wurde kaum ein Wort gesprochen. Dann passierte das Floß das Städtchen. Zwei oder drei Lichter schimmerten herüber und bezeichneten den Ort, der nun in friedlichem Schlafe jenseits der weiten Wüste des sternenfunkelnden Wassers lag und noch keine Ahnung hatte von den gewaltigen Ereignissen, die sich zutrugen. Der schwarze Rächer stand unbeweglich mit verschränkten Armen da und warf einen letzten Blick auf den Schauplatz seiner früheren Freuden und kürzlichen

Leiden. Er wünschte, »sie« könnte ihn jetzt sehen, wie er fern in der wilden See furchtlosen Herzens Tod und Gefahr ins Auge sah und mit einem grimmigen Lächeln auf den Lippen seinem Verderben entgegenging. Seine Fantasie brauchte keine große Anstrengung, um die Jackson-Insel weit aus der Sichtweite des Ortes zu verlegen, und so konnte er denn mit gebrochenem, aber zufriedenem Herzen den letzten Blick hinüberwerfen. Auch die anderen Seeräuber warfen ihre letzten Blicke, und schließlich waren sie so versunken, dass sie sich beinahe von der Strömung an der Insel vorbeitreiben ließen. Gerade noch rechtzeitig entdeckten sie die Gefahr und machten alle Anstrengungen, um sie abzuwenden.

Gegen zwei Uhr morgens bekam das Floß an der Sandbank, zweihundert Meter oberhalb der Insel, Grund. Sie wateten mehrmals hin und zurück, bis sie ihre Ladung gelöscht hatten. Zu der Ausrüstung des Floßes gehörte auch ein altes Segel, das spannten sie als Zelt über ein Versteck im Gebüsch, um ihre Vorräte sicher unterzubringen. Sie selbst wollten im Freien schlafen – nur bei gutem Wetter natürlich –, wie es sich für Räuber geziemte.

Sie zogen sich zwanzig oder dreißig Schritte in die Tiefe des Waldes zurück und machten neben einem Baumstumpf ein Feuer an. Da brieten sie zum Abendessen etwas Speck in ihrem Kochtopf und aßen dazu fast die Hälfte des mitgebrachten Vorrats an Maisbrot. Es war ein ruhmreicher Augenblick, dieses Mahl auf Seeräuberart mitten im Urwald einer unentdeckten und unbewohnten Insel, weit von den Wohnstätten der Menschen entfernt. Sie schworen, nie wieder in die zivilisierte Welt zurückzukehren.

Das flackernde Feuer beleuchtete ihre Gesichter und warf einen rötlichen Glanz auf die Baumsäulen ihres Waldtempels und auf das schimmernde Blattwerk und Geranke ringsum.

Als die letzte knusprige Speckscheibe vertilgt und das letzte Maisbrot verschlungen war, streckten sich die Jungen im Grase aus, von ungeheurer Befriedigung durchdrungen. Sie hätten ja ein kühleres Plätzchen finden können, aber sie konnten unmöglich auf die Romantik eines Lagerfeuers verzichten, an dem man sich rösten ließ. »Ist es nicht großartig«, meinte Joe.

»Es ist toll!«, erwiderte Tom.

»Was nur die anderen sagen würden, wenn sie uns hier sehen könnten?«

»Sagen? Zerreißen würden sie sich, um dabei zu sein! Was, Huck?« »Ist anzunehmen«, meinte Huckleberry, »mir jedenfalls gefällt es. Ich brauche nichts Besseres. Meistens kriege ich ja nicht einmal genug zu essen und hier kommt wenigstens keiner her und teilt Fußtritte aus und brüllt herum.«

»Das ist gerade das richtige Leben für mich«, erklärte Tom; »man braucht nicht aufzustehen morgens, braucht nicht zur Schule zu gehen, sich zu waschen und dieses ganze verdammte Zeug. Siehst du, Joe, ein Seeräuber hat überhaupt nichts zu tun, wenn er an Land ist, aber so ein Einsiedler, der muss immerzu beten, und Spaß hat er sowieso nicht viel, so ganz allein.«

»Stimmt«, sagte Joe, »aber weißt du, ich habe eben gar nicht weiter darüber nachgedacht. Jetzt, wo ich es probiert habe, will ich viel lieber Seeräuber sein.«

»Na ja, und heutzutage machen sich die Leute auch nicht mehr so viel aus Einsiedlern wie früher. Aber ein Pirat ist überall geachtet. Und dann muss ein Einsiedler immer auf dem härtesten Boden schlafen, den er finden kann, und muss in Sack und Asche gehen und im Regen draußen stehen und …«

»Wozu muss er denn in Sack und Asche gehen?«, fragte Huck.

»Weiß ich nicht. Aber er muss es bestimmt. Einsiedler müssen das immer. Wenn du ein Einsiedler wärst, müsstest du es auch.«

»Das würde ich nicht aushalten, ich würde weglaufen.«

»Weglaufen? Na, du wärst mir ja eine feine Niete von einem Einsiedler. Geradezu ein Schandfleck wärst du.«

Die Rothand gab keine Antwort, denn sie hatte jetzt etwas Besseres vor. Huck hatte eben einen Maiskolben fertig ausgehöhlt und bohrte ein Stück Rohr hinein. Dann stopfte er die Pfeife mit Tabak, legte ein Stückchen Kohle darauf und blies eine Wolke von duftendem Rauch von sich. Er wiegte sich im Glanz erhabener Zufriedenheit. Die anderen Piraten beneideten ihn um sein majestätisches Laster und beschlossen heimlich, es sich so bald wie möglich zuzulegen. Dann fragte Huck:

»Was haben denn Seeräuber zu tun?«

»Na«, sagte Tom, »die haben immer großartige Sachen vor – Schiffe kapern und niederbrennen, Schätze sammeln und an geheimen Stellen vergraben – auf der Insel, wo es Geister gibt, die sie bewachen, und dann die Leute in den Schiffen umbringen, also einfach über die Planke springen lassen.«

»Und die Frauen tragen sie auf ihre Insel«, fügte Joe hinzu, »an Frauen vergreifen sie sich nicht.«

»Nein«, versicherte Tom, »sie töten keine Weiber. Dazu sind sie zu edel. Übrigens sind die Frauen immer wunderbar schön.«

»Und dann haben sie prachtvolle Kleider an!«, begeisterte sich Joe. »Lauter Gold und Silber und Diamanten!«

»Wer?«, fragte Huck.

»Na, die Seeräuber.«

Huck versenkte sich trübe in die Betrachtung seiner eigenen Kleider. »Ich glaub, ich bin nicht richtig angezogen für einen Seeräuber«, sagte er mit tiefer Trauer in der Stimme. »Aber ich hab nichts anderes.« Die anderen beiden versicherten ihm, die feinen Kleider würden bald kommen, wenn sie ihre Abenteuer begonnen hätten. Seine armen Lumpen seien für den Anfang gut genug, wenn es auch für hervorragende Piraten richtiger wäre, gleich mit einer eleganten Ausrüstung anzufangen.

Nach und nach erstarb ihre Unterhaltung und Schlaf senkte sich auf die Augen der kleinen Vagabunden nieder. Aus den Fingern der Roten Hand sank die Pfeife und er schlief den Schlaf des Gerechten und des Müden. Dem Schrecken des Ozeans und dem Schwarzen Rächer der spanischen Meere fiel es schwerer, Schlaf zu finden. Sie sagten innerlich ihr Gebet und lagen dabei, denn es war ja niemand da, der sie zwang zu knien und laut zu sprechen. In Wahrheit wollten sie es eigentlich ganz bleiben lassen, aber schließlich hatten sie doch ein bisschen Angst, einen plötzlichen und extra für sie berechneten Blitz vom Himmel herabzurufen.

Dann näherten sie sich schnell der unsichtbaren Grenze des Schlafes. Aber jetzt erhob sich ein Störenfried, der nicht so leicht unterzukriegen war: das Gewissen. Sie fühlten eine unbestimmte Angst, dass es nicht recht gewesen war, fortzulaufen; dann dachten sie an das gestohlene Fleisch und allmählich wurde die Angst zur Qual. Sie suchten nach Gründen dagegen und erinnerten sich, dass sie oft genug Süßigkeiten oder Äpfel gestohlen hatten, aber das Gewissen ließ sich durch solche fadenscheinigen Gründe nicht beruhigen. Es schien ihnen schließlich doch, dass Süßigkeiten wegnehmen nur »stibitzen« war, während sich nicht leugnen ließ, dass Speck und Schinken forttragen einfach »stehlen« hieß. Und dagegen gab es ein Gebot der Bibel. So beschlossen sie innerlich fest, niemals wieder, solange sie bei diesem Gewerbe blieben, ihre Seeräubereien mit dem Verbrechen des gemeinen Diebstahls zu beschmutzen. Nun erst ließ das Gewissen sie in Frieden und die seltsam inkonsequenten Piraten sanken in friedlichen Schlummer.

14

Als Tom am nächsten Morgen erwachte, wusste er nicht, wo er war. Er setzte sich auf, rieb sich die Augen und sah um sich. Erst allmählich begriff er. Es war kühle, graue Dämmerung und ein köstliches Gefühl von Ruhe und Frieden lag in dem tiefen, regungslosen Schweigen des Waldes. Kein Blättchen rührte sich, kein Laut unterbrach das große Nachdenken der Natur. Perlen von Tau hingen an Laub und Gräsern. Eine weiße Aschenschicht lag über dem Feuer, aus dem ein dünner, blauer Rauchfaden steil in die Luft stieg. Joe und Huck schliefen noch. Ein Vogel rief im Walde. Ein zweiter antwortete. Das Hämmern eines Spechtes wurde laut. Nach und nach hellte sich das morgendliche Grau auf und die Stimmen vermehrten sich. Das Leben erwachte. Das Wunder der Natur, die den Schlaf abschüttelt und ihr Tagewerk beginnt, breitete sich vor dem staunenden Knaben aus.

Eine kleine grüne Raupe kroch über ein betautes Blatt. Von Zeit zu Zeit hob sie zwei Drittel ihres Körpers hoch in die Luft und »schnüffelte«, dann kroch sie wieder. Sie will Maß nehmen, dachte Tom, und als das Tier von selbst auf ihn zukam, saß er wie versteinert da. Seine Hoffnung stieg und fiel bei jeder Wendung, je nachdem, ob die Raupe auf ihn zusteuerte oder sich abzuwenden schien. Als sie schließlich einen peinvollen Augenblick lang den

Leib hoch in die Luft reckte und Umschau hielt, um dann entschlossen den Aufstieg auf Toms Bein zu beginnen, war er aus ganzem Herzen glücklich. Nicht den leisesten Zweifel hatte er, dass das einen neuen Anzug für ihn bedeutete, und was konnte es anderes sein als eine prunkvolle Piratenuniform?

Wie aus dem Boden gewachsen erschien eine Armee von Ameisen und begab sich an ihre Arbeit. Eine kämpfte mannhaft mit einer toten Spinne, die fünfmal so groß war wie sie selbst, und zerrte sie geradewegs einen Baumstumpf herauf. Ein braun gepunkteter Marienkäfer erklomm die schwindelige Höhe eines Grashalmes.

Tom bückte sich ganz dicht zu ihm nieder und summte:

»Marienkäfer, flieg,
Dein Vater ist im Krieg,
Deine Mutter ist im Pommerland,
Pommerland ist abgebrannt,
Marienkäfer, flieg!«

Er war nicht im Geringsten erstaunt, dass der Käfer sofort die Flügel ausbreitete und davonflog, um der Sache auf die Spur zu gehen. Tom wusste aus Erfahrung, wie leichtgläubig solche Käfer in Bezug auf Feuersbrünste sind, denn er hatte das mehr als einmal ausprobiert. Ein Mistkäfer erschien nun, der fleißig seine Kugel vor sich herschob. Tom stieß ihn an, um zu sehen, wie er die Beine an den Körper legte und sich totstellte. Inzwischen lärmten die Vögel. Ein Fliegenschupper, die amerikanische Spottdrossel, saß auf einem Baum über Toms Kopf und vergnügte sich köstlich damit, die Stimmen seiner Nachbarn nachzuahmen. Das schrille Kreischen eines Hähers ertönte, dann schoss wie ein blauer Blitz eine Elster herab und machte auf einem Zweig, ganz dicht vor dem Jungen, halt. Der Vogel legte den Kopf auf die Seite und beäugte die Fremden mit verzehrender Neugier. Ein graues Eichhörnchen und irgendein dicker Bursche aus der Fuchsfamilie jagten vorüber und setzten sich von Zeit zu Zeit auf, um die Jungen zu betrachten und anzuschwatzen. Die wilden Dinger hatten sicherlich noch nie ein menschliches Wesen gesehen und wussten nicht recht, ob sie sich fürchten sollten oder nicht.

Die ganze Natur war nun weit und breit erwacht und in voller Bewegung. Langen Lanzen gleich schoss das Sonnenlicht durch das dichte Blattwerk nieder und ein paar Schmetterlinge flatterten über die Szene.

Tom schüttelte die anderen Piraten wach und sie zogen mit einem mächtigen Kriegsruf los. Zwei Minuten später wateten sie in dem flachen, klaren Wasser an der weißen Sandbank, jagten sich und purzelten übereinander. Sie fühlten keine Sehnsucht nach dem kleinen Ort, der fern hinter der majestätischen Wasserfläche noch in tiefem Schlummer lag. Eine abseitige Strömung, vielleicht auch ein leichtes Steigen des Wasserspiegels hatte ihr Floß entführt. Aber das machte sie nur noch vergnügter, denn dieser Abschied zeigte deutlich genug, dass sie die Brücken zwischen sich und der Zivilisation endgültig verbrannt hatten.

Wunderbar erfrischt, leichten Herzens und hungrigen Magens kehrten sie ins Lager zurück. Das Lagerfeuer brannte bald wieder hell. Huck entdeckte in der Nähe eine Quelle mit klarem, kaltem Wasser und sie machten sich Becher aus breiten Eichen- und Walnußblättern. Sie fanden, dass Wasser, versüßt durch den Zauber der Wildnis, ein vollkommener Ersatz für den Kaffee sei.

Joe wollte zum Frühstück Speck schneiden, aber Tom und Huck sagten, er solle damit noch etwas warten; inzwischen liefen sie zum Flussufer und warfen ihre Angelleinen aus. Fast im selben Augenblick hatten sie Erfolg. Ehe noch Joe ungeduldig werden konnte, waren sie schon wieder zurück mit ein paar schönen Barschen und einem kleinen Wels – Proviant für die ganze Familie. Sie brieten den Fisch mit Speck und stellten erstaunt fest, dass ihnen noch niemals ein Fisch so köstlich geschmeckt hatte. Sie wussten nicht, dass Süßwasserfische umso besser sind, je schneller sie aufs Feuer kommen. Sie dachten aber auch nicht darüber nach, was so eine Mischung aus Schlafen im Freien, Baden und im Wald Herumlaufen ausmacht, dazu noch eine gehörige Portion Hunger.

Nach dem Frühstück legten sie sich in den Schatten und Huck rauchte eine Pfeife. Dann unternahmen sie eine Entdeckungsfahrt in den Wald. Vergnügt stapften sie über gefallene Stämme und durch verflochtenes Gestrüpp zwischen den feierlichen Waldriesen umher, die von den Kronen bis zur Wurzel mit einem Mantel von wilden Reben behangen waren. Hie und da kamen sie über verborgene Lichtungen, in deren Grasteppich leuchtende Blumen standen.

Sie fanden eine Menge Dinge, die ihnen gefielen, aber nichts, was ihnen unheimlich gewesen wäre. Sie entdeckten, dass die Insel ungefähr fünf Kilometer lang und einen halben breit war und dass sie von dem Ufer, das ihr zunächst lag, durch einen engen Kanal von kaum zweihundert Metern getrennt war.

Immer wieder sprangen sie ins Wasser und erst gegen Abend kehrten sie ins Lager zurück. Sie waren viel zu hungrig, um noch zu fischen, deshalb fielen sie über den kalten Schinken her, warfen sich dann in den Schatten und redeten. Aber die Unterhaltung stockte bald und hörte schließlich ganz auf. Die feierliche Stille, die über dem Wald brütete, und das Bewusstsein der Einsamkeit lastete auf ihren Gemütern. Sie versanken in Nachdenken. Eine unbestimmbare Sehnsucht beschlich sie und nahm bald genug feste Gestalt an. Es war Heimweh. Sogar Finn, der Rothändige, träumte von seinen Türschwellen und leeren Fässern. Aber alle schämten sich ihrer Schwäche und keiner wagte seine Gedanken auszusprechen.

Schon seit einiger Zeit hatten die Jungen halb unbewusst aus der Ferne einen eigentümlichen Laut gehört, ohne davon besonders Notiz zu nehmen, so, wie man manchmal das Ticken einer Uhr hört. Allmählich aber wurde dieser geheimnisvolle Ton immer deutlicher und erzwang ihre Aufmerksamkeit. Sie setzten sich auf, sahen einander an und horchten. Lange herrschte lautloses, ungestörtes Schweigen, dann aber ertönte aus der Ferne ein dumpfes Dröhnen herüber.

»Was ist das?«, rief Joe atemlos.

»Keine Ahnung«, flüsterte Tom.

»Donner ist es nicht«, sagte Huckleberry mit furchtsamer Stimme.

»Donner ist mehr …«

»Ruhig!«, unterbrach Tom. »Hör doch zu und halt den Mund.« Sie warteten eine Weile, die ihnen eine Ewigkeit erschien. Dann drang der gleiche gedämpfte Donnerton durch die feierliche Stille. »Wir wollen doch einmal hinuntergehen und nachsehen.«

Sie sprangen auf und rannten zu dem Ufer, das der Stadt zu lag. Durch die Büsche am Uferhang lugten sie über das Wasser. Etwa eine halbe Meile unterhalb des Ortes trieb die städtische Dampffähre in der Strömung. Ihr breites Deck war schwarz von Menschen und eine Menge kleiner Boote ruderte um sie herum oder ließ sich von der Strömung mit heruntertreiben. Die Jungen konnten nicht unterscheiden, was die Leute in diesen Booten eigentlich machten. Plötzlich schoss ein mächtiger Strahl weißen Dampfes aus der Seite des Fährbootes, und während er sich ausdehnte und in einer dichten Wolke langsam emporstieg, tönte wieder der Donnerschlag zu den Lauschern herüber.

»Jetzt weiß ich, was es ist!«, rief Tom. »Es ist jemand ertrunken.« »Tatsächlich«, sagte Huck, »das haben sie auch gemacht, als Bill Turner im letzten Sommer ertrank. Sie schießen mit einer Kanone über das Wasser, davon kommt man wieder hoch. Ja, und dann nehmen sie Brotlaibe und backen Quecksilber hinein und lassen sie dann schwimmen, und wo jemand ertrunken ist, da schwimmen sie hin und stellen sich quer.«

»Ja, das habe ich auch gehört«, meinte Joe. »Ich möchte bloß wissen, wieso das Brot das kann.«

»Ach«, klärte Tom auf, »es ist nicht so sehr das Brot, ich glaube, es liegt mehr daran, was sie sprechen, wenn sie es auswerfen.«

»Aber sie sprechen gar nichts«, erzählte Huck, »ich habe es gesehen, sie sagen nichts.«

»Komisch«, sagte Tom, »aber wahrscheinlich sagen sie es für sich. Natürlich, das ist ja klar.«

Auch den andern beiden war das klar, denn von einem unwissenden, nicht durch eine Beschwörung behexten Laib Brot konnte man doch nicht erwarten, dass er einen so schwierigen Auftrag erfüllte.

»Ich wollt, ich wär jetzt drüben«, sagte Joe.

»Ich auch«, meinte Huck, »möchte meinen Kopf geben, wenn ich wüsste, wer es ist.«

Sie horchten weiter und passten auf. Plötzlich ging Tom ein Licht auf.

»Ich hab's«, schrie er, »ich weiß, wer ersoffen ist! Wir!«

Und sogleich fühlten sie sich als Helden. Das war ein Triumph, wie sie ihn nie erträumt hatten. Sie wurden vermisst, sie wurden beweint, Herzen brachen ihretwegen. Tränen wurden vergossen, Selbstanklagen erhoben, dass man diese armen, verlorenen Söhne so herzlos behandelt hatte; vergebliche Reue quälte die Gewissen und was das Beste von allem war: Die Verschwundenen waren zum Stadtgespräch geworden und alle Jungen des ganzen Ortes beneideten sie glühend darum. Es war herrlich. Wahrhaftig, es lohnte sich, ein Pirat zu sein.

Bei Anbruch der Dämmerung kehrte das Fährboot zu seiner gewohnten Beschäftigung zurück und die Ruderboote verschwanden. Die Seeräuber begaben sich ins Lager. Ihr neuer Ruhm und der prachtvolle Aufruhr, den sie veranlasst hatten, erfüllte sie mit Jubel und Stolz.

Sie fingen Fische und bereiteten das Abendessen. Dabei rieten sie hin und her, was wohl das Städtchen über sie dachte und sprach. Die Bilder, die sie von der allgemeinen Verzweiflung entwarfen, waren von ihrem Standpunkt aus geradezu grandios. Sie sahen sich als beneidenswerte Helden, deren Ruhm nicht so bald verblassen würde. Doch als die Schatten der Nacht sich über ihnen schlossen, gaben sie die Unterhaltung auf und starrten schweigend ins Feuer, während ihre Gedanken ganz woanders waren. Die Aufregung war nun vorüber, Tom und Joe konnten ihre Gedanken über gewisse Personen zu Hause nicht länger zurückhalten, an Personen, die über dieses herrliche Räuberleben bedeutend weniger erfreut sein mussten als sie selbst. Besorgnisse kamen ihnen, sie wurden unruhig und schwermütig, unbeachtet entschlüpfte ihnen ein Seufzer, dann noch einer, und nach einiger Zeit machte Joe den schüchternen Versuch, einen Fühler auszustrecken, wie die anderen wohl über die Rückkehr zur Zivilisation dächten – nicht gerade jetzt gleich, aber …

Tom wies den Gedanken mit Verachtung von sich. Huck, der sich bis jetzt noch keine Blöße gegeben hatte, schlug sich auf Toms Seite und der Wankelmütige rechtfertigte sich eilig, er habe es nicht so gemeint. Er war froh, dass er sich so rasch aus der Affäre ziehen konnte, ohne dass der Geruch eines hasenherzigen Heimwehs allzu stark an ihm haften blieb. Für den Augenblick war also die Meuterei unterdrückt.

Als es völlig Nacht war, nickte Huck ein und begann bald zu schnarchen. Joe war der Nächste. Tom lag eine Weile regungslos, auf die Ellenbogen gestützt, und belauerte die beiden scharf. Dann hob er sich vorsichtig auf die

Knie und kroch suchend im Grase umher. Er sammelte mehrere Stücke der dünnen weißen Platanenrinde, prüfte sie sorgfältig und wählte schließlich zwei aus, die ihm passten. Dann kniete er beim Feuer nieder und schrieb mit seinem Stift mühselig etwas auf eine der Rinden. Die andere rollte er zusammen und steckte sie in seine Jackentasche. Dann nahm er Joes Hut und tat die beschriebene Rolle hinein; dazu legte er gewisse Reichtümer, die für Schuljungen einen unermesslichen Wert haben: ein Stückchen Kreide, einen Gummiball, drei Angelhaken und eine jener Murmeln, die für »ganz echtes Kristall« galten. Den Hut legte er unter einen Baum nahe zu dem Eigentümer und schlich auf Zehenspitzen durch den Wald davon.

Als er außer Hörweite war, verfiel er in scharfen Trab und lief geradewegs auf die Sandbank zu.

15

Wenige Minuten später watete Tom durch das seichte Wasser vor der Sandbank dem Ufer zu. Er war schon halb hinüber, da reichte ihm das Wasser noch kaum bis an die Brust. Als die Strömung ihn nicht mehr waten ließ, warf er sich seelenruhig hinein, um die übrigen hundert Meter zu schwimmen. Er schwamm schräg stromaufwärts, aber er trieb doch schneller, als er gedacht hatte, hinunter. Schließlich aber kam er am Ufer an und ließ sich treiben, bis er einen Landungsplatz fand, wo er hinausklettern konnte. Er versicherte sich, dass seine Birkenrinde noch in der Tasche steckte, und machte sich sofort, mit triefenden Kleidern, am Ufer entlang auf den Weg. Kurz vor zehn Uhr kam er zu einer Lichtung, die gerade gegenüber dem Städtchen lag, und sah die Fähre im Schatten der Bäume und des hohen Ufers vor sich liegen. Unter dem leuchtenden Sternenhimmel war es vollkommen still. Er kroch ans Ufer hinunter, sah sich aufmerksam um, ließ sich ins Wasser gleiten und kletterte nach drei, vier Stößen in den Kahn, der als Beiboot am Heck der Fähre festgemacht war. Er legte sich unter die Bänke und wartete mit klopfendem Herzen. Sehr bald ertönte die zerbrochene Schiffsglocke und eine Stimme gab den Befehl zur Abfahrt. Einen Augenblick später stellte sich die Spitze des Bootes steil gegen das Kielwasser der Fähre auf und die Reise begann.

Tom war glücklich über seinen Erfolg, denn er wusste, das war die letzte Überfahrt in dieser Nacht. Nach langen fünfzehn Minuten stoppten die Räder, Tom ließ sich sachte über Bord gleiten und schwamm in der Dunkelheit an Land. Er landete fünfzig Meter stromabwärts, wo er vor etwaigen Nachzüglern sicher war. Er lief durch einsame Gassen und kam bald beim hinteren Gartenzaun der Tante an. Er kletterte hinüber, schlich sich ans Haus und sah durch das Fenster in das beleuchtete Wohnzimmer.

Tante Polly, Sid, Mary und Joe Harpers Mutter saßen drinnen zusammen und sprachen, zwischen ihnen und der Tür stand Tante Pollys großes Bett. Tom ging zur Tür und drückte ganz leise die Klinke hinunter. Er öffnete vorsichtig die Tür und schrak jedes Mal zusammen, wenn es knackte. Er drückte weiter, und endlich hatte er einen Spalt frei, durch den er sich auf den Knien durchquetschen konnte. Erst steckte er den Kopf vor, dann arbeitete er sich langsam weiter vorwärts.

»Wovon flackert die Kerze nur so?«, fragte Tante Polly. Tom beeilte sich. »Ach, die Tür da wird offen sein, glaube ich. Tatsächlich, sie ist offen. Es gibt doch heute kein Ende mit den merkwürdigen Dingen. Geh hin und mach sie zu, Sid.«

Gerade noch rechtzeitig verschwand Tom unter dem Bett. Da lag er und hielt eine Zeit lang den Atem an. Dann kroch er weiter vor, bis er beinahe Tante Pollys Fuß berühren konnte.

»Ja, wie gesagt«, meinte Tante Polly, »richtig schlecht ist er nie gewesen – nur voller Unfug. Einfach nur gedankenlos und übermütig. So wenig Verstand wie ein Fohlen. Er hat es nie böse gemeint und er war der gutherzigste Junge der Welt.« Und sie begann zu weinen.

»Genau wie mein Joe; immer voll dummer Streiche und bei jeder Tollheit dabei, aber im Grunde selbstlos und gutmütig. Gott helfe mir, wenn ich daran denke, dass ich ihn noch zuletzt wegen der Sahne geprügelt hab. Ich hab einfach vergessen, dass ich sie selbst ausgegossen hatte, weil sie sauer war! Und jetzt soll ich ihn nie wieder sehen in dieser Welt, nie, nie, niemals? Der arme, misshandelte Junge!«

Und Mrs Harper schluchzte, als wolle ihr das Herz brechen.

»Ich hoffe ja, Tom hat es da besser, wo er jetzt ist«, sagte Sid, »aber wenn er artiger gewesen wär ...«

»Sid!«

Tom fühlte die Empörung auf dem Gesicht der alten Dame, obgleich er sie nicht sehen konnte.

»Sid, kein Wort gegen meinen Tom, nun, da er dahingegangen ist! Für ihn wird Gott schon sorgen, sorge du nur für dich selbst, junger Mann. Ach, Mrs Harper, ich weiß gar nicht, wie ich ihn entbehren soll, ich weiß nicht, wie ich ihn entbehren soll! Er war mein Sonnenschein, wenn er mir alten Frau auch oft genug das Herz aus dem Leibe geärgert hat.«

»Der Herr hat's gegeben, der Herr hat's genommen, der Name des Herrn sei gelobt! Aber es ist ja so schwer, ach, es ist ja so schwer. Noch am letzten Sonnabend hat mir mein Joe einen Knallfrosch gerade vor der Nase explodieren lassen und ich habe ihn fürchterlich verhauen. Wenn ich nur die geringste Ahnung gehabt hätte, wie bald – ach, wenn er es heute noch mal tun könnte, ich würde ihn umarmen und segnen dafür.«

»Ja, ja, ja, meine liebe Mrs Harper, ich fühle ganz mit Ihnen, ganz genau so empfinde ich es wie Sie. Erst gestern Nachmittag hat mein Tom unseren Kater mit Schmerztöter gefüttert und ich dachte, das Vieh reißt das ganze Haus ein. Gott verzeih mir's, da habe ich Tom mit dem Fingerhut auf den Kopf geschlagen! Der arme, tote Junge! Aber jetzt ist er aller Sorgen ledig. Und die letzten Worte, die ich von ihm hörte, waren Vorwürfe …«

Diese Erinnerung war zu viel für die alte Dame, sie brach völlig zusammen. Auch Tom schluchzte jetzt, allerdings mehr aus Mitleid mit sich selbst als mit irgendjemand anderem. Er hörte Mary weinen und ab und zu ein freundliches Wort über ihn sagen. Er begann eine höhere Meinung von sich selbst zu bekommen als je zuvor. Doch er war von dem Kummer der Tante schmerzlich berührt. Sodass nicht viel fehlte und er wäre unter dem Bett hervorgekrochen, um sie von ihrem Kummer zu befreien und sie glücklich zu machen. Die theatermäßige Großartigkeit einer solchen Situation lockte ihn mächtig, aber er widerstand und blieb ruhig liegen.

Tom lauschte weiter und kombinierte aus den einzelnen Bemerkungen, dass man zuerst angenommen hatte, die Jungen seien beim Schwimmen ertrunken. Dann habe man das kleine Floß vermisst und gleichzeitig sagten ein paar Jungen, die Verschwundenen hätten ihnen anvertraut, das Städtchen sollte bald »etwas zu hören bekommen«. Die weisen Häupter hatten dann »dies und das zusammengereimt« und entschieden, die Jungen seien auf dem

Floß davon und würden sicherlich in der nächsten Stadt stromabwärts auftauchen.

Aber gegen neun Uhr wurde das leere Floß acht oder zehn Kilometer unterhalb der Stadt aufgefunden, wo es der Strom ans Ufer getrieben hatte. Die letzte Hoffnung verschwand, und man war jetzt sicher, dass sie ertrunken waren. Schon der Hunger hätte sie spätestens bei Einbruch der Nacht nach Hause getrieben. Die Suche nach den Leichen, so glaubte man, war nur deshalb fruchtlos geblieben, weil die Jungen, die alle gute Schwimmer waren, nur in der Mitte des Stromes ertrunken sein konnten, sonst hätten sie sich zweifellos ans Ufer gerettet. Jetzt war es schon Mittwoch Abend. Wenn die Leichen bis Sonntag nicht gefunden wurden, so würde man alle Hoffnung aufgeben müssen und die Leichenfeier würde noch am selben Vormittag ohne sie abgehalten werden. Tom schauderte.

Mrs Harper sagte schluchzend gute Nacht und wandte sich zum Gehen. Doch von einem gleichzeitigen Impuls getrieben sanken die beiden schwer geprüften Frauen einander in die Arme und weinten sich eine Weile Trost zu. Dann schieden sie. Viel zärtlicher als üblich sagte Tante Polly Sid und Mary gute Nacht. Sid schluckte ein bisschen, Mary ging, aus vollem Herzen weinend, hinaus.

Tante Polly kniete nieder und betete so rührend für Tom, so eindringlich und mit so inniger Liebe in den Worten und ihrer alten, zitternden Stimme, dass Tom, noch ehe sie zu Ende war, in Tränen schwamm.

Er musste sich lange still verhalten, als sie schon zu Bett gegangen war, denn sie warf sich unruhig umher und schluchzte von Zeit zu Zeit herzzerbrechend auf. Endlich wurde sie ruhiger und stöhnte nur noch ein wenig im Schlaf. Da stahl er sich hervor, richtete sich langsam an der Bettkante hoch, beschattete die Kerze mit der Hand und betrachtete sie. Sein Herz war voll Mitleid für sie. Er zog seine Birkenrinde heraus und legte sie neben die Kerze. Da fiel ihm jedoch etwas ein und er zögerte. Sein Gesicht erhellte sich, als er eine, wie ihm schien, glückliche Lösung gefunden hatte; hastig steckte er die Rinde wieder in die Tasche, beugte sich über die Tante, küsste ihre bleichen Lippen und stahl sich unverzüglich hinaus. Hinter sich schob er den Riegel vor die Tür.

Vorsichtig ging er zur Landungsstelle der Fähre hinunter und fand sie völlig verlassen. Er ging kühn an Bord, denn er wusste, es war jetzt niemand auf dem Boot als ein Wächter, der immer in der Kajüte lag und wie ein Stein schlief. Er machte das kleine Boot vom Heck los, sprang hinein und ruderte leise stromaufwärts; als er eine Meile oberhalb des Ortes war, stellte er das Boot schräg und legte sich mächtig in die Riemen. Er kannte die Überfahrt genau und traf ohne Umweg drüben die Landungsstelle. Er war versucht das Boot zu kapern, denn schließlich war es doch ein Schiff, also eine rechtmäßige Prise für einen Seeräuber. Dann aber sagte er sich, man würde sicherlich gründlich danach suchen, und das mochte am Ende zu allerlei Entdeckungen führen.

Er ging also an Land und kletterte zum Wald hinauf. Unter den Bäumen setzte er sich und hielt eine lange Rast. Er quälte sich furchtbar, um wach zu bleiben. Endlich trat er todmüde den Rückweg an. Die Nacht war vorüber und als er der Inselsandbank gegenüberstand, war es schon heller Tag. Er rastete wieder, bis die Sonne ganz hoch war und den ungeheuren Fluss mit ihrem Glanz vergoldete. Dann sprang er ins Wasser und stand bald darauf triefend am Eingang des Lagers. Er hörte Joe sagen:

»Nein, Huck, Tom ist waschecht, der kommt wieder, der desertiert nicht. Er weiß ganz genau, dass das eine Schande und Schmach für einen Piraten ist, und dazu ist er zu stolz. Sicher hat er irgendetwas vor; bin bloß neugierig, was.«

»Na, die Sachen gehören jedenfalls uns, nicht?«

»Beinahe, Huck, aber noch nicht ganz. In dem Brief steht, sie gehören uns, wenn er nicht bis zum Frühstück zurückkommt.«

»Jedoch er kommt!«, schrie Tom mit einem wunderbaren dramatischen Effekt und trat großspurig ins Lager. Ein üppiges Frühstück aus Speck und Fisch war schnell zurechtgemacht und während sie darüber herfielen, erzählte Tom seine Abenteuer und schmückte sie gehörig aus. Als die Geschichte zu Ende war, waren sie zu einer eitlen und prahlerischen Heldenkumpanei geworden. Endlich, endlich konnte sich Tom in einen schattigen Winkel zurückziehen und bis Mittag schlafen, während die anderen Piraten umherzogen, um zu fischen und Entdeckungen zu machen.

16

Nach dem Mittagessen schwärmte die Bande aus, um auf der Sandbank Schildkröteneier zu suchen. Sie stocherten mit Stöcken im Sand und wo sie eine weiche Stelle fanden, knieten sie nieder und gruben mit den Händen nach. Manchmal fanden sie fünfzig bis sechzig Eier in einem Loch, kugelrunde weiße Dinger, etwas kleiner als eine Walnuss. Abends hatten sie ein wunderbares Festessen aus gebackenen Eiern und Freitagmorgen kam die Wiederholung.

Nach dem Frühstück rannten sie wie die Wilden auf der Sandbank umher, jagten sich, warfen im Toben die Kleider ab, bis sie nackt waren, und setzten die wilde Jagd in dem flachen Wasser fort. Sie rannten gegen den Strom; der zog ihnen ab und zu die Beine unter dem Leibe fort, was den Spaß nur noch steigerte. Dann wieder spritzten sie sich gegenseitig mit Wasser ins Gesicht, rückten, um dem Spritzen zu entgehen, mit abgewendetem Gesicht aufeinander los, bis sie miteinander rangen und der Stärkere den anderen untertauchte. Schließlich war nur noch ein Gewirr von weißen Armen und Beinen zu sehen und dann kamen sie gleichzeitig hoch, prustend, spuckend, lachend und nach Atem japsend.

Wenn sie ganz außer Atem waren, liefen sie aus dem Wasser und streckten sich in den trockenen, heißen Sand.

Da gruben sie sich ein und lagen, bis das Wasser sie wieder lockte und der alte Kampf von vorne anfing.

Einmal kam ihnen der Gedanke, dass ihre nackte Haut ausgezeichnet fleischfarbene Trikots vorstellen konnte. Sie zogen einen Kreis in den Sand und eröffneten einen Zirkus – mit drei Clowns, denn diese großartige Rolle wollte niemand seinem Nachbarn überlassen. Später holten sie ihre Murmeln und spielten damit, bis auch dieses Vergnügen seinen Reiz verlor. Joe und Huck gingen nun wieder ins Wasser. Tom traute sich nicht mehr, denn er entdeckte, dass er beim Ausziehen der Hosen auch die Kette aus Klapperschlangenrasseln vom Knöchel gestreift hatte. Es war ihm eigentlich rätselhaft, wieso er ohne den Schutz dieses geheimnisvollen Zaubermittels so lange ohne Wadenkrampf im Wasser gewesen war. Erst als er es nach längerem Suchen endlich gefunden hatte, bekam er wieder Mut zum Schwimmen, aber inzwischen waren die anderen beiden müde und wollten sich ausruhen. Sie wanderten jetzt einzeln umher und versanken in dumpfes Nachsinnen. Mit der Zeit bemerkten sie, dass jeder von ihnen immer wieder sehnsüchtig über den Strom in Richtung auf das schläfrig in der Sonne liegende Städtchen blickte.

Tom ertappte sich dabei, wie er mit seiner großen Zehe »Becky« in den Sand schrieb. Er wischte es sofort aus und ärgerte sich über sich selbst wegen seiner Schwäche. Aber er konnte sich nicht helfen, er schrieb es noch einmal. Wieder scharrte er es weg und zog sich dann tapfer aus der Versuchung, indem er die beiden anderen herbeirief und von da an bei ihnen blieb. Doch auch Joes Laune war inzwischen rettungslos gesunken. Das Heimweh war so groß geworden, dass er sein Elend kaum ertragen konnte. Die Tränen stiegen ihm in die Kehle. Selbst Huck war melancholisch. Toms Herz war ebenfalls schwer genug, er bemühte sich aber nach Kräften es nicht zu zeigen. Er verschwieg ein Geheimnis, das er noch nicht preisgeben wollte. Erst wenn die allgemeine Niedergeschlagenheit sich absolut nicht mehr halten ließ, wollte er es lüften. Mit gespielter Munterkeit sagte er:

»Ich wette, hier waren schon vor uns Piraten, Leute. Wir müssen noch einmal suchen, sicher haben sie hier irgendwo Schätze vergraben, was meint ihr, wenn wir so eine morsche Kiste voll Gold und Silber fänden, he?«

Aber er weckte nur schwache Begeisterung und bekam nicht einmal eine Antwort. Er versuchte noch ein paar andere Verführungskünste, aber auch sie schlugen fehl. Es war eine entmutigende Arbeit. Joe saß da, stocherte mit einem Stock im Sand und sah trübsinnig aus.

»Ach, Kinder«, sagte er schließlich, »wir wollen es aufgeben. Ich möchte nach Hause. Es ist so einsam.«

»Aber nein, Joe«, beruhigte Tom, »es wird schon bald wieder besser gehen, denk bloß an das Fischen hier.«

»Ich will nicht fischen, ich will nach Hause.«

»Joe, nirgends in der Welt gibt es einen so schönen Schwimmplatz.«

»Schwimmen ist gar nicht gesund. Und überhaupt, ich mache mir gar nichts aus Schwimmen, wenn nicht jemand da ist, der sagt, ich darf nicht. Ich denke, ich gehe jetzt nach Hause.«

»Blödsinn! So ein Schoßkind! Willst wohl zur Mami nach Haus, nicht wahr?«

»Ja, meinetwegen, ich will zu meiner Mutter, du würdest ja auch wollen, wenn du eine hättest. Ich bin nicht mehr Baby als du.« Joe schluckte verdächtig.

»Na, lassen wir das Wickelkind zu seiner Mutter nach Hause gehen, was, Huck? Armes Dingelchen, will zu seiner Mami. Na ja, soll's haben. Dir gefällt es hier, Huck, nicht wahr? Wir bleiben, nicht?«

»Ja-a«, sagte Huck, aber es klang nicht sehr überzeugend.

Joe stand auf. »Mit dir rede ich überhaupt kein Wort mehr, solange ich lebe. Jetzt weißt du's.« Er drehte sich wütend um und fing an sich anzuziehen.

»Wen das kümmert«, sagte Tom. »Es braucht dich niemand. Geh nur nach Hause und lass dich auslachen. Schöner Pirat. Huck und ich, wir sind nicht solche Wickelkinder. Wir bleiben, nicht, Huck? Lass ihn ruhig gehen, wenn er will. Ich glaube, wir kommen ohne ihn aus, was?«

Aber Tom war doch recht beunruhigt, und als er sah, dass Joe sich unbeirrt weiter anzog, wurde er aufgeregt. Es war beklemmend, wie sehnsüchtig Huck den Vorbereitungen Joes zuschaute, wobei er vielsagend schwieg. Ohne ein Wort zu sagen begann Joe dem Ufer zuzuwaten. Tom sank das Herz. Er sah Huck an. Der konnte den Blick nicht aushalten und senkte die Augen.

»Ich will auch gehen, Tom«, sagte er. »Es war schon so einsam, jetzt wird es noch schlimmer. Komm, gehen wir!«

»Ich nicht, du kannst ja gehen, wenn du willst. Ich jedenfalls will bleiben.«

»Ich möchte lieber gehen, Tom.«

»Na, geh doch, es hält dich ja keiner.«

Huck suchte zögernd seine verstreuten Sachen zusammen und sagte:

»Tom, komm doch lieber mit. Überleg dir's. Wir warten drüben auf dich.«

»Meinetwegen wartet, da könnt ihr lange warten, wenn ihr wollt.« Sorgenvoll machte sich Huck auf den Weg. Tom sah ihm nach und ein mächtiges Verlangen brannte in seinem Herzen, seinen Stolz aufzugeben und ihm zu folgen. Er hoffte, die Jungen würden haltmachen, aber sie wateten ununterbrochen weiter. Es dämmerte ihm plötzlich, wie einsam und still es geworden war. Ein letzter Kampf mit seinem Stolz, dann stürzte er hinter den anderen her und schrie:

»Halt! Halt! Ich muss euch etwas sagen!«

Sie hielten sofort an und drehten sich um. Als er bei ihnen ankam, begann er ihnen sein Geheimnis zu enthüllen. Sie hörten missmutig zu, bis ihnen ein Licht aufging, worauf er hinauswollte. Dann brachen sie in ein Kriegsgeheul aus und schrien, das sei großartig! Wenn er es ihnen gleich gesagt hätte, wären sie gar nicht fortgegangen. Er brachte irgendeine Entschuldigung vor; aber sein wahrer Grund war die Furcht gewesen, dass selbst dieses Geheimnis sie nicht allzu lange festhalten würde. Er hatte es deshalb als letzte Rettung in Reserve gehalten.

Vergnügt kamen die Jungen zurück und nahmen ihr Treiben wieder auf. Die ganze Zeit sprachen sie über Toms prachtvollen Plan und bewunderten seine Genialität. Nach einem ausgiebigen Essen von Fisch und Fleisch saßen sie wieder ums Feuer und Tom sagte, er wolle jetzt rauchen lernen. Joe gefiel der Gedanke und er sagte, er wollte es auch gern versuchen. Huck schnitzte also zwei Pfeifen und stopfte sie. Die Neulinge hatten noch niemals etwas anderes geraucht als Zigarren aus Weinblättern und die bissen schrecklich in die Zunge und galten überhaupt als unmännlich.

Sie legten sich der Länge nach hin und begannen auf die Ellbogen gestützt mit misstrauischen Mienen zu paffen. Der Rauch hatte einen fürchterlichen Geschmack und sie würgten ein bisschen, aber Tom sagte:

»Ach, so leicht ist das? Wenn ich das gewusst hätte, hätte ich's schon längst gelernt.«

»Ich auch«, sagte Joe. »Das ist gar nichts.«

»So oft habe ich die Leute angeguckt, wenn sie rauchten, und hab gedacht, Herrgott, wenn ich das doch auch könnte! Aber ich habe nie gedacht, dass ich es könnte«, erzählte Tom.

»Genauso war's bei mir«, rief Joe, »nicht, Huck? Oft genug habe ich dir's erzählt, nicht war, Huck? Sag doch, Huck, hab ich es nicht gesagt?«

»Ja, kann schon sein.«

»Na, ich auch«, sagte Tom. »Ach, mindestens hundertmal. Weißt du noch, Huck, einmal da unten beim Schlachthaus. Bob Tanner war dabei und Johnny Miller und Jeff Thatcher, da habe ich es gesagt. Weißt du noch, Huck?«

»Ja, das stimmt«, sagte Huck. »Das war an dem Tag, wo ich die weiße Glasmurmel verlor … oder nein, es war den Tag vorher.«

»Siehst du«, rief Tom, »Huck weiß es noch.«

»So eine Pfeife könnte ich jeden Tag rauchen«, sagte Joe. »Mir ist gar nicht schlecht.«

»Mir auch nicht«, erklärte Tom, »ich könnte auch alle Tage rauchen, aber ich wett, Jeff Thatcher kann es nicht.«

»Jeff Thatcher! Ach, der würd schon nach zwei Zügen umfallen. Den lass nur versuchen, der wird schon sehen.«

»Wahrhaftig, das möchte ich auch. Wetten, dass es Johnny schon beim ersten Zug erwischt.«

»Natürlich, Joe. Ich wollt, dass die uns jetzt sehen könnten!«

»Ich auch.«

»Wisst ihr was, wir erzählen gar nichts davon und dann, wenn sie einmal alle herumstehen, komm ich zu dir und sage: ›Joe, hast du eine Pfeife da? Ich halte es nicht mehr aus, ich muss rauchen?‹ Und du sagst ganz nebenbei, als wenn's gar nichts wäre: ›Ja, hier hast du meine alte Pfeife, ich hab auch noch eine andere hier, aber mein Tabak ist nicht sehr gut.‹ Ich sage dann: ›Ach, das macht nichts, wenn er nur recht stark ist.‹ Dann holst du die Pfeifen heraus und wir stecken uns seelenruhig eine an, und dann sollst du mal sehen, was die für Augen machen!«

»Herrgott, das wird lustig, Tom. Ich wünschte, wir könnten es jetzt gleich machen!«

»Ich auch. Und dann erzählen wir ihnen, das haben wir gelernt, wo wir Piraten waren. Die wünschen sich dann alle, sie wären dabei gewesen, das kann ich dir sagen.«

»Na und ob! Wetten, dass sie's wünschen!«

So ging die Unterhaltung noch eine Weile weiter. Allmählich aber stellte sich ein leises Unbehagen ein und wurde schnell größer. Die Gesprächspausen wurden immer länger, das Spucken nahm merkwürdig zu. In ihrem Mund wurde jede Pore zu einem sprudelnden Quell; sie konnten die Flut unter ihrer Zunge kaum schnell genug herausbringen. Eine innere Überschwemmung drohte; trotz aller Bemühungen fluteten die Wassermassen ab und zu die Kehle hinunter und hatten jedes Mal ein Rülpsen zur Folge. Die beiden Jungen sahen bleich und elend aus. Joe sank die Pfeife aus den entkräfteten Fingern. Toms Pfeife folgte. Beide Quellen sprudelten ohne Unterlass und alle Pumpen arbeiteten angestrengt.

Joe sagte schwach:

»Ich habe mein Messer verloren. Ich will es ein bisschen suchen gehen.«

Tom entgegnete mit zitternden Lippen und lallender Aussprache: »Ich helfe dir. Geh du da hin, ich werde bei der Quelle suchen. Ach, du brauchst nicht mitzukommen, Huck, wir finden es schon.« Huck setzte sich wieder und wartete – eine Stunde. Als es ihm zu einsam wurde, machte er sich auf die Suche. Die beiden lagen in verschiedenen Richtungen fest schlafend im Walde. Ihre Gesichter waren kalkweiß. Gewisse Nebenumstände sagten ihm, dass einiges sie gedrückt haben musste, wovon sie jetzt befreit waren.

Beim Abendessen waren sie nicht sehr gesprächig. Sie sahen trübsinnig aus, und als Huck nach dem Essen seine Pfeife stopfte und auch die ihrigen fertig machen wollte, sagten sie, sie hätten keine Lust. Sie fühlten sich nicht recht wohl – sie mussten mittags irgendetwas gegessen haben, was ihnen nicht gut bekommen war.

17

Um Mitternacht wachte Joe auf und weckte die andern. Es lag eine drückende Schwüle in der Luft, die Unheil verkündete. Sie legten sich dichter ans Feuer, obwohl die dumpfe Glut der reglosen Luft fast zum Ersticken war. Sie setzten sich auf und warteten gespannt. Jenseits des Feuerscheins war die ganze Welt in der schwarzen Finsternis versunken.

Plötzlich erhellte ein zuckender Lichtschein für einen Augenblick den Wald und verschwand gleich wieder. Nach einer Weile kam ein zweiter, etwas stärkerer. Dann wieder einer. Nun seufzten die Zweige der Bäume ringsum auf, die Jungen fühlten einen flüchtigen Hauch auf ihren Wangen und schauderten bei dem Gedanken, dass der Geist der Nacht vorübergegangen sei. Eine Pause entstand. Dann verwandelte eine gespenstische Stichflamme die Nacht in hellen Tag und ließ jeden Grashalm zu ihren Füßen deutlich erkennen. Drei leichenblasse Gesichter wurden in grelles Licht getaucht. Ein mächtiger Donnerschlag kam polternd und dröhnend über den Himmel gerollt und verlor sich in der Ferne in dumpfem Grollen. Ein scharfer, kalter Windstoß fegte vorüber, raschelte in den Blättern und ließ die Aschenflocken wie Schnee über dem Feuer herumwirbeln. Wieder erleuchtete ein furchtbarer Blitz den Wald, ein Krachen folgte unmittelbar darauf und drohte die Baumkronen gerade über den Köpfen der Jungen zu zerschmettern. Erschrocken klammerten sie sich aneinander. Tiefe Finsternis folgte. Ein paar dicke Regentropfen fielen klatschend auf die Blätter.

»Schnell, ins Zelt!«, schrie Tom.

Sie sprangen fort und stolperten über Baumwurzeln und Rebenranken ins Dunkle, jeder in einer anderen Richtung. Wütend heulte der Sturm durch die Bäume. Schnell nacheinander folgten jetzt die blendenden Blitze und die krachenden Schläge des Donners. Dann strömte ein durchdringender Regen herunter und der wachsende Sturm trieb ihn in breiten Wellen über die Erde hin. Die Jungen wollten sich schreiend verständigen, aber das Heulen des Windes und das Krachen des Donners übertönte ihre Stimmen. Einer nach dem andern fand schließlich doch zum Zelt und suchte Schutz. Sie froren erbärmlich und waren triefnass. Aber sie waren dankbar, in ihrem Elend wenigstens Gesellschaft zu haben. Reden konnten sie nicht, denn das alte Segel knatterte laut und der Lärm draußen war noch schlimmer.

Der Orkan wuchs. Plötzlich riss sich das Segel von den Seilen los und schwang sich durch die Luft davon. Die Jungen fassten sich an den Händen und flohen. Nach vielen Unglücksfällen landeten sie unter dem Schutzdach einer mächtigen Eiche auf dem Uferhang. Die Schlacht draußen war auf ihrem Höhepunkt. Ohne Pause flammten die Blitze vom Himmel und alles lag im klaren Licht in schattenloser Deutlichkeit da: die sich biegenden Bäume, der wogende Strom, der weiße Schaumkronen trug, die treibenden Gischtflocken und am anderen Ufer die Linie der hohen Uferhügel, die aus den niedrig jagenden Wolken und dem dichten Regenschleier auftauchte. Jeden Augenblick gab einer der Riesenbäume den Kampf auf und stürzte krachend durch das Unterholz. Die ununterbrochenen Donnerschläge wurden zu ohrenzerreißenden Explosionen, scharf und knallend und unsagbar schauerlich. Der Orkan gipfelte in einer unerhörten Anstrengung, die ganze Insel drohte in Stücke zu reißen, in Flammen aufzugehen und bis zu den Baumkronen zu versinken. Für herumirrende Kinder war es eine schlimme Nacht im Freien.

Schließlich aber war die Schlacht zu Ende, die feindlichen Mächte zogen sich mit immer schwächer werdenden Schüssen und Schlägen zurück und der Friede trat wieder die Herrschaft an.

Ziemlich kleinlaut gingen die Jungen zum Lager zurück und entdeckten, dass noch mancherlei da war, wofür man dankbar sein musste, denn die große Platane, das Schutzdach ihrer Lagerstätte, war eine Ruine. Mehrere Blitze hatten sie zerschmettert, und es war nur ein Zufall, dass sie nicht darunter gestanden waren, als die Katastrophe eintrat.

Das ganze Lager schwamm, natürlich war auch das Lagerfeuer ausgelöscht. Sie waren eben unvorsichtig wie alle Jungen in ihrem Alter und hatten keine Vorsorge gegen Regen getroffen. Das war nun wirklich schlimm, denn sie waren durchnässt und halb erfroren. Aber bei aller Sorge verloren sie doch nicht den Mut, und plötzlich entdeckten sie, dass sich das Feuer so weit in den Baumstumpf eingefressen hatte, dass ganz innen eine kleine Flamme dem Regen entgangen war. Sie suchten geduldig nach trockenen Spänen und Zweigspitzen, die sie unter gestürzten Stämmen hervorholten, und brachten das Feuer wieder zum Brennen. Dann häuften sie eine Menge Reisig darauf, bis es wieder knisternd brannte. Sie waren jetzt schon wieder ganz vergnügt, trockneten ihren gekochten Schinken und feierten Siegesschmaus. Dann saßen sie ums Feuer und besprachen prahlend ihr mitternächtliches Abenteuer; denn es gab nirgends ein trockenes Plätzchen, wo sie sich hätten hinlegen können.

Als die ersten Sonnenstrahlen auf die Jungen herabfielen, überwältigte sie die Müdigkeit. Sie gingen zur Sandbank und legten sich schlafen. Aber die Sonne stach sie bald wieder aus dem Schlaf, und ärgerlich machten sie sich daran, das Frühstück zu bereiten. Danach fühlten sie sich steif und wie eingerostet und wieder regte sich das Heimweh.

Tom bemerkte die Anzeichen und versuchte so gut er konnte die Piraten aufzumuntern. Aber weder Murmeln noch Zirkus, weder Schwimmen noch sonst etwas interessierte sie. Erst als er sie an das glorreiche Geheimnis erinnerte, gelang es ihm, einen schwachen Freudenschimmer zu erwecken. Er benutzte ihn, um sie schnell für seinen neuen Plan zu gewinnen. Er schlug vor, für eine Weile die Seeräuberei zu lassen und zur Abwechslung einmal Indianer zu sein. Dieser Gedanke zog.

Es dauerte nicht lange, da waren sie ausgezogen und hatten sich von Kopf bis Fuß wie die Zebras mit schwarzem Lehm bemalt, denn jeder wollte natürlich der Häuptling sein. Dann schlichen sie auf dem Kriegspfad durch die Wälder, um eine englische Siedlung anzugreifen.

Später trennten sie sich in drei feindliche Stämme, überfielen einander mit schrecklichen Kriegsrufen aus dem Hinterhalt und töteten und skalpierten sich zu Tausenden. Es war ein blutiger Tag. Man konnte mit dem Ergebnis zufrieden sein.

Um die Mittagszeit versammelten sie sich hungrig und glücklich im Lager. Doch da ergab sich eine Schwierigkeit: Feindliche Indianer konnten unmöglich das Brot der Gastfreundschaft miteinander essen, ohne vorher Frieden geschlossen zu haben, und das war einfach unmöglich, wenn man nicht eine Friedenspfeife rauchte. Sie hatten nie gehört, dass es irgendeinen anderen Weg der Verständigung gäbe. Zwei Rothäute wünschten sich vom ganzen Herzen, sie wären weiter Piraten geblieben. Doch es musste sein, und mit aller Entschiedenheit, die sie aufbringen konnten, verlangten sie nach der Pfeife und rauchten, als die Reihe an sie kam, pflichtschuldigst ihre Züge.

Danach aber waren sie plötzlich sehr froh, Rothäute gewesen zu sein, denn es hatte ihnen etwas eingebracht: Sie entdeckten, dass sie jetzt schon ein wenig rauchen konnten, ohne nach verlorenen Messern suchen zu müssen. Es wurde ihnen gar nicht schlecht, ja kaum wirklich unbehaglich dabei. Sie wollten diese neue Errungenschaft nicht aus Mangel an Fleiß verlieren, deshalb versuchten sie es nach dem Essen vorsichtig noch einmal und mit ganz schönem Erfolg.

Sie verbrachten einen prachtvollen Abend. Ihre neue Kunst machte sie stolzer und glücklicher, als sie gewesen wären, wenn sie die gesamte Indianerwelt skalpiert und gehäutet hätten.

18

An dem stillen Sonnabendnachmittag herrschte in dem kleinen Städtchen nicht gerade eitel Fröhlichkeit. Die Familien Harper und Sawyer legten kummervoll und unter vielen Tränen Trauerkleider an. Ungewöhnliche Stille lag über dem Ort, der doch sonst schon ruhig genug war. Die Bürger gingen zerstreut ihren Geschäften nach, sprachen wenig und seufzten viel. Selbst für die Kinder war der freie Nachmittag eine Last. Sie waren nicht recht bei der Sache in ihren Spielen und gaben sie schließlich ganz auf. Nachmittags lungerte Becky Thatcher um das verlassene Schulhaus herum und fühlte sich jämmerlich elend. Sie fand nichts, was sie hätte trösten können. Sie sprach mit sich selbst.

»Ach, wenn ich doch nur wenigstens den Messingknopf wieder hätte. Jetzt habe ich nichts, was mich an ihn erinnert.« Und sie schluckte einen kleinen Seufzer hinunter. Plötzlich blieb sie stehen und sagte halblaut:

»Gerade hier ist es gewesen. Ach, wenn es doch noch einmal sein könnte, ich würde es auch nicht wieder sagen, nein, nein, um alles in der Welt würde ich es nicht sagen. Aber nun ist er fort, ich werde ihn nie, nie wieder sehen.«

Dieser Gedanke brachte sie außer Fassung, und als sie weiterging, liefen ihr dicke Tränen die Backen hinunter. Eine Gruppe von Jungen und Mädchen, lauter Spielkameraden von Tom und Joe, kam vorbei; sie blieben am Zaun stehen, sahen herüber und sprachen in ehrfürchtigem Ton von Tom, wie er dies und jenes getan hatte, als sie ihn das letzte Mal sahen, und wie Joe das und das gesagt hatte, man denke nur an seine düsteren Prophezeiungen, die sich nun auf so schreckliche Weise bewahrheitet hatten. Jeder zeigte genau auf die Stelle, wo die Dahingegangenen damals gestanden waren, und setzte etwa hinzu: »Und ich stand hier, so wie ich jetzt stehe, und da, wo du stehst, stand er – so nahe dran war ich und dann lachte er, sooo – und dann kam irgendetwas über mich, so ein Schauer, grässlich, weißt du, ich wusste nicht, was das bedeutet, aber na, jetzt weiß ich's!«

Sie gerieten in Streit darüber, wer die Toten zuletzt lebend gesehen hatte; viele nahmen dieses düstere Vorrecht für sich in Anspruch und lieferten mehr oder weniger einleuchtende Beweise, die durch viele Zeugen belegt wurden. Als endlich ziemlich sicher feststand, wer sie zuletzt gesehen und die letzten Worte mit ihnen gewechselt hatte, da fühlten sich die Glücklichen mit einer Art heiligem Ruhm bedeckt und wurden von allen anderen bestaunt und beneidet. Ein armer Kerl, der keine anderen Taten aufweisen konnte, sagte mit leidendem Stolz:

»Und mich hat Tom Sawyer einmal verhauen.«

Doch dieser Griff nach dem Ruhmeskranz ging daneben. Die meisten konnten dasselbe von sich sagen und das setzte den Wert dieser Auszeichnung allzu sehr herab. So schlenderten sie weiter und ergingen sich mit furchtsamen Stimmen in den Erinnerungen an die untergegangenen Helden.

Als am nächsten Morgen die Sonntagsschule zu Ende war, begannen die Glocken richtig zu läuten, anstatt wie gewöhnlich nur einmal anzuschlagen. Es war ein sehr stiller Feiertag und der trauervolle Klang passte gut zu der schwermütigen Ruhe der Natur. Die Einwohner des Ortes versammelten sich allmählich, standen noch eine Weile im Vorraum herum und flüsterten über das traurige Ereignis. In der Kirche hörte das Flüstern auf, nur noch die Trauerkleider raschelten, als sich die Frauen auf ihre Plätze begaben. Dann herrschte Totenstille. Niemand konnte sich erinnern, die Kirche jemals so voll gesehen zu haben.

Es entstand eine Pause voll dumpfer Erwartung, dann trat Tante Polly ein, gefolgt von Sid und Mary und der Familie Harper. Sie waren alle in tiefem Schwarz, und die gesamte Gemeinde mitsamt dem Pfarrer stand ehrfurchtsvoll auf und blieb stehen, bis die Leidtragenden in der ersten Reihe Platz genommen hatten. Wieder herrschte allgemeines Schweigen, nur durch ein paar Seufzer und unterdrücktes Schluchzen unterbrochen. Dann erhob der Pfarrer die Hände und betete. Ein erhebender Choral wurde gesungen und es begann eine Predigt über den Text: »Ich bin die Auferstehung und das Leben.«

Der Gottesdienst schritt weiter vor, der Geistliche entwarf ein so eindrucksvolles Gemälde von den Tugenden der Strebsamkeit und den seltenen Begabungen der toten Knaben, dass jedermann schließlich in tiefster Seele überzeugt war, das Bild sei echt, und allen das Gewissen schlug, als sie sich erinnerten, dass sie den armen Jungen immer so blind gegenüberstanden und verblendet, wie sie waren, nichts als Fehler und Mängel in ihnen gesehen hatten. Dann gemahnte der Priester an manches rührende Ereignis in dem Leben der Dahingeschiedenen, das ihre weiche, edelmütige Natur erkennen ließ. Jetzt erst sah man klar, wie edel und großherzig diese Taten gewesen waren, und erinnerte sich mit schwerem Kummer, dass man sie zu der Zeit, als sie sich zutrugen, für Bubenstreiche gehalten hatte, die der Rute wert waren. Ach, wie hart und ungerecht war man doch oft gewesen. Je länger die begeisterte Erzählung dauerte, desto gerührter wurde die Gemeinde, bis schließlich die ganze Versammlung die Fassung verlor und sich in einem Chor lauten Schluchzens den weinenden Hinterbliebenen anschloss; sogar der Prediger ließ seinen Gefühlen freien Lauf und brach auf der Kanzel in Tränen aus.

Auf der Galerie entstand ein leises Rascheln, aber niemand bemerkte es. Gleich darauf kreischte die Kirchentür. Der Geistliche erhob seine tränenüberströmten Augen aus dem Taschentuch und stand wie erstarrt da.

Ein Augenpaar nach dem anderen folgte dem des Priesters und plötzlich erhob sich die ganze Gemeinde wie ein Mann und starrte auf die drei toten Jungen, die den Gang entlangmarschiert kamen: Tom an der Spitze, Joe hinter ihm und Huck, eine Ruine aus Lumpen, geduckt in der Nachhut. Sie hatten sich in der unbenutzten Galerie verborgen und ihre eigene Leichenrede mit angehört! Tante Polly, Mary und die Harpers stürzten sich auf die Wiederauferstandenen, begruben sie unter Zärtlichkeiten und stießen Dankesrufe aus. Der arme Huck stand verlegen und unbehaglich daneben und wusste nicht recht, was er machen und wie er sich vor den vielen unerwünschten Augen verbergen sollte. Er schwankte und wollte schon davonschleichen, da hielt ihn Tom fest und rief:

»Tante Polly, das ist nicht richtig; irgendjemand muss sich doch auch über Huck freuen.«

»Natürlich. Ach, ich freue mich ja so, ihn zu sehen, den armen, mutterlosen Jungen.«

Die Liebesbeweise, die Tante Polly nun auf ihn herabregnen ließ, waren gerade das Richtige, um ihn noch viel verwirrter zu machen als vorher.

Da rief der Geistliche plötzlich, so laut er konnte:

»Preiset den Herrn, der allen Segen spendet! – Singt! Singt doch aus vollem Herzen!« Sie sangen. Der alte Gottesmann ließ seine Stimme in triumphierendem Grundbass erschallen, und während sich die Balken bogen, blickte Tom Sawyer, der Pirat, auf die neiderfüllten Jungen ringsum und gestand sich insgeheim, dass dies der stolzeste Augenblick seines Lebens sei.

Als die Gemeinde dann aus der Kirche strömte, sagte mancher, er würde sich gerne noch einmal zum Narren halten lassen, nur um den alten Bass wieder so singen zu hören.

Tom bekam an diesem Tag mehr Knüffe und Küsse – je nach Tante Pollys Stimmung – als sonst in einem ganzen Jahr. Er konnte nicht ganz herauskriegen, in welchem von beiden mehr Dankbarkeit gegen Gott und mehr Liebe zu ihm lag.

19

Das war also Toms großes Geheimnis gewesen: der Plan, mit seinen Piratenbrüdern gerade zur rechten Zeit heimzukehren, um der eigenen Leichenfeier beizuwohnen!

Am Sonnabend waren sie in der Dämmerung auf einem Baumstamm zum Ufer hinübergerudert und fünf oder sechs Meilen unterhalb des Städtchens gelandet.

In dem Gehölz am Rande des Ortes hatten sie bis kurz vor Sonnenaufgang geschlafen, waren dann durch abgelegene Gassen und Fußwege zur Kirche geschlichen und hatten ihren Schlaf dort oben auf der Galerie zwischen einem Chaos von invaliden Bänken fortgesetzt.

Beim Frühstück am Montagmorgen waren Tante Polly und Mary außer sich vor Liebe zu Tom und lasen ihm die Wünsche von den Augen ab. Es wurde ungewöhnlich viel geredet.

»Ich will ja nicht sagen«, meinte Tante Polly, »dass das kein feiner Streich von euch war, uns hier alle fast eine Woche leiden zu lassen, während ihr eine vergnügte Zeit hattet, aber es tut mir doch leid, dass du so hartherzig sein konntest, mich so lange leiden zu lassen. Wenn du zu deinem Begräbnis auf einem Baumstamm herüberkommen konntest, so konntest du auch kommen, um mir einen kleinen Wink zu geben, dass du nicht tot warst, sondern nur ausgerissen.«

»Ja, wirklich, Tom«, sagte Mary und lächelte ihm ganz lieb zu. »Aber ich glaub, wenn du daran gedacht hättst, hättst du's bestimmt gemacht.«

»Wirklich, Tom?«, forschte Tante Polly. Ihr Gesicht erhellte sich offensichtlich. »Sag doch, hättst du es getan, wenn es dir eingefallen wär?«

»Ich – ja – ja, ja – das heißt, ich weiß doch nicht. Das hätt ja alles verdorben.«

»Ach, Tom, ich dachte immer, du hättst mich ein bisschen mehr lieb«, sagte die Tante, »wenn du wenigstens daran gedacht hättst; aber es ist dir ja nicht einmal eingefallen.«

Das sagte sie so vergrämt, dass dem Jungen ganz elend wurde. »Aber Tantchen«, verteidigte ihn Mary, »er hat es doch nicht bös gemeint. Das ist nur so Toms leichtsinnige Art, er ist doch immer so fahrig, dass er an nichts denkt.«

»Umso schlimmer. Sid hätte bestimmt daran gedacht. Und Sid wär auch herübergekommen. Du wirst eines Tages daran zurückdenken, wenn es zu spät ist, und dann wirst du wünschen, du hättst dich ein bisschen mehr um mich gekümmert, wo es dich so wenig Mühe gekostet hätt.«

»Ach, Tantchen«, wand sich Tom, »du weißt doch, wie lieb ich dich hab.«

»Ich wüsst es vielleicht besser, wenn du mehr danach handeln würdest.«

»Ich wollt, ich hätt daran gedacht«, sagte Tom in reuevollem Ton, »aber ich hab wenigstens von dir geträumt, das ist doch auch schon etwas, nicht?«

»Na, nicht gerade viel. Träumen kann jede Katze. Aber es ist doch besser als nichts. Was hast du denn geträumt?«

»Ach, Mittwochnacht hab ich geträumt, du sitzt da auf dem Bett, Sid auf der Truhe und Mary daneben.«

»Natürlich, so saßen wir auch, wie wir immer sitzen. Ich bin froh, dass du dir wenigstens so viel Gedanken um uns gemacht hast.«

»Und dann hab ich geträumt, Joe Harpers Mutter war hier.«

»Wahrhaftig, sie war auch hier. Hast du noch mehr geträumt, Tom?«

»Ach, so viel. Aber ich kann mich nicht recht erinnern.«

»Besinn dich doch! Versuch doch nur.«

»Ja, ich glaub, da war der Wind, der Wind blies, und irgendetwas ...«

»Denk scharf nach, Tom, der Wind blies und irgendetwas ..., was denn?«

Eine ganze Weile presste Tom die Finger an die Stirn und dachte angestrengt nach. Dann sagte er:

»Jetzt hab ich's! Jetzt hab ich's! Er hat die Kerze zum Flackern gebracht.«

»Heiliger Gott! Weiter, Tom, weiter!«

»Ich glaube – warte mal, ich glaube, du hast gesagt, die Tür –, die Tür da ...«

»Weiter, Tom!«

»Lass mich doch mal nachdenken, ich weiß nicht – ach ja, du hast gesagt, die Tür muss offen sein.«

»So wahr ich hier sitze, das habe ich gesagt! Nicht wahr, Mary? Weiter!«

»Und dann – und dann – ja, ich weiß nicht genau, ich glaube, du hast zu Sid gesagt, er soll – er soll ...«

»Ja, ja! Was sollte er, Tom? Was sollte er denn?«

»Er soll – du hast gesagt – ach ja, er soll die Tür zumachen.«

»Mein Gott, mein Gott! Mein Lebtag habe ich so etwas nicht gehört! Da soll mir einer noch etwas über Träume sagen. Das muss Sereny Harper hören, ehe ich eine Stunde älter bin. Ich bin bloß neugierig, wie sie das mit ihrem Gerede über Aberglauben widerlegen will. Weiter, Tom!«

»Ja, jetzt weiß ich wieder alles ganz genau. Du hast gesagt, ich bin gar nicht schlecht, ich wäre nur ein Leichtfuß und hätte Hokuspokus im Kopf und nicht mehr Verantwortung wie – wie ein – ich glaube, es war ein Füllen oder so etwas.«

»Wahrhaftig, das habe ich gesagt. Barmherziger Gott! Weiter, Tom!«

»Und dann fingst du an zu weinen.«

»Zu weinen, ja. Und nicht zum ersten Mal. Und dann?«

»Dann hat Mrs Harper auch geweint und gesagt, Joe wäre genauso und sie wünschte, sie hätt ihn nicht verhauen wegen der Sahne, wo sie sie doch selbst ausgegossen hat.«

»Tom! Der Heilige Geist war über dir! Du hast hellgesehen, ja, das hast du, so wahr Gott lebt; weiter, Tom!«

»Dann hat Sid gesagt …«

»Ich hab überhaupt nichts gesagt«, warf Sid ein.

»Doch, hast du, Sid«, sagte Mary.

»Seid doch still und lasst Tom reden. Was hat er gesagt, Tom?«

»Er hat gesagt – ich glaube, er hat gesagt, ich hätt es ja besser, wo ich jetzt wär, aber ich hätt auch hier manches besser machen …« »Das hast du auch gehört? Es sind seine eigenen Worte!«

»Und du bist ihm über den Mund gefahren.«

»Das will ich meinen. Ach, es muss ein Engel hier gewesen sein. Irgendwo muss ein Engel gewesen sein.«

»Und Mrs Harper hat gesagt, sie wünschte, Joe könnte ihr nochmal einen Knallfrosch unter der Nase anzünden, und dann hast du von Peter und dem Schmerztöter erzählt …«

»So wahr ich lebe!«

»Und dann habt ihr eine ganze Menge geredet, wie sie uns im Fluss gesucht haben und dass die Leichenfeier am Sonntag sein soll, und dann habt ihr euch umarmt und geweint und sie ist fortgegangen.«

»Genauso ist es passiert, ganz genauso, so wahr ich hier auf dem Stuhl sitze. Tom, du könntest es nicht besser erzählen, wenn du alles gesehen hättest. Und was kam dann? Weiter, Tom!«

»Dann hast du, glaub ich, für mich gebetet; ich konnte dich sehen und jedes Wort verstehen. Und dann gingst du zu Bett und ich war so traurig und nahm ein Stück Birkenrinde und schrieb drauf: ›Wir sind nicht tot, wir sind nur fort und spielen Seeräuber.‹ Und das habe ich neben die Kerze gelegt. Und du sahst so lieb aus, wie du dalagst; ich hab mich über das Bett gebeugt und hab dir einen Kuss gegeben.«

»Wahrhaftig, Tom, hast du das getan? Dafür vergeb ich dir alles!« Und sie umarmte ihn so stürmisch, dass er sich wie der schwärzeste Sünder vorkam.

»Wirklich, sehr freundlich«, bemerkte Sid für sich, »wenn es auch nur bloß ein T-r-a-u-m war.«

»Halt den Mund, Sid! Im Traum tut man genau dasselbe, was man im Wachen getan haben würde. Komm, Tom, hier hast du einen schönen Apfel, den habe ich dir extra aufgehoben für den Fall, dass du wieder gefunden würdest. Und nun mach, dass du in die Schule kommst. Ich danke unserem guten Gott und Vater, dass ich dich wieder habe. Nun geht mit Gott, Sid, Mary, Tom – macht, dass ihr fortkommt. Ihr habt mich lange genug aufgehalten.«

Die Kinder gingen zur Schule und die alte Dame zu Mrs Harper, um ihr mit Toms wunderbarem Traum ihre realistische Weltanschauung auszutreiben.

Sid hielt es vorerst für besser, den Gedanken, der ihm im Sinn lag, als er aus dem Haus ging, für sich zu behalten. Dieser Gedanke war: ziemlich durchsichtig – so ein langer Traum und nicht ein Fehler drin.

Welch ein Held war Tom nun geworden! Er sprang und hopste nicht mehr, sondern bewegte sich in würdevollem Schreiten, wie es einem großen Piraten zukommt, der fühlt, dass die Augen des Volkes auf ihm ruhen. Denn so war es. Er bemühte sich die neugierigen Blicke nicht zu sehen und die Bemerkungen nicht zu hören, die seinen Weg begleiteten, aber sie waren doch Speise und Trank für ihn. Die kleineren Jungen folgten ihm auf den Fersen und waren so stolz, mit ihm gesehen und von ihm geduldet zu werden, wie wenn er ein Trommler an der Spitze einer Kompanie oder ein Elefant gewesen wäre, der vor einer Menagerie durch die Stadt geführt wird. Die Jungen seines Alters taten so, als ob sie gar nicht wüssten, dass er fort gewesen wäre, aber sie platzten beinahe vor Neid. Alles in der Welt hätten sie darum gegeben, seine zerschundene, sonnengebräunte Haut und seine glanzvolle Berühmtheit zu besitzen. Aber Tom hätte beides nicht um einen ganzen Zirkus hergegeben.

In der Schule machten die Kinder so viel Aufhebens um ihn und Joe, und alle Augen brachten ihnen eine so beredte Bewunderung entgegen, dass die beiden Helden bald unerträglich aufgeblasen waren. Sie begannen, den heißhungrigen Zuhörern ihre Abenteuer zu erzählen – aber sie begannen nur damit; es war nicht abzusehen, dass diese Erzählungen überhaupt jemals zu Ende kommen konnten, denn ihre Fantasie schleppte immer neuen Stoff herbei. Als sie schließlich ihre Pfeifen herauszogen und mit nachlässigen Gesichtern zu paffen anfingen, war der Gipfel des Ruhmes erklommen.

Tom fand, dass er jetzt ohne Becky Thatcher auskommen konnte. Ruhm genügte ihm. Er wollte für den Ruhm leben. Jetzt, da er sich berühmt gemacht hatte, würde sie vielleicht versuchen, sich wieder anzubiedern. Gut, sollte sie. Sie sollte sehen, dass er genauso gleichgültig sein konnte wie gewisse andere Leute. Kurz darauf kam sie. Tom war nicht geneigt, sie zu bemerken. Er ging fort, stellte sich zu einer Gruppe von Schülern und unterhielt sich. Er sah bald, dass sie mit rotem Kopf und unruhigen Augen hin und her trippelte. Sie tat so, als wenn sie eifrig hinter ein paar Freundinnen herjage, und wenn sie eine fing, kreischte sie lachend auf. Er bemerkte auch, dass sie ihre Gefangenen immer in seiner Nähe machte und dann jedes Mal einen deutlichen Blick zu ihm warf. Das schmeichelte seiner Eitelkeit, aber anstatt ihn zu versöhnen, machte es ihn nur noch mehr aufgeblasen. Er bemühte sich noch eifriger zu verbergen, dass er sie überhaupt sah.

Schließlich gab sie das Herumtollen auf und ging unentschlossen umher. Sie seufzte ein paar Mal und blickte verstohlen, aber bedeutungsvoll zu Tom hinüber. Dann bemerkte sie, dass er jetzt angelegentlich mit Amy Lawrence sprach, mehr als mit allen anderen. Es wurde ihr ganz beklommen und ängstlich zumute. Sie wollte fortlaufen, doch ihre Füße waren verräterisch und trugen sie gerade zu der Gruppe hin. Mit gespielter Lebhaftigkeit sagte sie zu einem Mädchen, das direkt neben Tom stand:

»Na, Mary Austin, warum bist du denn nicht in der Sonntagsschule gewesen?«

»Ich war doch da. Hast du mich nicht gesehen?«

»Nein, warst du wirklich da, wo bist du denn gesessen?«

»In der Klasse von Miss Peters, wo ich immer sitze. Ich hab dich gesehen.«

»So? Ach, komisch. Ich wollte mit dir über das Picknick sprechen.«

»Ach, das ist lustig. Wer gibt denn eins?«

»Meine Mutter lässt mich eins geben.«

»Ach, himmlisch. Kann ich auch kommen?«

»Natürlich. Ich kann einladen, wen ich will.«

»Das ist ja furchtbar nett. Wann wird es denn sein?«

»Na, ziemlich bald. Vielleicht in den Ferien.«

»Ach, das wird fein! Kommen alle hin?«

»Ja, jeder, der mein Freund ist – oder es sein will.«

Dabei sah sie heimlich zu Tom hinüber, aber der erzählte gerade Amy Lawrence von dem furchtbaren Sturm auf der Insel und wie der Blitz die große Platane in tausend Stücke zersplittert hatte, während er »einen Meter weit entfernt stand«.

»Darf ich auch kommen?«, fragte Gracy Miller.
»Ja.«
»Ich auch?«, sagte Sally Rogers.
»Ja.«
»Und ich?«, rief Suse Harper. »Und Joe?«
»Ja, ja.«
So ging es mit vergnügtem Händeklatschen die Reihe herum, bis die ganze Gesellschaft eingeladen war – mit Ausnahme von Tom und Amy. Tom wandte sich gelassen ab und zog Amy, immer noch erzählend, mit sich fort.

Beckys Lippen zitterten und die Tränen schossen ihr in die Augen. Sie verbarg diese unter erzwungener Heiterkeit und schwatzte weiter. Aber sie hatte keine rechte Freude mehr an dem Picknick und überhaupt an nichts. Sobald sie konnte, ging sie fort und versteckte sich, um sich, wie man sagt, »einmal tüchtig auszuweinen«. Trübsinnig, mit verwundetem Stolz saß sie da, bis es klingelte. Dann stand sie mit einem rachsüchtigen Blick in den Augen auf. Sie warf energisch ihre Zöpfe auf den Rücken und sagte, sie wüsste jetzt, was sie zu tun hätte.

In der Pause beschäftigte sich Tom weiter mit Amy. Mit freudiger Genugtuung suchte er Beckys Nähe, um sie durch diesen Anblick zu ärgern. Als er sie endlich entdeckte, sank seine Laune plötzlich bedeutend. Sie saß auf einer kleinen Bank hinter der Schule zärtlich mit Alfred Tempel zusammen und sah mit ihm in ein Bilderbuch. Die beiden waren so in ihre Beschäftigung versunken und ihre Köpfe neigten sich so dicht über das Buch, dass sie die ganze Welt um sich her gar nicht zu bemerken schienen.

Die Eifersucht rann glühend heiß durch Toms Adern.

Er machte sich Vorwürfe, dass er die Gelegenheit zur Versöhnung, die ihm Becky angeboten, so leichtfertig ausgeschlagen hatte. Er schalt sich einen Dummkopf und gab sich alle Schimpfnamen, die ihm nur einfielen. Fast hätte er vor Wut geheult.

Amy schnatterte glückselig weiter, denn ihr Herz jauchzte. Aber Toms Zunge hatte ihre Beweglichkeit verloren. Er hörte gar nicht, was Amy ihm sagte, und wenn sie eine erwartungsvolle Pause machte, stammelte er nur ein kurzes Ja oder Nein, das meistens auch noch falsch angebracht war.

Immer wieder zog er sie hinter die Schule, um den verhassten Anblick auszukosten. Es brachte ihn auf, dass Becky Thatcher, wie er glaubte, nicht ein einziges Mal überhaupt zur Kenntnis nahm, dass er noch unter den Lebenden weilte. Sie bemerkte ihn natürlich und wusste jetzt auch, dass sie auf dem besten Wege war, die Schlacht zu gewinnen. Es machte ihr Freude, ihn genauso leiden zu sehen, wie sie gelitten hatte.

Amys vergnügtes Schwatzen wurde Tom unerträglich. Er deutete an, es gebe Dinge, um die er sich nun zu kümmern habe, Dinge, die erledigt werden müssten. Aber vergebens, das Mädchen zwitscherte weiter. »Werd ich sie denn überhaupt nicht mehr los?«, dachte Tom bei sich.

Laut sagte er, er müsste jetzt unbedingt seine Besorgungen machen. Sie entgegnete ahnungslos, sie würde nach der Schule wieder auf ihn warten. Wütend rannte er fort.

»Jeden anderen meinetwegen kann sie sich aussuchen!«, dachte Tom und knirschte mit den Zähnen. »Jeden anderen Jungen aus der ganzen Stadt, bloß nicht diesen Laffen aus St. Louis, der sich wer weiß wie fein und vornehm vorkommt! Na, von mir aus! Ich habe dich am ersten Tag verhauen, als du in die Stadt kamst, junger Mann, und ich werde dich wieder verhauen! Komm mir nur unter die Finger! Ich nehm dich und …«

Er traktierte seinen eingebildeten Gegner mit allen Arten von Kunstgriffen, boxte in die Luft, hieb und trampelte: »Na, hast du jetzt genug? Ja? Hast du genug? Das soll dir eine Lehre sein!«

Die Fantasieschlacht war zu seiner Befriedigung ausgegangen.

Mittags flüchtete Tom nach Hause. Sein Gewissen vermochte Amys dankbare Glückseligkeit nicht länger zu ertragen und seine Eifersucht, die andere Pein, nicht mehr auszuhalten.

Becky wiederholte ihre Bilderbuchlektüre mit Alfred, aber als Minute auf Minute verstrich und kein Tom erschien, um sich zu ärgern, begann ihr Triumph schal zu werden und ihr Interesse schwand.

Erst wurde sie ernst und zerstreut, dann sogar melancholisch. Ein paar Mal horchte sie auf einen Schritt, aber ihre Hoffnung war vergeblich: Tom kam nicht. Schließlich wurde ihr ganz elend zumute, und sie wünschte, sie hätte es nicht so weit getrieben.

Der arme Alfred sah, dass er sie verlor, und wusste nicht, warum. Immer ängstlicher rief er: »Ach, das ist ein feines Bild! Sieh doch mal!«

Aber sie verlor zuletzt die Geduld und rief: »Lass mich doch zufrieden. Ich find's blöd!«

Sie brach in Tränen aus, stand auf und ging davon. Alfred trabte hinter ihr her und versuchte sie zu trösten, aber sie sagte: »Ach, geh doch weg und lass mich in Ruhe! Ich kann dich nicht ausstehen!«

Ganz verwirrt blieb der Junge stehen. Er begriff nicht, was er ihr getan hatte; sie hatte doch selbst gesagt, sie wollte die ganze Mittagspause über Bilder ansehen, und jetzt lief sie heulend weg.

Nachdenklich wandte sich Alfred um und ging in das verlassene Schulhaus. Er war gedemütigt und wütend. Er erriet ohne große Mühe die Wahrheit: Das Mädchen hatte ihn einfach benutzt, um ihren Ärger über Tom Sawyer an ihm auszulassen. Das machte seinen Hass gegen Tom nicht geringer. Er wünschte, er könnte diesen Kerl nur einmal in die Klemme bringen, ohne selbst viel dabei zu riskieren.

Gerade zur rechten Zeit fiel ihm Toms Lesebuch in die Augen. Das war die Gelegenheit! Dankbar schlug er den Abschnitt auf, der heute Nachmittag drankommen sollte, und goss Tinte über die Seite.

Im selben Augenblick sah Becky hinter ihm durchs Fenster und bemerkte alles. Sie zog sich unentdeckt zurück und machte sich auf den Heimweg. Sie dachte Tom zu treffen und ihm alles zu erzählen. Er würde ihr dankbar sein und aller Kummer wäre geheilt. Aber ehe sie noch zu Hause war, hatte sie schon wieder ihren Entschluss geändert. Der Gedanke, wie Tom sie behandelt hatte, als sie von ihrem Picknick erzählte, kehrte aufreizend wieder und erfüllte sie mit Scham. Sie beschloss, ihm die Prügel wegen des beschädigten Lesebuches ruhig zu gönnen und ihn von jetzt an für alle Zeit zu hassen.

20

Tom kam äußerst niedergedrückt zu Hause an, und die ersten Worte seiner Tante verrieten ihm, dass hier kein williges Ohr für seinen Kummer zu finden war.

»Tom, ich habe große Lust, dir das Fell zu gerben!«

»Aber Tantchen, was habe ich denn gemacht?«

»Gerade genug. Ich gehe extra zu Mrs Harper, ich Dummkopf, und denke, ich werde ihr die Sache mit dem Traum klarmachen. Was muss ich hören? Dass sie längst aus Joe herausgekriegt hat, dass du hier warst und alles gehört hast, was wir an dem Abend gesprochen haben! Tom, ich weiß wahrhaftig nicht, was aus einem Jungen werden soll, der solche Streiche macht. Ich werde ganz wild, wenn ich denke, dass du mich zu Mrs Harper gehen lässt, damit ich mich da zum Narren mache, ohne mir ein Wort zu sagen.«

Das setzte die Sache in ein neues Licht. Tom hatte noch am Morgen seine Erfindung für einen genialen Spaß gehalten, jetzt kam sie ihm gemein und schäbig vor.

Er ließ den Kopf hängen, und es fiel ihm nichts ein, womit er sich entschuldigen konnte.

Schließlich sagte er:

»Tantchen, ich wollte, ich hätte es nicht getan. Aber ich habe nicht dran gedacht.«

»Mein Kind, du denkst eben nie an etwas. Du denkst

an nichts anderes als an deine eigene Eitelkeit. Du konntest ja auch daran denken, den ganzen Weg von der Jackson-Insel herüberzukommen, bloß um dich über unseren Kummer lustig zu machen. Und du hast ja auch daran gedacht, mich mit einem erlogenen Traum zum Narren zu halten. Mitleid mit uns zu haben und uns Sorgen zu ersparen, daran aber denkst du nicht.«

»Tantchen, ich weiß ja jetzt, dass es gemein war. Aber ich hab es nicht gemein gemeint, auf Ehre nicht. Übrigens bin ich auch nicht hergekommen, um mich über euch lustig zu machen.«

»Wozu bist du denn gekommen?«

»Ich wollt nur sagen, dass ihr euch nicht zu ängstigen braucht und dass wir nicht ertrunken sind.«

»Tom, Tom, ich wäre der glücklichste Mensch der Welt, wenn du jemals einen so guten Gedanken gehabt hättest. Aber du weißt ganz gut, dass du ihn nie gehabt hast – und ich weiß es auch, Tom.« »Aber Tantchen, wirklich und wahrhaftig, ich will mein Lebtag gelähmt sein, wenn es nicht wahr ist.«

»Lüg nicht, Tom. Alles, nur nicht lügen. Das macht die Dinge nur hundertmal schlimmer.«

»Aber es ist keine Lüge, Tantchen, es ist ganz und gar wahr. Ich bin bloß gekommen, damit du dich nicht grämen sollst.«

»Die ganze Welt würde ich dafür geben, wenn ich das glauben könnte. Wie viele Sünden hättest du damit wiedergutgemacht, Tom. Fast müsste ich dann froh sein, dass du weggelaufen bist. Aber ich kann es nicht glauben. Warum hast du es mir denn nicht gesagt, mein Kind?«

»Ach, Tantchen, wie ihr von der Leichenfeier gesprochen habt, da ist mir eingefallen, wir müssten unbedingt kommen und uns in der Kirche verstecken. Und das konnt ich doch nicht wieder verderben. Da habe ich eben die Rinde wieder in die Tasche gesteckt und den Mund gehalten.«

»Welche Rinde?«

»Na, wo ich es draufgeschrieben hab, dass wir Seeräuber sind. Ich wollt jetzt, du wärst aufgewacht, wie ich dir den Kuss gegeben hab.« Die strengen Falten im Gesicht der Tante verschwanden und ihre Augen wurden feucht in plötzlicher Zärtlichkeit.

»Hast du mich wirklich geküsst, Tom?«

»Natürlich, Tantchen, ganz sicher.«

»Warum hast du mich denn geküsst, Tom?«

»Ach, ich hatte dich so lieb und du hast so gestöhnt und ich war so traurig.«

Das klang nach Wahrheit. Die alte Dame sagte mit zitternder Stimme:

»Küss mich noch mal, Tom! Und nun mach, dass du zur Schule kommst, und ärgere mich nicht wieder so.«

Er war kaum aus dem Hause, da rannte sie in die Kammer und nahm die zerfetzte Jacke heraus, die Tom in seiner Piratenzeit getragen hatte. Sie hielt sie schon in der Hand, da stockte sie und sagte zu sich selbst:

»Nein, ich wag's nicht. Der arme Junge, sicher hat er wieder gelogen. Ach, das ist eine gesegnete Lüge, in der so viel Trost liegt. Ich hoffe zu Gott – nein, ich weiß, dass Gott ihm verzeihen wird, denn es war ja so herzensgut gemeint. Aber ich will doch lieber nicht nachsehen, ob es eine Lüge war. Ich will nicht nachsehen.«

Sie legte die Jacke weg und stand eine Weile nachdenklich da. Zweimal streckte sie ihre Hand aus, um das Kleidungsstück doch aufzunehmen, aber zweimal zuckte sie wieder zurück. Als sie es zum dritten Male versuchte, machte sie sich Mut mit dem Gedanken: »Es war eine gute Lüge. Ich will mich nicht darüber grämen.« Sie suchte nach der Jackentasche. Einen Augenblick später hielt sie unter strömenden Tränen Toms Baumrindenbrief in der Hand und schluchzte:

»Jetzt könnte ich dem Jungen alles verzeihen, und wenn er eine Million Sünden auf dem Gewissen hätte!«

21

Es lag irgendetwas in Tante Pollys Art, als sie Tom küsste, das seinen Mißmut wegwehte und ihn wieder leicht und fröhlich machte. Er hatte das Glück, auf dem Wiesenweg Becky Thatcher einzuholen. Seine Laune bestimmte immer seine Taten. Ohne einen Augenblick zu zögern, lief er auf sie zu und sagte:

»Ich bin heute mächtig gemein gewesen, Becky. Es tut mir leid. Ich will nie wieder so zu dir sein, solange ich lebe. Bitte, sei wieder gut, ja?«

Das Mädchen blieb stehen und sah ihm kalt ins Gesicht.

»Mr Thomas Sawyer, ich wäre dir dankbar, wenn du mich nicht weiter belästigen würdest. Ich rede nicht mehr mit dir.«

Sie warf den Kopf zurück und ging weiter. Tom war so verdutzt, dass er nicht einmal die Geistesgegenwart aufbrachte zu sagen: »Wen kümmert das, Fräulein Obergescheit?« Als es ihm einfiel, war der richtige Augenblick schon vorbei; so sagte er nichts. Aber er war wütend. Er ging vorüber und warf ihr eine bissige Bemerkung zu. Becky blieb ihm eine ebensolche Antwort nicht schuldig. Der Bruch war wieder vollkommen. Becky konnte in ihrem Eifer kaum den Anfang des Unterrichts erwarten, so ungeduldig war sie, Tom für das ruinierte Lesebuch verprügelt zu sehen. Wenn sie vorher noch ein wenig geschwankt hatte, ob sie nicht Alfred Tempel angeben sollte, so hatte Toms Angriff ihr diesen Gedanken restlos ausgetrieben.

Das arme Mädchen ahnte nicht, wie schnell es selbst dem Abgrund zutrieb. Der Lehrer, Mr Dobbins, war ein nicht mehr ganz junger Mann und sein Ehrgeiz war immer noch unbefriedigt. Sein brennender Wunsch war Arzt zu werden, doch die Armut hatte ihn nichts Höheres werden lassen als einen simplen Dorfschulmeister. Jeden Tag aber nahm er aus seinem Pult ein geheimnisvolles Buch und versenkte sich darin, wenn die Klasse einmal nichts aufzusagen hatte. Dieses Buch verwahrte er hinter Schloss und Riegel. Es gab in der Schule keinen, der nicht sein Leben drum gegeben hätte, einmal hineinzusehen, aber es kam nie eine Gelegenheit.

Jeder Schüler hatte eine andere Theorie über dieses Buch und doch hatte keiner eine wirkliche Kenntnis.

Als Becky heute an dem Pult, das nahe an der Tür stand, vorüberging, entdeckte sie, dass der Schlüssel steckte! Es war ein glorreicher Augenblick. Sie sah sich um, fand sich allein und hatte im nächsten Moment das Buch in den Händen. Das Titelblatt »Anatomie von Professor Soundso« sagte ihr nichts. Sie fing also an zu blättern. Gleich am Anfang stieß sie auf ein schön graviertes und farbenprächtiges Titelbild: ein nackter menschlicher Körper. In diesem Augenblick fiel ein Schatten über die Seite, durch die Tür trat Tom Sawyer und warf einen Blick auf das Bild. Becky warf sich auf das Buch, um es schnell zu schließen. Dabei hatte sie das Pech, das Bild mittendurch zu reißen. Sie warf den Band ins Pult zurück, drehte den

Schlüssel um und brach, halb aus Scham und halb aus Wut, in Weinen aus.

»Tom Sawyer, du bist gemein! Sich so an einen heranzuschleichen, um zu spionieren, was man tut.«

»Ich kann doch nicht wissen, was du dir da ansiehst.«

»Du solltest dich schämen, Tom Sawyer. Ach, du wirst mich verklatschen, ach, was soll ich bloß machen, was soll ich bloß machen! Ich kriege Prügel und ich bin noch nie in der Schule verhauen worden.«

Sie stampfte mit dem Fuß auf und keifte:

»Sei du nur gemein, wenn du willst! Ich weiß schon, was passieren wird. Warte nur ab, du wirst schon sehen! Niederträchtig, niederträchtig!«

Sie rannte mit einem neuen Tränenausbruch aus dem Haus. Tom war durch dieses Ereignis ganz verwirrt.

Nach einer Weile sagte er zu sich selbst:

»Was für ein verrücktes Ding is' doch so 'n Mädchen. Noch nie verhauen in der Schule! Pah, auch schon was! Richtig wie ein Mädchen, dünnes Fell und ein Hasenherz. Als ob ich zum alten Dobbins ginge und die Gans anzeigte. Da gibt's ganz andere Mittel, mit ihr fertig zu werden. Aber was nützt ihr das? Dobbins fragt, wer sein Buch zerrissen hat. Keiner antwortet. Dann macht er, was er immer macht: Er fragt jeden Einzelnen, und wenn er an die Richtige kommt, weiß er es, ohne dass sie was sagt. Bei Mädchen sieht man es immer am Gesicht. Sie haben kein Rückgrat. Sie wird eben ihre Prügel kriegen. Sitzt schön in der Klemme, die Becky, da hilft ihr nichts raus.«

Tom dachte ein wenig nach über die Sache, dann sagte er entschlossen:

»Meinetwegen, warum nicht. Sie würde mir die Suppe auch gönnen. Soll sie sie auslöffeln!«

Er ging zu den herumtollenden Jungen in den Hof. Es dauerte nicht lange, da kam der Lehrer und die Stunde begann.

Tom fühlte sich nicht gerade gefesselt von seinen Studien.

Immer wenn er nach der Mädchenseite hinübersah, beunruhigte ihn Beckys Gesicht. Wenn er die ganze Sache bedachte, brauchte er ja kein Mitleid mit ihr zu haben, sie tat ihm aber trotzdem Leid. Er konnte sich nicht recht zur Schadenfreude durchringen.

Plötzlich wurde die Lesebuch-Entdeckung gemacht und Tom war eine Zeit lang ganz und gar mit seinen eigenen Angelegenheiten beschäftigt.

Becky erwachte aus dem dumpfen Brüten der Verzweiflung und verfolgte die Verhandlungen mit gespannter Aufmerksamkeit. Sie glaubte nicht, dass Tom mit seinem Leugnen, die Tinte selbst über das Buch gegossen zu haben, freikommen würde. Und sie hatte recht. Das Leugnen schien die Sache nur noch zu verschlimmern. Becky hatte sich vorgenommen, sich darüber zu freuen, und sie versuchte auch zu glauben, dass sie sich freue. Aber ganz sicher war sie doch nicht. Als das Urteil gesprochen wurde, wäre sie fast aufgesprungen, um Alfred Tempel anzuzeigen. Aber sie zwang sich still zu sitzen.

Denn, sagte sie zu sich, bestimmt gibt er an, dass ich das Bild zerrissen habe. Ich sage kein Wort und wenn es ihm ans Leben geht! Tom nahm seine Tracht Prügel in Empfang und setzte sich, nicht gerade gebrochen, wieder auf seinen Platz. Es war ja möglich, dass er ohne es zu merken die Tinte auf das Lesebuch gegossen hatte, beim Herumjagen oder so. Er hatte auch mehr der Form halber geleugnet, weil es so üblich war. Und nachher war er aus Prinzip dabei geblieben.

Eine volle Stunde verging. Der Lehrer saß im Halbschlaf auf seinem Thron. Die Luft war einschläfernd durch das Gesumme der Lernenden. Allmählich richtete sich Mr Dobbins auf, gähnte hinter vorgehaltener Hand, schloss den Pultkasten auf und holte sein Buch heraus.

Als er es in der Hand hatte, zögerte er unentschlossen, ob er es aufschlagen oder zurücklegen sollte. Die meisten Schüler blickten matt auf, aber zwei von ihnen verfolgten jede Bewegung mit scharfen Augen.

Mr Dobbins spielte eine Weile abwesend mit dem Buch, dann nahm er es vollends heraus und setzte sich in seinem Stuhl zurecht, um zu lesen.

Tom warf einen schnellen Blick auf Becky. Er hatte einmal ein gehetztes Reh gesehen, das hilflos die Flinte auf sich gerichtet sah. So sah Becky jetzt aus. Im Augenblick hatte er seinen Streit mit ihr vergessen. Rasch, es musste irgendetwas getan werden! Getan, blitzschnell! Die Nähe des Unheils lähmte seine Erfindungsgabe. Ha, ein Einfall! Er wollte vorlaufen, das Buch an sich reißen, zur Tür springen und fliehen! Aber er überlegte einen kleinen Augenblick – und die Gelegenheit war verpasst. Der Lehrer öffnete das Buch. Könnte doch Tom die versäumte Gelegenheit noch einmal haben! Zu spät! Jetzt gab es keine Rettung mehr für Becky, sagte er sich. Der Lehrer wendete seine Augen der Klasse zu. Vor dem Ausdruck seiner Augen senkten sich alle Blicke; es war etwas drin, das auch die Unschuldigen furchtsam erzittern ließ. Ein langes Schweigen trat ein. Man hätte bis zehn zählen können. Der Lehrer sammelte die Kraft seiner Wut.

Dann sprach er:

»Wer hat dieses Buch zerrissen?«

Kein Laut. Man hätte eine Stecknadel fallen hören. Das Schweigen hielt an. Der Lehrer forschte in jedem Gesicht nach Zeichen der Schuld.

»Benjamin Rogers, hast du dieses Buch zerrissen?«

Verneinung. Neue Pause.

»Joseph Harper, hast du dieses Buch zerrissen?«

Wieder Verneinung. Toms Unruhe wuchs immer mehr unter der endlosen Qual dieser Untersuchung. Mr Dobbins ging die Reihen der Jungen durch, überlegte etwas und wandte sich dann zu den Mädchen.

»Amy Lawrence?«

Kopfschütteln.

»Gracy Miller?«

Dieselbe Antwort.

»Susanne Harper, hast du dieses Buch zerrissen?«

Neues Leugnen. Die Nächste war Becky Thatcher. Tom zitterte von Kopf bis Fuß vor Aufregung über die Hoffnungslosigkeit der Situation.

»Rebecca Thatcher!« – Tom sah nach ihrem Gesicht; es war weiß vor Entsetzen. – »Hast du dieses – nein, sieh mir ins Gesicht!« – Ihre Hände hoben sich flehend. – »Hast du dieses Buch zerrissen?« Wie der Blitz schoss ein Gedanke durch Toms Hirn. Er sprang auf und brüllte:

»Ich bin's gewesen!«

Die Schule starrte entgeistert auf den Tollkühnen. Einen Augenblick stand Tom reglos da, um sich wieder etwas zu sammeln. Dann ging er nach vorne, um seine Strafe entgegenzunehmen.

Die Überraschung, die Dankbarkeit und Verehrung, die ihm aus den Augen der armen Becky entgegenleuchteten, schienen ihm hundert Bestrafungen wert zu sein. Durch den Glanz seiner eigenen Tat begeistert, nahm er ohne einen Laut die unbarmherzigste Tracht Prügel hin, die Mr Dobbins je ausgeteilt hatte. Es erschütterte ihn auch nicht im Mindesten, dass er zur Verschärfung der Strafe zwei Stunden Nachsitzen aufgebrummt bekam – denn er wusste, wer draußen auf ihn warten würde, bis seine Gefangenschaft vorüber war, ohne sich um den Verlust von zwei langen Stunden zu kümmern.

An diesem Abend ging Tom mit finsteren Racheplänen gegen Alfred Tempel zu Bett, denn Becky hatte ihm voll Scham und Reue den ganzen Vorgang erzählt, ohne ihre eigene Verräterei zu verschweigen. Aber selbst der Rachedurst konnte auf die Dauer den angenehmeren Gedanken nicht standhalten, und als Tom einschlief, hörte er noch ganz fern Beckys Worte an sein Ohr klingen:

»Tom, dass du so edel sein konntest!«

22

Die Ferien nahten. Der Schulmeister, der schon sonst sehr streng war, wurde immer genauer und ekliger, denn er wollte am Prüfungstag mit seiner Schule einen guten Eindruck machen. Das spanische Rohr und das Lineal kamen jetzt nur selten zur Ruhe – wenigstens nicht bei den kleineren Schülern. Nur die ältesten Jungen und die jungen Damen entgingen dem Arm der Gerechtigkeit. Dobbins Schläge waren übrigens ziemlich ernsthaft. Wenn er auch unter seiner Perücke einen vollkommen kahlen Schädel verbarg, so war er doch noch in den besten Jahren und seine Muskeln ließen noch keine Altersschwäche erkennen.

Je näher der große Tag heranrückte, desto deutlicher kam seine tyrannische Art zum Vorschein. Er schien geradezu eine rachsüchtige Freude daran zu haben, bei den geringsten Fehlern Schläge auszuteilen. Die Folge davon war, dass die Jungen ihre Tage mit Schrecken und ihre Nächte mit Racheschwüren zubrachten. Sie ließen keine Gelegenheit vorbeigehen, dem Schulmeister einen Streich zu spielen. Er aber behielt immer die Oberhand. Die Vergeltung, die jedem gelungenen Racheakt folgte, war von so majestätischer Wucht, dass sich die Jungen mit »blutigen Köpfen« vom Schlachtfeld zurückziehen mussten.

Endlich aber verfielen sie auf einen Plan, der einen glänzenden Sieg versprach. Sie wandten sich an den Sohn des Schildermalers, erzählten ihm ihr Vorhaben und baten um seine Mithilfe. Der junge Mann hatte seine besonderen Gründe, sofort freudig beizustimmen, denn der Lehrer wohnte bei seinen Eltern und hatte ihm mehr als einmal Grund zum Hass geliefert. Übrigens wollte die Lehrersfrau in den nächsten Tagen zu Besuch aufs Land fahren, und damit stand der Ausführung ihres Planes nichts mehr im Wege. Mr Dobbins bereitete sich auf große Gelegenheiten immer dadurch vor, dass er ordentlich trank. Der Malerssohn erklärte, wenn der Lehrer am Tage des Examens sein richtiges Maß hätte, so würde er das »Ding schon drehen«, während der Alte in seinem Lehnstuhl dämmerte. Dann würde er ihn gerade im letzten Moment aufwecken und eiligst zur Schule treiben.

Als die Zeit da war, kam mit ihr auch die Gelegenheit. Um acht Uhr abends glänzte das Schulhaus in festlicher Beleuchtung. Überall hingen Kränze und Girlanden, Blumen und Blattranken. Der Schulmeister thronte auf seinem großen Armstuhl auf dem Podium, die schwarze Tafel hinter sich.

Sein Blick war sanft, aber unsicher.

Vor ihm waren sechs Reihen von Bänken und an jeder Seite drei weitere Reihen, auf denen die Honoratioren der Stadt und die Eltern der Schüler Platz genommen hatten. Links hinter den Bänken der Bürger war ein geräumiges Podest errichtet, auf dem die Schüler saßen, die an diesem Abend geprüft werden sollten. Ein paar Reihen von kleinen Jungen, gewaschen und höchst unbehaglich angezogen; Reihen linkischer großer Jungen und blütenweiß gekleidete Mädchen und junge Damen, die in Leinen und

Musselin, mit verdächtigem Stolz ihre bloßen Arme zeigten und mit dem antiken Schmuck ihrer Großmütter, den angesteckten Blümchen, den Schleifen und Kränzen im Haar protzten. Der Rest des Hauses war von zuhörenden Schülern besetzt.

Die Prüfung begann: Ein winziger Junge stand auf und sagte ein Gedicht auf:

»Ihr glaubet sicher nicht daran,
Dass euch empfing ein so kleiner Mann …«

Er begleitete sich selbst mit mühsam einstudierten, krampfhaften Bewegungen wie eine Maschine. Eine kaputte Maschine, wohlgemerkt. Aber er kam trotz seiner furchtbaren Anstrengungen glücklich durch und erhielt, als er seine steife Verbeugung machte, rauschenden Beifall.

Ein verschämtes kleines Mädchen lispelte: »Willst du nicht das Lämmlein hüten …«, machte einen mitleiderregenden Knicks, bekam seinen Beifall und setzte sich rot und glücklich wieder hin. Mit unerschütterlicher Zuversicht trat nun Tom Sawyer vor. Er begann dröhnend jene ewigen, unzerstörbaren Worte zu deklamieren: »Gib mir die Freiheit oder gib mir Tod!« Er brüllte sie mit prachtvollem Schwung und großartigen Gesten heraus. Mittendrin brach er ab. Ein unheimliches Lampenfieber ergriff ihn, die Knie wurden ihm weich und er glaubte zusammenzubrechen.

Gewiss, er hatte das Mitgefühl des Publikums, aber er hatte auch sein Schweigen, und das war bedeutend schlimmer. Der Schulmeister runzelte die Stirn und das vollendete seine Verwirrung. Er kämpfte noch eine Weile, musste sich aber schließlich geschlagen und vernichtet zurückziehen. Ein schwacher Versuch zum Beifall regte sich, erstarb aber gleich wieder.

Es folgte: »Der Knabe stand auf dem brennenden Deck«, dann »Zu Boden stürzte Babels Macht …« und andere deklamatorische Prachtstücke.

Dann kamen Leseübungen und Wettlesen. Die magere Lateinklasse sagte mit allen Ehren ein paar Horaz-Stellen auf. Danach aber rückte der Glanzpunkt des Abendprogramms heran: »Originalwerke« der jungen Damen! Nacheinander traten sie bis an den Rand des Podiums vor, räusperten sich, hielten ihr mit einem zierlichen Bändchen gebundenes Manuskript in die Höhe und bemühten sich krampfhaft, ausdrucksvoll und mit Gefühl zu lesen. Die Themen waren die gleichen, die bei ähnlichen Gelegenheiten schon von ihren Müttern, ihren Großmüttern und zweifellos von allen ihren Ahnen der weiblichen Linie bis zurück zu den Kreuzzügen behandelt worden waren. »Freundschaft« hieß das eine, »Die gute alte Zeit« ein anderes, dann: »Die Macht der Religion in der Geschichte«, »Das Land des Traumes«, »Die Vorteile der Kultur«, »Die verschiedenen Regierungsformen, verglichen und gegenübergestellt«, »Melancholie«, »Tochterliebe«, »Sehnsucht des Herzens« und so weiter.

Alle diese »Dichtwerke« zeichneten sich durch einen Zug zu zärtlicher Traurigkeit, durch verwegenes Schwelgen in hochtrabenden Bildern und durch eine grenzenlose Überfülle an den Haaren herbeigezogener Zitate und Gemeinplätze aus. Was sie aber besonders kennzeichnete und schließlich ganz und gar verdarb, das war die ebenso unvermeidliche wie unerträgliche »Moral«, die sie alle wie angeklebt hinter sich hertrugen. Ganz gleich, um welchen Gegenstand es sich handelte, mit einem kühnen Gedankensprung wurde er schließlich in dieses oder jenes moralische Licht gesetzt, das ein religiöser Geist als das Licht der Erbauung betrachten konnte.

Der erste Aufsatz, der vorgelesen wurde, hatte den Titel: »Ist denn dies das Leben?«. Vielleicht kann der Leser einen Auszug davon überleben.

»Wie süß und wonnevoll sind doch die Empfindungen, mit denen das jugendliche Gemüt aus den Pfaden des Alltags hinaufschaut zu dem festlich gedeckten Tisch des Lebens, nach dem es sich mit allen Fasern sehnt!«

Und so weiter und so fort! Schon während des Lesens erhob sich von Zeit zu Zeit ein beifälliges Gemurmel, und begeisterte Ausrufe bezeichneten die Teilnahme der Zuhörer:

»Wie entzückend! Wie schön! Wie ergreifend!« und so weiter. Und als die Dichtung mit einer ganz besonders zu Herzen gehenden Moral geendet hatte, ertönte ein brausender Applaus.

Nun erhob sich ein schlankes, melancholisches Mädchen, dessen Antlitz die »interessante« Blässe aufwies, die von Pillen und schlechter Verdauung kommt, und das ein »Poem« vortrug. Ein paar Strophen davon mögen genügen:

»Der Jungfrau Abschied

Lebe wohl, mein Heimatstädtchen,
Lebe wohl, geliebtes Haus,
Ach, es zieht ein armes Mädchen

Traurig in die Welt hinaus!
Deine Täler, Wälder, Flüsse
Seh ich nun zum letzten Mal,
Heilige Heimat, sieh, ich küsse
Deiner Erde schwarzen Gral.
Immer, wenn Auroras Schleier
Vom Olymp den Morgen bringt,
Wird mir des Gedenkens Leier
Singen – bis der Tod mir singt!«

Es waren sicherlich nur wenige unter den Zuhörern, die wussten, was »Aurora«, »Olymp« oder »Gral« zu bedeuten hatten, aber das Gedicht gefiel nichtsdestoweniger allen.

Als nächste Nummer erschien eine dunkelhäutige junge Dame mit schwarzen Augen und schwarzem Haar. Sie begann zunächst mit einem langen, eindrucksvollen Schweigen, legte dann ihre Züge in tragische Falten und fing in gemessenem Tone an zu lesen:

»Vision:

Dunkel und stürmisch war die Nacht. Kein Stern erglänzte am ungeheuren Himmelszelt. Das tiefe Grollen des schweren Donners erschütterte das zitternde Ohr, während die vernichtenden Blitze den Zorn Gottes durch die Wolkenhäuser des Himmels verkündeten und die Elemente sich in Verachtung aufzubäumen schienen gegen den berühmten Franklin, der sich angemaßt hatte, ihre Macht zu brechen! Selbst die unbändigen Winde kamen aus ihren geheimnisvollen Verstecken hervor und rasten umher, als ob sie die Wildheit des Schauspiels auf die Spitze treiben wollten. In dieser dunklen, tragischen Stunde seufzte meine Seele in tiefem Weh nach menschlichem Mitgefühl. Da kam sie – der Schmerzen Linderung, mein Halt, mein Führer in der Not, teuerste Freundin! Meiner Seele Trost …«

Dieser Albdruck füllte etwa zehn Manuskriptseiten und schloss mit einer Nutzanwendung, die so war, dass der Aufsatz als die schönste Leistung des Abends den ersten Preis bekam.

Der Bürgermeister des Ortes übergab der Dichterin die Prämie und hielt eine herzliche Rede, in der er sagte, dass »dies das gewandteste Dichtwerk gewesen sei, das er je gehört habe«, und dass »selbst Daniel Webster darauf hätte stolz sein können«.

Im Übrigen sei nur noch bemerkt, dass die Zahl der Aufsätze, in denen das Wort »wundervoll« in jedem zweiten Satz vorkam und menschliche Erfahrung als »das Buch des Lebens« bezeichnet wurde, den üblichen Durchschnitt erreichte.

Jetzt erhob sich der Schulmeister, dessen innere Heiterkeit sich allmählich zu bacchantischer Stimmung gesteigert hatte, schob seinen Stuhl beiseite, wandte den Zuhörern den Rücken und begann auf der Tafel eine Karte von Amerika zu zeichnen, um Geografie zu prüfen. Aber er brachte mit seiner unsicheren Hand nichts Rechtes zustande und ein unterdrücktes Kichern lief durch die Reihen. Er wusste, was los war, und gab sich einen Ruck. Er wischte mit dem Schwamm ein paar Linien weg und zeichnete neue, aber es wurde nur schlimmer und das Kichern breitete sich weiter aus. Er verwendete seine ganze

Aufmerksamkeit für die Arbeit und war fest entschlossen, sich durch nichts beirren zu lassen. Er fühlte alle Augen auf sich ruhen, er glaubte, jetzt mehr Erfolg zu haben, aber immer noch schwoll das Kichern an, ja, es wurde nun langsam zum Prusten.

Und nicht ohne Grund. Oben in der Decke befand sich die Luke zur Bodenkammer, gerade über dem Kopf des Lehrers. Durch diese Luke aber schwebte soeben eine Katze herab! Sie war mit einem breiten Gürtel an einem Strick aufgehängt, Kopf und Schnauze waren ihr mit einem Lappen verbunden, damit sie nicht schreien konnte. Sie sank langsam hernieder, bäumte sich hoch, krallte sich an dem Strick fest, fiel wieder herunter und paddelte mit den Pfoten in der Luft. Das Gekicher wurde lauter und lauter. Die Katze war jetzt nur noch zehn Zentimeter vom Haupt des in seine Arbeit vertieften Lehrers entfernt. Noch ein kleines Nachgeben des Strickes, dann griff sie verzweifelt mit den Krallen in die Perücke, klammerte sich fest und wurde im nächsten Augenblick wieder durch die Bodenluke zurückgeholt. Die Trophäe blieb in ihrem Besitz.

Märchenhaft erglänzte der kahle Kopf des Lehrers in der festlichen Beleuchtung – der Sohn des Schildermalers hatte ihn nämlich über und über vergoldet! Das setzte der Versammlung ein plötzliches Ende. Die Jungen waren gerächt. Die Ferien begannen.

23

Tom trat in die Jugendgruppe des »Mäßigkeitsvereines« ein, weil ihn ihre glänzende Uniform reizte. Er schwor, nicht nur vom Trinken, sondern auch vom Rauchen, Kauen und Fluchen zu lassen, solange er dort Mitglied sein würde. Aber er hatte bald heraus, dass man etwas nur abzuschwören braucht, um ganz verrückt danach zu werden.

Es dauerte nicht lange, da quälte ihn der brennende Wunsch zu trinken und zu fluchen, und das Verlangen wurde schließlich so groß, dass ihn nur der Gedanke, bei den kommenden öffentlichen Festlichkeiten mit seiner roten Vereinsschärpe glänzen zu dürfen, davon abhielt, gleich wieder auszutreten.

Der 4. Juli, der amerikanische Unabhängigkeitstag, war nicht mehr fern, aber nachdem Tom seine Fesseln gerade achtundvierzig Stunden getragen hatte, gab er es auf, bis dahin auszuhalten, stattdessen knüpfte er jetzt seine ganze Hoffnung auf den alten Friedensrichter Frazer, der im Sterben liegen sollte und als hoher Beamter sicherlich ein großes öffentliches Begräbnis bekommen würde. Drei Tage lang beschäftigte sich Tom aufmerksam mit dem Zustand des Richters und holte überall Nachrichten ein. Manchmal schwoll seine Hoffnung an, er legte bereits die Uniform heraus und probierte sie vor dem Spiegel an. Aber der alte Richter hatte eine entmutigende Zähigkeit.

Schließlich hieß es sogar, es ginge ihm wieder besser und er würde gesund werden. Tom fand das unerhört und fühlte sich persönlich beleidigt. Er meldete sofort seinen Austritt an, aber in der Nacht darauf bekam der Richter einen Rückfall und starb. Tom beschloss, nie wieder Vertrauen in solche Leute zu setzen. Das Begräbnis wurde eine pompöse Veranstaltung und die »Mäßigen« zogen in einer Parade auf, die ihr verflossenes Mitglied vor Neid zerspringen ließ.

Aber Tom war wieder ein freier Mann, das war schließlich auch etwas wert. Er konnte jetzt trinken und fluchen. Allerdings bemerkte er zu seiner Überraschung, dass er gar kein Verlangen mehr danach hatte. Die einfache Tatsache, dass er es durfte, vernichtete den Wunsch und auch den Reiz.

Tom fand, dass die ersehnten Ferien schon ein wenig langweilig wurden. Er machte den Versuch, ein Tagebuch zu führen, aber da drei Tage lang nichts passierte, gab es nichts zu berichten und er gab es wieder auf.

Eine Nigger-Jazzband kam durch die Stadt und erregte Aufsehen. Tom und Joe Harper stellten darauf auch eine Jazz-Kapelle zusammen und waren zwei Tage lang glücklich.

Auch der Unabhängigkeitstag brachte nichts Besonderes. Es regnete in Strömen; infolgedessen fand kein Umzug statt, und der größte Mann der Welt – nach Toms Meinung –, Mr Benton, ein echter Senator der Vereinigten Staaten, erwies sich als Enttäuschung, denn er war längst keine drei Meter hoch, ja überhaupt gar nicht größer als die anderen Leute.

Danach kam ein Zirkus. Tagelang spielten die Jungen Zirkus in Zelten, die sie aus Teppichlumpen gebaut hatten. Eintritt: für Knaben drei, für Mädchen zwei Stecknadeln. Aber auch das wurde bald wieder aufgegeben.

Ein Heilkünstler und ein Magnetiseur kamen und gingen wieder und ließen das Städtchen gelangweilter als vorher zurück. Es gab ein paar Kindergesellschaften, aber die waren so selten, dass man die trüben Pausen zwischen ihnen nur umso schwerer empfand. Becky Thatcher war nach Hause gereist, um die Ferien über bei ihren Eltern zu bleiben. Das Leben bot wirklich keinen einzigen Lichtblick.

Das furchtbare Geheimnis des Mordes war für Tom eine andauernde Qual. Es war zu einem chronischen, nagenden Krebsleiden geworden.

Dann brachen die Masern aus.

Zwei lange Wochen lag Tom gefangen und war für die Welt und ihre Ereignisse gestorben. Er war sehr krank und interessierte sich für nichts. Als er schließlich wieder auf den Beinen war und einen schwächlichen Versuch machte in die Stadt zu gehen, hatte jedes Ding und jedes Lebewesen ein trauriges Gesicht bekommen. Es war inzwischen eine religiöse Erneuerung vor sich gegangen und alle »hatten es mit der Religion«; nicht nur die Erwachsenen, sondern sogar die Jungen und Mädchen!

Tom ging von einem zum anderen in der Hoffnung, endlich ein sündiges Gesicht zu finden, aber er erlebte eine Enttäuschung nach der anderen. Er fand Joe Harper über dem Neuen Testament sitzend und wandte sich traurig von diesem niederschmetternden Schauspiel ab; er suchte Ben Rogers und traf ihn, wie er mit einem Korb voll Liebesgaben zu den Armen ging. Er spürte Jim Hollis auf, aber der machte ihn auf die göttliche Warnung aufmerksam, die in den gerade überstandenen Masern zu sehen sei. Jeder Junge, den er traf, steigerte noch seine Niedergeschlagenheit, und als er schließlich in heller Verzweiflung an das schwarze Herz Huckleberry Finns flüchtete und mit einem Bibelspruch empfangen wurde – da brach er zusammen. Er schlich elend nach Hause, legte sich ins Bett und war überzeugt, dass er allein von allen Bewohnern dieses Ortes verloren war, verloren für immer und ewig.

In dieser Nacht brach ein furchtbares Unwetter aus, mit Wolkenbrüchen, dröhnenden Donnerschlägen und grellen Blitzen. Tom steckte den Kopf unter die Decke und wartete mit Schrecken auf die Strafe des Himmels. Denn es kam ihm nicht der leiseste Zweifel, dass dieser ganze Krawall keinem anderen als ihm galt. Er hatte die Geduld der Himmelsmächte zu hoch eingeschätzt und das war nun der Erfolg. Es hätte ihm ja merkwürdig vorkommen müssen, dass der Himmel ganze Batterien von Artillerie auffuhr, um eine solche Fliege wie ihn vom Erdboden zu vertilgen, aber es schien ihm ganz in Ordnung so.

Allmählich hatte sich der Sturm ausgetobt und starb, ohne seine Aufgabe erledigt zu haben. Toms erster Gedanke war, dankbar zu sein und sich zu bessern. Aber der zweite war, erst einmal abzuwarten – vielleicht gab es auch so keinen Sturm mehr.

Am nächsten Morgen kam der Arzt wieder: Tom hatte einen Rückfall. Die drei Wochen, die er nun im Bett liegen musste, schienen ihm ein Jahrhundert. Als er endlich wieder aufstehen durfte, empfand er kaum Dankbarkeit, denn er erinnerte sich, wie einsam und verlassen er war. Lustlos schlenderte er die Straße hinunter und fand Jim Hollis als Richter eines jugendlichen Gerichtshofes, der einer Katze wegen Mordes den Prozess machte in Gegenwart ihres Opfers, eines Vogels. Später aber erwischte er in einem Seitengässchen Joe Harper und Huck Finn, die eine gestohlene Melone verzehrten. Die armen Jungen hatten – genau wie Tom – einen Rückfall gehabt.

24

Endlich wurde die drückende Langeweile unterbrochen, und zwar gründlich. Die Ermordung des Doktor Robinson kam vor Gericht. Im Augenblick hatte sich dieser Gesprächsstoff der ganzen Stadt bemächtigt. Tom wusste gar nicht, wie er sich davor retten sollte. Jedes Mal, wenn von dem Mord gesprochen wurde, erschauerte er bis ins Herz, denn sein böses Gewissen und seine Angst redeten ihm ein, dass man solche Bemerkungen absichtlich in seiner Gegenwart mache. Es war zwar nicht einzusehen, wie er in den Verdacht kommen könnte, irgendetwas über den Mord zu wissen, aber er fühlte sich doch nie behaglich bei dem Gerede.

Die ganze Zeit über zitterte er innerlich vor Angst. Er zog Huck an einen einsamen Platz, um mit ihm zu reden. Er hoffte, es würde ihn ein wenig erleichtern, wenn er einmal die Zunge lösen und seine Last mit einem anderen Leidenden teilen konnte. Außerdem wollte er sich vergewissern, dass Huck dichtgehalten hatte.

»Huck, du hast doch mit niemandem darüber gesprochen?«

»Worüber denn?«

»Ach, du weißt schon.«

»Aber Tom! Natürlich nicht!«

»Kein Wort?«

»Bei Gott, kein Sterbenswörtchen. Weshalb fragst du?«

»Ach, ich hatte Angst.«

»Aber Tom, wir würden keine zwei Tage mehr leben, wenn sie das rauskriegen würden. Du weißt doch ...«

Tom wurde etwas ruhiger. Aber ganz verließ ihn die Angst doch nicht. Nach einer Pause sagte er:

»Huck, es wird dich doch keiner rumkriegen, dass du etwas sagst, was?«

»Mich rumkriegen? Wenn ich Lust hätt, dass mich dieser rote Teufel ersauft, dann könnten sie mich rumkriegen. Aber so nicht.«

»Na, dann ist ja alles in Ordnung. Solange wir den Mund halten, sind wir sicher. Aber weißt du, wir wollen auf jeden Fall noch einmal schwören. Doppelt hält besser.«

»Ist mir recht.«

Und wieder schworen sie unter schaurigen Zeremonien einen Eid.

»Was reden sie eigentlich in der Stadt, Huck? Ich hab so allerhand gehört.«

»Sagen? Na, dass es Muff Potter war, Muff Potter, die ganze Zeit Muff Potter. Ich komm immer in Schweiß, wenn ich es höre. Am liebsten möchte ich mich immer verstecken.«

»Bei mir sagen sie das auch. Ich glaube, Muff Potter ist geliefert. Tut er dir nicht manchmal Leid?«

»Immer. Es ist ja nicht viel los mit ihm, aber schließlich hat er doch noch keinem Menschen was getan. Er ist doch ein guter Kerl. Einmal hat er mir 'nen halben Fisch gegeben, wo's nicht einmal für einen gereicht hat. Und oft hat er mir geholfen, wenn ich Pech hatte.«

»Ja, und mir hat er immer meine Drachen geflickt, Huck. Und die Angelhaken hat er mir an die Leine gemacht. Ich wünschte, wir könnten ihn da rauskriegen!«

»Du liebe Güte! Aber das ist nicht so leicht, Tom. Und dann, es hat doch keinen Zweck, sie fangen ihn ja wieder.«

»Ja, ja, ich glaub auch. Aber ich kann's gar nicht mehr mit anhören, wie sie alle wie die Teufel über ihn herfallen, wo er es doch nicht gewesen ist.«

»Geht mir auch so, Tom. Es ist zum Aus-der-Haut-Fahren! Sie sagen, er hat schon immer so mörderisch ausgesehen und es wäre ein Wunder, dass er nicht längst gehenkt worden ist.«

»Ja, das sagen sie immer. Ich habe auch gehört, wenn er freikommt, wollen sie ihn lynchen.«

»Und das tun sie auch.«

Sie hatten noch eine lange Unterhaltung, aber sie brachte ihnen nur schwachen Trost.

Als es dunkel wurde, lungerten sie in der Gegend des kleinen, einsamen Gefängnisses herum, vielleicht in der unbestimmten Hoffnung, dass irgendein Wunder geschehen würde, das sie von ihren Sorgen befreite. Aber es geschah nichts. Weder Engel noch Feen schienen sich für den armen Gefangenen zu interessieren.

Die Jungen taten dann, was sie schon oft getan hatten: Sie gingen an das Gefängnisgitter und reichten Potter etwas Tabak und Zündhölzer hinein. Seine Zelle lag zu ebener Erde und es war kein Wächter da. Mehr als je schnitt ihnen seine Dankbarkeit für ihre kleinen Geschenke ins Herz.

Sie fühlten sich in höchstem Grade feige und erbärmlich, als Potter sagte:

»Ihr seid sehr gut zu mir gewesen, Jungen, besser als sonst irgendjemand hier. Das vergesse ich euch nicht! Ich sage immer zu mir: ›Da habe ich den Jungen ihre Drachen geflickt und Spielzeug gemacht und ihnen die besten Angelplätze gezeigt und war wie ein Vater zu ihnen, war ich, und jetzt? Jetzt, wo der alte Muff in der Tinte sitzt, haben sie ihn alle vergessen. Bloß Tom nicht und Huck nicht. Die vergessen dich nicht‹, sage ich zu mir, ›und du vergisst sie auch nicht!‹ Ja, Kinder, hab da eine scheußliche Sache angestellt, muss betrunken und ganz von Sinnen gewesen sein, damals. Das ist die einzige Erklärung, die ich weiß. Und jetzt muss ich dafür baumeln. Ist schon recht, ist schon recht. Kalkuliere, ist auch das Beste, ich hoffe wenigstens. Na, wir wollen nicht weiter darüber reden. Ich will euch nicht das Herz schwer machen, ihr seid anständig zu mir gewesen. Aber das will ich euch sagen: Lasst euch nie einfallen, euch zu betrinken, sonst landet ihr auch hier. Stellt euch einmal ein bisschen ins Licht. So, jetzt. Ist doch ein Trost, wenn man so im Dreck sitzt, ein paar freundliche Gesichter zu sehen, und außer euch kriege ich keine zu sehen. Gute, freundliche Gesichter!

Klettert doch einmal herauf und gebt mir die Hand. Ihr kommt schon durch die Stäbe durch, meine Klaue ist zu groß. Kleine, schwache Hände, aber sie haben Muff Potter viel geholfen und sie würden ihm sicher noch mehr helfen, wenn sie könnten.« Ganz zerschlagen kam Tom nach Hause und in dieser Nacht hatte er schreckliche Träume. In den nächsten Tagen strich er, von einem unwiderstehlichen Trieb gezogen, immer wieder um das Gerichtsgebäude. Nur mit Mühe bezwang er sich, nicht hineinzugehen. Huck erging es ebenso. Sie mieden einander ängstlich. Jeder von ihnen versuchte von Zeit zu Zeit zu fliehen, aber die gleiche unheimliche Anziehungskraft trieb sie bald wieder zurück. Immer wenn ein paar Zuhörer aus dem Saal herauskamen, spitzte Tom die Ohren, aber unweigerlich hörte er nur schlechte Nachrichten. Das Netz zog sich enger und enger um den armen Muff Potter zusammen.

Am Ende des zweiten Tages hieß es im Ort, die Aussage des Indianer-Joe sei durch überhaupt nichts mehr zu erschüttern und es gäbe nicht den geringsten Zweifel mehr, wie das Urteil ausfallen würde.

Tom blieb diesen Abend sehr lange draußen und kam durchs Fenster ins Schlafzimmer.

Er zitterte vor Aufregung, und es dauerte mehrere Stunden, ehe er einschlief.

Am nächsten Morgen strömte die ganze Stadt zum Justizgebäude, denn der große Tag war angebrochen. In der dicht gedrängten Zuhörerschaft waren Männer und Frauen gleich stark vertreten. Sie mussten lange warten, ehe die Geschworenen eintraten und ihre Plätze einnahmen.

Gleich darauf wurde Potter in Ketten hereingeführt. Er war bleich und abgezehrt und blickte ängstlich und hoffnungslos.

Man wies ihm einen Platz an, wo er allen neugierigen Blicken ausgesetzt war. Nicht weniger augenfällig saß der Indianer-Joe, der wie immer undurchdringlich aussah. Es folgte eine neue Pause. Dann trat der Richter ein und der Vorsitzende erklärte die Verhandlung für eröffnet. Bei den Anwälten gab es das gewöhnliche Flüstern und Zurechtlegen der Akten.

Alle diese Einzelheiten schufen eine einleitende Spannung, die auf alle großen Eindruck machte.

Es wurde ein Zeuge aufgerufen, der aussagte, dass er an jenem Morgen Muff Potter getroffen hatte, wie er sich im Bach wusch. Der Angeklagte habe sich dann erschrocken davongeschlichen. Nach ein paar weiteren Fragen sagte der Staatsanwalt:

»Der Angeklagte hat das Wort.«

Der Gefangene hob für einen Augenblick die Augen, senkte sie aber gleich wieder, als sein Verteidiger erklärte:

»Ich habe keine Fragen an den Zeugen.«

Der nächste Zeuge bestätigte den Fund des Messers in der Nähe des Ermordeten.

»Der Angeklagte hat das Wort«, sagte der Staatsanwalt.

»Ich habe keine Fragen an den Zeugen«, erwiderte der Verteidiger. Ein dritter Zeuge schwor, dass er dasselbe Messer oft bei Potter gesehen habe.

»Der Angeklagte hat das Wort.«

Potters Anwalt verzichtete auf weitere Fragen. Im Zuhörerraum begann sich allgemeine Unruhe bemerkbar zu machen. Wollte der Verteidiger damit sagen, dass er jede Anstrengung, das Leben seines Klienten zu erhalten, für zwecklos hielt?

Mehrere Zeugen beschrieben nun Potters schuldbewusstes Benehmen, als man ihn zu der Mordstelle brachte. Auch sie konnten abtreten, ohne dass eine Gegenfrage gestellt wurde.

Jede Einzelheit der vernichtenden Umstände an jenem Morgen auf dem Friedhof, deren sich alle Anwesenden noch deutlich erinnerten, wurde von glaubwürdigen Zeugen erhärtet. Keinem von ihnen hatte Potters Verteidiger Fragen vorzulegen. Die Verblüffung und Unzufriedenheit des Publikums machten sich in einem dumpfen Gemurmel Luft, sodass schließlich der Vorsitzende Ruhe verlangte. Darauf verkündete der Staatsanwalt:

»Durch den Eid einer Reihe von Bürgern, deren einfaches Wort schon über jeden Zweifel erhaben ist, ist nun geklärt worden, dass dieses furchtbare Verbrechen ohne Frage dem unglücklichen Gefangenen, der hier vor uns auf der Anklagebank sitzt, zur Last gelegt werden muss. Die Staatsanwaltschaft hat dem nichts mehr hinzuzufügen.«

Der arme Potter stöhnte und hob die Hände vors Gesicht. Schluchzen erschütterte seinen Körper. Im ganzen Gerichtssaal herrschte atemlose Stille. Viele Männer waren tief bewegt und einige Frauen bezeugten ihr Mitgefühl durch Tränen. Da erhob sich der Verteidiger.

»Meine Herren Richter und Geschworenen! Bei der Eröffnung dieser Verhandlung deuteten wir an, dass es unsere Absicht war zu beweisen, dass unser Klient jene furchtbare Tat unter dem Einfluss einer zeitweiligen Unzurechnungsfähigkeit verübt habe, die durch Trunkenheit zu erklären sei.

Wir haben unsere Meinung geändert. Wir gedenken diesen Einwand nicht zu machen.«

Er wandte sich um und winkte den Gerichtsdiener herbei, zu dem er mit lauter Stimme sagte:

»Man führe Tom Sawyer vor!«

Auf allen Gesichtern im Saal, Potters nicht ausgenommen, zeigte sich verblüfftes Staunen. Alle Augen hefteten sich mit Überraschung auf Tom, der jetzt aufstand und auf der Zeugenbank Platz nahm. Der Junge sah kläglich aus, denn er hatte große Angst.

Er wurde vereidigt.

Dann fragte der Verteidiger:

»Thomas Sawyer, wo warst du am siebzehnten Juni um Mitternacht?«

Toms Blick fiel auf das bronzene Gesicht des Indianer-Joe und die Worte blieben ihm in der Kehle stecken.

Atemlos lauschte die Zuhörerschaft, aber es kam keine Antwort. Doch dann fasste er sich, und es gelang ihm seine Stimme in die Gewalt zu bekommen, sodass wenigstens ein Teil des Publikums sie hören konnte:

»Auf dem Friedhof!«

Über das Gesicht des Indianer-Joe glitt ein verächtliches Lächeln.

»Warst du in der Nähe von Ross Williams' Grab?«

»Jawohl.«

»Sprich ruhig ein bisschen lauter. Wie nahe warst du?«

»So nah wie von Ihnen.«

»Warst du versteckt oder nicht?«

»Doch, ich war versteckt.«

»Wo?«

»Hinter den Ulmen, die neben dem Grab stehen.«

Der Indianer-Joe zuckte unmerklich zusammen.

»Warst du mit jemandem zusammen?«

»Ja, Herr. Ich war da mit – mit …«

»Halt! Der Name deines Freundes tut nichts zur Sache. Wir werden ihn zur rechten Zeit schon erfahren. Hattest du irgendetwas bei dir?«

Tom zögerte und blickte verwirrt drein.

»Sag's nur, mein Sohn, sei nicht ängstlich. Die Wahrheit ist immer ehrenwert. Was hattest du bei dir?«

»Nur eine – eine – tote Katze!«

Ein Gelächter erhob sich, wurde aber vom Vorsitzenden sogleich unterdrückt.

»Wir werden das Skelett dieser Katze als Beweisstück vorlegen. Nun, mein Sohn, erzähle uns, wie sich der ganze Vorfall zutrug. Erzähle es auf deine Weise. Lass nichts aus und hab keine Angst.« Tom erzählte. Zuerst stockend, aber dann, als er sich an seinem Gegenstand erwärmte, immer fließender. Bald erstarb jeder Laut im Saale und nur seine Stimme war zu hören. Alle Augen hingen an seinem Mund, mit geöffneten Lippen und angehaltenem Atem verfolgten die Zuhörer seine Schilderung. Die Leute achteten gar nicht auf die Zeit, so sehr waren sie durch Toms schaurige Erzählung gefesselt. Die Erregung erreichte ihren Höhepunkt, als er sagte:

»... und wie der Doktor mit dem Brett zuschlug und Muff Potter hinfiel, sprang der Indianer-Joe mit dem Messer ran und –«

Krach! Rasch wie der Blitz sprang das Halbblut auf ein Fenster zu, stieß alle, die ihm im Wege standen, beiseite und war verschwunden!

25

Wieder einmal war Tom zum strahlenden Helden geworden. Die Alten verhätschelten ihn und die Jungen beneideten ihn. Sein Name erlangte sogar Unsterblichkeit durch die Druckerschwärze, denn das Stadtblättchen brachte seinen Namen in riesigen Buchstaben. Manche Leute sagten, er würde noch einmal Präsident werden, falls er nicht vorher an den Galgen käme.

Wankelmütig, wie die Welt einmal ist, zog sie nun Muff Potter in ihre Arme und verzog ihn ebenso gründlich, wie sie ihn vorher beschimpft hatte.

Toms Tage vergingen in glänzendem Triumph, aber seine Nächte waren Nächte des Grauens. Der Indianer-Joe beherrschte mit drohendem Verderben seine Träume. Nichts konnte Tom nach Einbruch der Dunkelheit dazu verleiten, aus dem Hause zu gehen. Der arme Huck war in demselben Zustand des Schreckens und der Niedergeschlagenheit, denn Tom hatte in der Nacht vor der großen Verhandlung dem Verteidiger die ganze Geschichte erzählt, und Huck hatte furchtbare Angst, dass sein Anteil an der Sache herauskommen würde, obwohl die Flucht des Indianer-Joe ihn davor bewahrt hatte, vor Gericht aussagen zu müssen. Der arme Kerl hatte sich von dem Rechtsanwalt ein feierliches Versprechen geben lassen, dass er schweigen würde, aber was hieß das? Seit die

Gewissensbisse Tom bei Nacht und Nebel in das Haus des Anwaltes getrieben und seine Lippen, die mit dem schrecklichsten aller Eide versiegelt waren, sich zu jenem dramatischen Bericht geöffnet hatten, war Hucks Vertrauen zur Menschheit erschüttert.

Jeden Tag machte Muff Potters Dankbarkeit Tom froh, dass er gesprochen hatte, und jede Nacht wünschte er von Herzen, geschwiegen zu haben. Halb fürchtete Tom, der Indianer-Joe würde niemals erwischt werden, halb fürchtete er das Gegenteil. Er war sicher, nie wieder ruhig atmen zu können, bis dieser Mann tot war und er seine Leiche gesehen hatte.

Eine Belohnung wurde ausgesetzt und das Land abgesucht, aber den Indianer-Joe fand man nicht. Eines jener allwissenden Wunderwesen, ein Detektiv, kam aus St. Louis herauf, durchstöberte die Stadt, schüttelte den Kopf, machte ein weises Gesicht und erzielte einen jener Erfolge, die diese Art Leute immer haben: Er fand eine »Spur«. Aber man kann nicht eine »Spur« anstelle des Mörders hängen, und so war Tom, als der Detektiv wieder abgefahren war, genauso unsicher wie vorher.

Langsam und öde schleppten sich die Tage dahin, doch langsam begann die Erinnerung für Tom zu verblassen, und am Ende schwanden auch seine Ängste.

26

Im Leben jedes normalen Jungen kommt die Zeit, in der er das brennende Verlangen fühlt auszuziehen und nach vergrabenen Schätzen zu suchen. Dieses Verlangen verspürte auch Tom eines Tages. Er wollte Joe Harper aufstöbern, konnte ihn aber nicht finden. Dann wollte er Ben Rogers holen, aber der war fischen gegangen. Da stieß er plötzlich auf Huck Finn, den Rothändigen. Der kam gerade recht. Er schleppte ihn an einen abgelegenen Ort und begann vertrauliche Verhandlungen mit ihm zu führen. Huck war bereit; er war immer bereit bei irgendeinem Unternehmen mitzumachen, das Unterhaltung versprach und kein Kapital verlangte. Denn er besaß einen unerträglichen Überfluss an Zeit, die kein Geld ist.

»Wo wollen wir graben?«, fragte Huck.

»Ach, irgendwo.«

»Nanu, ist denn überall was vergraben?«

»Ganz und gar nicht. Bloß an ganz besonderen Stellen. Manchmal auf Inseln, unter verfaulten Baumstümpfen, in vermoderten Kisten, dort, wo der Schatten eines Baumes um Mitternacht hinfällt, aber meistens unter dem Fußboden von verlassenen Häusern, wo's spukt.«

»Wer vergräbt's denn da?«

»Na, Räuber natürlich. Was glaubst denn du? Vielleicht Pastoren von der Sonntagsschule?«

»Weiß ich nicht. Wenn's mein Geld wär, würd ich's nicht verstecken, ich würd's ausgeben und gut leben davon.«

»Würd ich auch. Aber Räuber machen's anders, die vergraben's immer und lassen's liegen.«

»Kommen die nicht mehr zurück, um's zu holen?«

»Nein, sie wollen immer kommen, aber entweder vergessen sie den Platz oder sie sterben inzwischen. Jedenfalls liegt's da eine Ewigkeit rum und verrostet. Manchmal findet dann jemand ein altes, vergilbtes Papier, wo draufsteht, wie man die Zeichen findet. So ein Papier, weißt du, an dem man eine Woche lang herumraten kann, bis man's rauskriegt, weil meistens nur Zeichen oder Hirolifen draufstehen.«

»Hiro – was?«

»Hirolifen! Bilder und so was, von denen man glaubt, sie bedeuten nichts.«

»Hast du denn so ein Papier, Tom?«

»Nein.«

»Na, wie willst du denn dann das Versteck finden?«

»Ich brauch keine Zeichen. Sie vergraben's doch immer in einem Spukhaus oder auf einer Insel oder unter toten Bäumen. Auf der Jackson-Insel haben wir es ja schon probiert und wir können dort noch einmal graben. Und dann haben wir noch das alte Spukhaus da oben und Bäume mit toten Ästen gibt's 'ne Menge.«

»Liegt unter allen was?«

»Unsinn! Natürlich nicht.«

»Wie willst du denn da wissen, wo du graben sollst?«

»Man muss eben unter allen graben.«

»Junge, Tom, da braucht man den ganzen Sommer.«

»Macht doch nichts. Vielleicht finden wir so einen alten Kupferkessel mit hundert Dollar drin oder eine verfaulte Kiste mit Diamanten. Na, wie wäre das?«

Hucks Augen glühten.

»Toll! Mir gibst du die hundert Dollar, die Diamanten kannst du behalten.«

»Ist mir recht. Aber ich kann dir sagen, ich würde keinen einzigen davon wegwerfen. Manche sind zwanzig Dollar wert. Es gibt kaum welche, für die man nicht einen halben oder ganzen Dollar bekommt.«

»Ach, tatsächlich?«

»Ganz bestimmt, das kann dir jeder sagen. Hast du noch keinen gesehen, Huck?«

»Nicht dass ich wüsste.«

»Könige haben sie haufenweise.«

»Hm, Könige kenn ich keine, Tom.«

»Kann ich mir denken. Aber wenn du einmal nach Europa kommst, da kannst du eine ganze Menge herumhopsen sehen.« »Hopsen sie denn?«

»Hopsen? Du spinnst wohl? Nein!«

»Na, warum sagst du dann, sie hopsen herum?«

»Schafskopf! Ich meine doch bloß, du kannst sie sehen, nicht hopsen natürlich! Warum sollen sie denn hopsen? Ich meine nur so, sie sind dort einfach überall, jeden Augenblick triffst du einen, Richard den Buckligen zum Beispiel.«

»Richard? Wie heißt der weiter?«

»Gar nicht weiter. Könige haben nichts weiter als einen Vornamen.«

»Wirklich nicht?«

»Ehrenwort!«

»Na, meinetwegen, wenn's ihnen Spaß macht. Ich möcht jedenfalls nicht König sein, bloß so mit einem Vornamen, wie ein Nigger. Aber, sag mal, wo wollen wir denn mit dem Graben anfangen?«

»Ich weiß nicht recht. Probieren wir's mal mit dem faulen Baum mit den verdorrten Ästen auf der anderen Seite von Cardiff Hill.« »Meinetwegen.«

Sie verschafften sich eine ausrangierte Spitzhacke und eine Schaufel und machten sich auf den Weg. Nach einer Stunde kamen sie erhitzt und atemlos an und warfen sich in den Schatten einer Ulme, um zu rasten und eine Pfeife zu rauchen.

»So gefällt's mir«, meinte Tom.

»Mir schon lange.«

»Du, Huck, wenn wir nun einen Schatz finden, was fängst du denn mit deinem Teil an?«

»Ach, ich kauf mir jeden Tag Kuchen und Limonade, und dann geh ich in jeden Zirkus, der vorbeikommt. Ich würde mir schon eine lustige Zeit machen, das kann ich dir sagen.«

»Und würdest gar nichts sparen?«

»Sparen? Wozu denn?«

»Gott, damit man immer etwas zu leben hat.«

»Das hat ja doch keinen Zweck. Nachher kommt mein Alter zurück und legt gleich seine Klauen drauf und dann ist's im Handumdrehen versoffen. Was machst du denn mit deinem Geld, Tom?« »Ich kauf mir eine neue Trommel und ein richtiges Schwert und dann einen roten Schlips und eine junge Bulldogge und dann heirat ich.«

»Heiraten?«

»Jawohl!«

»Tom, du bist wohl nicht bei Trost?«

»Wart's nur ab, du wirst ja sehen.«

»Tom, das ist das Dümmste, was du machen kannst. Denk doch einmal an den Alten und meine Mutter: Prügel, nichts als Prügel den ganzen Tag. Ich weiß es noch ganz gut.«

»Das will gar nichts sagen. Das Mädchen, das ich heirat, wird sich nicht mit mir prügeln.«

»Tom, die sind alle gleich. Na, du wirst noch einmal anders darüber denken. Ich rat dir gut, überleg's dir vorher. Wie heißt denn das Ding?«

»Das ist überhaupt kein ›Ding‹, sondern ein Mädchen, verstanden!«

»Ist alles dasselbe, manche sagen so und manche so. Werden nicht besser davon. Aber wie heißt sie denn, Tom?«

»Wirst du schon noch erfahren.«

»Meinetwegen; bloß, wenn du heiratest, dann bin ich noch mehr allein als jetzt.«

»Ach wo, Huck, du wohnst natürlich bei mir. Jetzt aber los, wir müssen graben.«

Eine halbe Stunde lang arbeiteten sie im Schweiße ihres Angesichtes. Ohne Erfolg. Sie mühten sich noch eine halbe Stunde ab. Wieder nichts.

»Vergraben sie es immer so tief?«, fragte Huck und wischte sich den Schweiß von der Stirn.

»Manchmal, immer nicht. Im Allgemeinen nicht. Ich fürchte, wir haben nicht die richtige Stelle erwischt.«

Sie suchten eine andere Stelle aus und fingen von vorne an. Es ging ziemlich langsam, aber sie kamen doch vorwärts. Eine Zeit lang arbeiteten sie schweigend. Schließlich stützte sich Huck auf seine Schaufel, wischte sich mit dem Ärmel den Schweiß von der Stirn und sagte:

»Wo willst du nachher graben, wenn wir hier fertig sind?«

»Ich denke, wir versuchen es einmal unter dem alten Baum drüben auf dem Cardiff Hill hinter dem Haus von der Witwe.«

»Ja, das ist ganz gut, aber wird sie uns das Geld nicht wegnehmen, Tom? Es ist doch ihr Boden.«

»Wegnehmen? Soll sie nur versuchen. Wenn jemand einen Schatz ausgräbt, gehört er ihm, ganz egal, wem das Grundstück gehört.« Das klang einleuchtend. Die Arbeit ging weiter. Bald aber erklärte Huck:

»Verdammt, wir haben wieder 'nen falschen Platz erwischt. Was meinst du?«

»Es ist schon komisch, Huck, ich versteh es nicht. Aber manchmal kommen Hexen dazwischen. Ich glaube, deshalb finden wir hier nichts.«

»Quatsch! Hexen haben doch bei Tag keine Macht.«

»Ach ja, da habe ich nicht dran gedacht, du meine Güte, jetzt weiß ich, was los ist! Wir sind doch Idioten. Man muss doch erst sehen, wohin der Schatten des Baumes um Mitternacht fällt. Dort muss man graben.«

»Verdammt! Jetzt haben wir die ganze Arbeit umsonst gemacht. Wir müssen also nachts wieder herkommen. Scheußlich langer Weg. Kannst du von zu Hause fort?«

»Natürlich kann ich. Aber wir müssen noch heute Nacht her, denn wenn einer die Löcher sieht, weiß er gleich, was los ist, und gräbt selbst.«

»Schön. Ich komm heute Nacht und miaue.«

»Abgemacht. Das Werkzeug verstecken wir hier im Busch.«

Um die Mitte der mondhellen Nacht waren die Jungen wieder da. Sie saßen im Schatten und warteten. Einsam war der Ort und feierlich die Stunde. In den raschelnden Blättern flüsterten Gespenster und Geister schlurften durch das dichte Unterholz. Das Heulen eines Hundes tönte aus der Ferne herüber – eine Eule antwortete ihm mit Grabesstimme. Alle diese schauerlichen Töne bedrückten die Jungen und sie sprachen wenig.

Allmählich dachten sie, jetzt müsste es wohl zwölf Uhr sein. Sie stellten also fest, wohin der Schatten fiel, und fingen an zu graben. Ihre Hoffnung belebte sich wieder, Spannung und Eifer wuchsen. Das Loch wurde tiefer und tiefer, aber jedes Mal, wenn die Hacke auf einen harten Gegenstand stieß und sie außer sich vor Aufregung nachgruben, erlitten sie eine neue Enttäuschung. Nichts als Steine oder Wurzeln.

»Es hat keinen Zweck«, sagte Tom schließlich, »wir sind wieder an der falschen Stelle.«

»Ausgeschlossen, es kann nicht falsch sein, wir haben doch den Schatten haargenau angezeichnet.«

»Ich weiß, aber dann ist es eben etwas anderes.«

»Was soll denn noch sein?«

»Wir haben doch die Zeit nur so ungefähr geraten. Es war eben zu spät oder zu früh.«

Huck ließ die Schaufel fallen.

»Das ist es«, sagte er. »Das ist der Haken. Geben wir's auf, wir kriegen doch nie die genaue Zeit raus. Und überhaupt, die Sache ist mir zu gruselig, so mitten in der Nacht, wenn lauter Geister und Gespenster und Hexen rumtanzen. Ich glaub immer, hinter mir steht wer. Ich habe ordentlich Angst mich umzudrehen, am Ende sind noch andere da, die auf eine Gelegenheit warten. Seit wir hier sind, hab ich 'ne Gänsehaut.«

»Geht mir auch so, Huck. Meistens graben die Räuber noch einen toten Mann mit ein, damit er aufpasst.«

»Ist nicht wahr!«

»Doch, das machen sie. Ich hab's gehört.«

»Tom, ich hab nicht gern mit Toten zu tun. Sie machen einem immer Schwierigkeiten.«

»Mir macht's auch keinen Spaß einen auszugraben, Huck. Nachher streckt plötzlich einer seinen Schädel aus der Grube und sagt was.«

»Hör auf, Tom, das ist ja schrecklich.«

»Ist es auch, Huck. Ich fühl mich nicht wohl in meiner Haut.«

»Tom, geben wir's hier auf. Versuchen wir es woanders.«

»Ja, das ist besser.«

»Aber wo denn?«

Tom dachte eine Weile nach und sagte:

»Im Spukhaus; das ist der richtige Ort.«

»Ich mag keine Häuser, wo's spukt. Weißt du, Gespenster sind noch schlimmer als Tote. Tote reden vielleicht etwas, aber sie schleichen sich doch nicht an einen heran und gucken einem plötzlich, wenn man an nichts denkt, über die Schulter und klappern mit den Zähnen. Tom, so was würde ich nicht überleben. Keiner überlebt das.«

»Na ja, Huck, aber Gespenster schleichen doch bloß nachts herum und wir können doch am Tag arbeiten.«

»Das stimmt. Aber du weißt doch, es traut sich auch am Tage keiner ins Spukhaus.«

»Ach, das ist deswegen, weil niemand einen Ort mag, wo einmal jemand ermordet worden ist. Aber gesehen hat noch keiner was in dem Haus. Bloß manchmal so blaue Lichter hinter dem Fenster, keine richtigen Geister.«

»Tom, wenn du blaue Lichter siehst, kannst du wetten, dass ein Gespenst dabei ist. Das ist doch klar, wer soll denn sonst die Lichter brauchen als Gespenster?«

»Stimmt. Aber auf jeden Fall kommen sie nicht bei Tag hin. Da brauchen wir doch keine Angst zu haben.«

»Wir können's ja mal beim Spukhaus versuchen, wenn du willst. Aber ich glaub, es ist ganz schön gefährlich.«

Mittlerweile waren sie den Hügel heruntergekommen, unter ihnen lag im hellen Mondlicht das »verfluchte« Haus.

Es lag ganz einsam. Der Zaun war längst umgefallen, Unkraut wucherte auf der Schwelle, der Schornstein war nur noch eine Ruine, die Fensterhöhlen standen leer und eine Ecke des Daches war eingestürzt.

Die Jungen starrten eine Weile hin, halb in der Erwartung, hinter einem der Fenster blaue Lichter zu sehen. Sie sprachen mit unterdrückter Stimme, wie es die Zeit und die Umstände verlangten. Als weder Licht noch Geist erschien, machten sie sich auf den Heimweg. Sie hielten es aber für ratsam, einen weiten Bogen um das Spukhaus zu schlagen, und nahmen den Fußweg, der mitten durch den Wald um die Rückseite des Hügels herumführte.

27

Um die Mittagsstunde des nächsten Tages kamen die Jungen wieder zum toten Baum, um ihre Geräte zu holen. Tom brannte darauf, zu dem Spukhaus zu gehen. Huck war etwas weniger neugierig. Plötzlich sagte er: »Junge, Tom, weißt du, was heute für ein Tag ist?«

Tom ließ im Geist die Wochentage vorüberziehen und riss plötzlich erschreckt die Augen auf.

»Donnerwetter! Daran habe ich gar nicht gedacht, Huck.«

»Ich auch nicht. Auf einmal ist mir eingefallen, dass doch heute Freitag ist.«

»Verdammt, man kann nicht vorsichtig genug sein. Huck, da wären wir ganz schön in die Tinte geraten mit so einer Geschichte am Freitag.«

»Vielleicht? Ganz bestimmt sogar! Es gibt ja 'ne ganze Menge Glückstage, aber Freitag ist sicher keiner.«

»Das weiß doch jedes Kind. Oder meinst du vielleicht, du hast das entdeckt, Huck?«

»Hab ich nie behauptet. Übrigens ist es auch nicht nur der Freitag. Hab heute Nacht einen scheußlichen Traum gehabt, von Ratten.« »Ratten? Schon ein schlechtes Zeichen. Haben sie sich rumgebissen?«

»Nein.«

»Na, dann geht's noch, Huck. Wenn sie sich nicht rumbeißen, dann geht's noch, dann ist's eben nur Pech. Wir müssen eben mächtig aufpassen und uns vorsehen. Heute wollen wir lieber nicht anfangen. Lieber spielen. Kennst du Robin Hood, Huck?«

»Nein, wer ist denn das?«

»Wer das ist? Er war einer der größten Männer, die England je gehabt hat, und einer der besten. Räuberhauptmann war er.«

»Donnerwetter, möchte ich auch sein. Wen hat er denn beraubt?« »Bloß Präsidenten und Bischöfe und reiche Leute und Könige und so was. An arme Leute ist er nie rangegangen. Mit denen hat er immer seine Beute geteilt.«

»Muss ein Prachtkerl gewesen sein.«

»War er auch, Huck. Er war der edelste Mensch, der je gelebt hat. Solche Leute gibt's heut gar nicht mehr, kann ich dir sagen. Der konnte jeden Mann in England niederschlagen, auch wenn man ihm die eine Hand auf den Rücken gebunden hat. Und auf zweitausend Meter hat er mit seinem Eibenbogen jedes Geldstück mittendurch geschossen.«

»Was ist denn das, ein Eibenbogen?«

»Weiß nicht. Irgend so ein Bogen eben. Jedenfalls, wenn er einmal nur den Rand getroffen hat, dann hat er sich so geärgert, dass er heulte und fluchte. Also, wir spielen Robin Hood. Ich werd's dir beibringen.«

»Einverstanden.«

Sie spielten den ganzen Nachmittag Robin Hood. Dann und wann warfen sie einen sehnsüchtigen Blick auf das Spukhaus und sprachen über die Aussichten und Möglichkeiten von morgen. Als die Sonne im Westen versank, machten sie sich auf den Heimweg. Die langen Schatten der Bäume nahmen sie auf und bald waren sie in den Wäldern des Cardiff Hill verschwunden.

Am Sonnabend waren sie gleich nach dem Essen wieder draußen beim toten Baum. Sie rauchten und schwatzten; dann gruben sie noch ein bisschen in ihrem Loch. Sie hatten zwar wenig Hoffnung, aber Tom sagte, es sei schon oft vorgekommen, dass Leute das Graben aufgegeben hatten, wenn der Schatz bloß noch eine Handbreit darunter lag, und dann wären andere gekommen, die hätten ihn mit einem einzigen Spatenstich gehoben. Aber es war wieder nichts. So schulterten sie ihr Werkzeug immerhin mit dem Gefühl, ihr Glück nicht leichtfertig aufs Spiel gesetzt, sondern alle Forderungen, die das Schatzgräbergewerbe an sie stellte, erfüllt zu haben. Als sie beim Spukhaus ankamen, war die Totenstille, die unter der Sonnenglut herrschte, so unheimlich und die Einsamkeit und Verlassenheit des Ortes so niederdrückend, dass sie einen Augenblick Angst hatten hineinzugehen. Dann schlichen sie zur Tür und riskierten zitternd einen Blick in das Innere des Hauses. Sie sahen ein unkrautüberwuchertes Zimmer ohne Fußboden, einen verwahrlosten Feuerplatz, leere Fensterhöhlen und eine zerfallene Stiege. Überall hingen dicke, verstaubte Spinnweben.

Mit klopfendem Herzen traten sie schließlich ein. Sie gingen ganz leise, sprachen nur flüsternd und hielten ihre Ohren offen und die Muskeln gespannt, um beim leisesten Geräusch augenblicklich die Flucht zu ergreifen.

Da sich nichts regte, wurden sie nach einer Weile mutiger und unterzogen den Ort einer kritischen und sorgfältigen Prüfung. Sie waren voll Erstaunen, aber auch voll Bewunderung über den eigenen Mut. Dann wollten sie die Treppe hinaufsteigen. Damit schnitten sie sich zwar den Rückzug ab, aber da sie sich selbst imponieren wollten, warfen sie Schaufel und Hacke in eine Ecke und machten sich an den Aufstieg. Oben trafen sie die gleichen Zeichen des Verfalls an. In einer Ecke fanden sie ein Kämmerchen, das ein Geheimnis versprach, aber nicht hielt, denn es war leer. Ihr Mut wuchs. Gerade wollten sie hinuntersteigen und sich an die Arbeit machen, da …

»Scht!«, machte Tom.

»Was gibt's?«, flüsterte Huck, bleich vor Schreck.

»Scht! … Da! … Hörst du?«

»Ja, ja! Ach du meine Güte! Nichts wie weg!«

»Still doch! Bloß nicht rühren! Sie kommen direkt auf die Tür zu.« Die Jungen legten sich auf den Boden und lugten durch Astlöcher hinunter. Es war ihnen ganz elend vor Angst.

»Sie halten an! Nein, sie kommen. Da sind sie auch schon! Kein Wort mehr, Huck. Mein Gott, wenn wir bloß erst wieder draußen wären!«

Zwei Männer traten ein. Jeder der Jungen dachte bei sich: »Das ist doch der alte, taubstumme Spanier, der sich seit Kurzem in der Stadt herumtreibt. Den anderen habe ich noch nie gesehen.«

»Der andere« war ein zerlumpter Kerl, der nicht gerade sehr erfreulich aussah. Der Spanier war in einen Umhang gewickelt, hatte einen buschigen, weißen Schnurrbart, unter seinem riesigen Sombrero quoll langes weißes Haar hervor, und er trug ein Pflaster über einem Auge. Als sie eintraten, sprach »der andere« mit unterdrückter Stimme. Sie setzten sich auf den Boden, mit dem Gesicht zur Tür und dem Rücken gegen die Wand. Der Mann sprach weiter.

Nach und nach minderten sie ihre Vorsicht und die Worte wurden deutlicher.

»Nein«, sagte er, »ich habe es mir überlegt. Es gefällt mir nicht. Es ist gefährlich.«

»Gefährlich?«, grunzte der »taubstumme« Spanier zur größten Überraschung der Jungen. »Feigling!«

Die Stimme raubte ihnen den Atem. Es war Indianer-Joe! Eine Zeit lang herrschte Schweigen. Dann sagte Joe:

»Das Ding, das wir da oben gedreht haben, war gefährlich genug, und nichts ist passiert.«

»Das war was anderes. Da ganz oben überm Fluss und kein Haus weit und breit. Sie konnten ja auch nichts merken, wo doch nichts rausgeschaut hat.«

»Na, und ist es vielleicht nicht gefährlich, bei Tag hierherzukommen? Jeder, der uns gesehen hat, muss Verdacht schöpfen.«

»Stimmt. Aber nach dem dummen Streich neulich gab's ja keinen besseren Platz. Jetzt möchte ich raus aus dieser Mistbude. Ich wollt schon gestern, aber man konnt ja nicht raus, wo die verdammten Bengels da drüben auf dem Hügel gerade vor unserer Nase gespielt haben.«

»Die verdammten Bengels« schraken wieder zusammen. Sie waren jetzt heilfroh, dass sie sich an den Freitag erinnert und einen Tag gewartet hatten. Sie wünschten, sie hätten ein ganzes Jahr gewartet. Die beiden Männer holten etwas zu essen heraus und machten sich ans Frühstück. Nach einer langen und nachdenklichen Pause sagte Indianer-Joe:

»Pass auf, Alter. Du gehst jetzt zum Fluss zurück, wo du hingehörst. Dort wartest du, bis du etwas von mir hörst. Ich will noch einmal in die Stadt hinunter und mich umhören. Wenn alles in Ordnung ist, dann drehen wir das Ding. Dann nach Texas! Zusammen schaffen wir's schon.«

»Der andere« war zufrieden. Beide Männer begannen zu gähnen und Joe sagte:

»Ich bin todmüde. Du bist dran zu wachen.«

Er warf sich ins Unkraut und fing bald zu schnarchen an. Sein Kamerad schüttelte ihn ein paar Mal, worauf er still wurde. Bald nickte auch der Wächter ein. Sein Kopf sank tiefer und tiefer und schließlich schnarchten beide. Die Jungen atmeten erleichtert auf. »Jetzt ist es Zeit«, flüsterte Tom. »Komm!«

Huck erwiderte:

»Ich kann nicht! Wenn sie aufwachen, sterbe ich.«

Tom drängte, Huck hielt zurück. Schließlich erhob sich Tom langsam und sachte, um allein loszugehen. Aber beim ersten Schritt knarrte die vermoderte Diele so laut, dass er halb tot vor Schreck wieder niedersank. Er machte keinen zweiten Versuch. Sie lagen jetzt da und zählten die Sekunden, bis ihnen schien, als wäre alle Zeit längst vorbei und die Ewigkeit gekommen. Als endlich die Sonne unterging, waren sie von Herzen dankbar. Einer der Schnarcher wurde still. Der Indianer-Joe setzte sich auf, starrte um sich, sah mit grimmigem Lächeln auf seinen Spießgesellen, dem der Kopf auf die Knie gesunken war, und gab ihm einen Fußtritt. »He, du! Bist mir ein feiner Wächter!«

»Was ist?«, fuhr der andere hoch.

»Na, es ist ja nichts passiert.«

»Verdammt! Hab ich geschlafen?«

»Haha, ein bisschen, ein bisschen. Es wird Zeit, dass wir aufbrechen, Freundchen. Was machen wir mit den paar Moneten, die noch da sind?«

»Weiß nicht. Ich denk, die lassen wir hier, wie immer. Hat ja keinen Zweck sie mit herumzuschleppen, ehe wir nach dem Süden gehen. Sechshundertfünfzig in Silber zu schleppen, das legt sich an.«

»All right. Wir können ja ruhig noch einmal herkommen.«

»Ja, aber lieber bei Nacht, wie immer. Es ist besser.«

»Ist recht. Aber hör mal, es kann noch 'ne ganze Weile dauern, bis ich das Ding da drehen kann. Wer weiß, was passiert, so sicher ist der Platz nicht. Graben wir's lieber ein!«

»Gute Idee«, meinte sein Kamerad. Er ging quer durch den Raum, kniete nieder und holte unter einem der Herdsteine einen Beutel hervor, in dem es lustig klimperte. Er nahm zwanzig, dreißig Silberdollar für sich und ebenso viel für Indianer-Joe heraus und reichte diesem den Beutel hin. Indianer-Joe kniete in einer Ecke und grub mit seinem Dolchmesser ein Loch.

Die Jungen vergaßen im Augenblick alle Angst und alle ausgestandenen Qualen. Mit aufgerissenen Augen verfolgten sie jede Bewegung. Das Glück war da! Das hätten sie nie zu träumen gewagt. Sechshundert Dollar waren genug, ein halbes Dutzend Jungen reich zu machen! Das würde eine Schatzgräberei werden! Man brauchte nur zu graben und wusste genau, wo. Jeden Augenblick stießen sie einander an. Es gab ein beredtes Kopfnicken, ein schnelles Verstehen, denn beide meinten dasselbe: »Na, bist du jetzt nicht froh, dass wir hier sind?«

Joes Dolch stieß auf etwas.

»Na, so was!«, rief er.

»Was ist denn los?«, fragte »der andere«.

»Ein morsches Brett. Nein, ich glaube, es ist eine Kiste. Komm mal her und fass an. Wir wollen sehen, was es ist. So, ich hab ein Loch reingebrochen.«

Er langte mit der Hand hinein und zog etwas heraus. »Mensch! Geld!«

Die beiden Männer prüften die Hand voll Münzen. Es war Gold. Die beiden Jungen über ihnen waren nicht weniger aufgeregt und erfreut wie die Männer selbst.

Joes Kamerad sagte:

»Das werden wir schnell raushaben. Da in der Ecke hinterm Kamin steht eine verrostete Hacke im Unkraut, ich habe sie vorhin noch gesehen.« Er brachte Schaufel und Hacke der Jungen herbei. Indianer-Joe nahm die Hacke, sah sie einen Augenblick kopfschüttelnd an, murmelte etwas und begann dann zu graben.

Die Kiste war bald freigelegt. Sie war nicht sehr groß, aber mit Eisenreifen beschlagen und musste sehr stark gewesen sein, ehe sie der Zahn der Zeit zerfressen hatte.

Die beiden betrachteten den Schatz eine ganze Weile in seligem Schweigen.

»Junge, Junge, da sind Tausende drin.«

»Es heißt immer, dass Murrels Bande hier mal einen Sommer lang gehaust hat«, sagte der Fremde.

»Ich weiß«, erwiderte Indianer-Joe, »und das sieht ja ganz danach aus, scheint mir.«

»Jetzt brauchen wir dein Ding nicht mehr zu drehen.«

Indianer-Joe runzelte die Stirn und sagte:

»Du kennst mich schlecht. Wenigstens scheinst du nicht zu wissen, um was es sich handelt. Das Stück ist nicht bloß Raub, es ist Rache, Rache!«

Ein böses Licht flammte in seinen Augen auf. »Ich werde dich brauchen dabei. Das muss erst erledigt sein, dann – Texas! Jetzt los, geh nach Hause zu deiner Henne und deinen Küken und warte, bis du von mir hörst.«

»Meinetwegen, wenn du willst. Aber was machen wir mit dem da? Wieder vergraben?«

»Natürlich!« – Himmelhohe Begeisterung oben. – »Halt! Zum Teufel! Nein!« – Tiefste Verzweiflung oben. »Ich habe ja ganz vergessen, an der Hacke klebt frische Erde!« – Im Augenblick waren die Jungen krank vor Schreck. – »Wo kommen denn überhaupt die Hacke und die Schaufel her? Noch dazu mit frischer Erde dran? Wer hat sie hergebracht? Und wo sind die Leute hin? Hast du jemand gesehen oder gehört? Natürlich, vergraben, damit sie wieder kommen und den Boden frisch aufgegraben sehen. So haben wir nicht gewettet! Bringen wir's rüber in mein Versteck.«

»Natürlich. Daran hätte ich auch denken können. Du meinst doch Nummer eins?«

»Nein, Nummer zwei. Unter dem Kreuz. Der andere Platz taugt nichts. Ist zu öffentlich.«

»Mir auch recht. Jetzt ist es übrigens dunkel genug, um loszuziehen.«

Indianer-Joe stand auf, ging von Fenster zu Fenster und sah vorsichtig hinaus. Plötzlich sagte er:

»Wer bloß das Gerät hierher gebracht hat? Glaubst du, dass sie hinaufgegangen sind?«

Den Jungen stockte der Atem. Indianer-Joe nahm den Dolch in die Hand, schwankte einen Augenblick unentschlossen und fing dann an die Treppe heraufzusteigen. Die Jungen dachten an das Kämmerchen, aber alle Kraft hatte sie verlassen. Die Schritte kamen die Treppe herauf. Die verzweifelte Not ihrer Lage weckte die gelähmte Entschlusskraft der Jungen wieder und sie waren gerade im Begriff in die Kammer zu springen, als ein Krachen von morschem Holz ertönte und Indianer-Joe mitten unter den Trümmern der eingestürzten Treppe auf dem Boden lag. Fluchend arbeitete er sich hoch; sein Spießgeselle sagte:

»Wozu das alles? Wenn jemand oben ist, lass ihn doch sitzen. Wen stört das denn? Wenn sie Lust haben, herunterzuspringen und sich den Hals zu brechen, meinetwegen. In fünfzehn Minuten ist es dunkel, und dann sollen sie uns einmal nachkommen, wenn sie wollen. Ich habe nichts dagegen. Meiner Ansicht nach, wenn jemand die Dinger hergebracht und uns gesehen hat, dann hat er uns sicher für Geister oder Teufel gehalten. Ich wette, der rennt jetzt noch vor Angst.«

Joe brummte, aber schließlich gab er zu, dass man das letzte Tageslicht noch ausnutzen müsse, um alles zusammenzupacken. Bald darauf schlichen sie aus dem Haus und gingen im letzten Schein der Dämmerung mit ihrer kostbaren Kiste dem Fluss zu.

Noch schwach vor Schreck, aber doch ungeheuer erleichtert, standen Tom und Huck auf und sahen ihnen durch die Löcher im Gebälk nach. Hinterhergehen? Ausgeschlossen; sie waren zufrieden, als sie mit ganzen Knochen auf dem Boden gelandet waren, und nahmen den kürzesten Weg zur Stadt.

Sie sprachen nicht viel, sie waren zu ärgerlich über sich selbst, dass sie die Schaufel und Hacke stehen gelassen hatten. Ohne dieses Pech hätte Indianer-Joe niemals Verdacht geschöpft. Er hätte das Silber zusammen mit dem Gold vergraben, bis sein Ding gedreht war, und wäre an den leeren Platz zurückgekommen. Wie dumm, dass sie die Geräte überhaupt mitgenommen hatten. Sie beschlossen, den Spanier scharf zu beobachten, wenn er wieder in die Stadt käme, um seine Rachepläne auszuführen. Sie wollten ihm nach »Nummer zwei« nachschleichen, wo es auch sein mochte.

Plötzlich durchfuhr Tom ein schauerlicher Gedanke.

»Rache? Huck, wenn er uns meint?«

»Hör auf!«, sagte Huck und versank beinahe in die Erde. Sie berieten hin und her, und als sie die ersten Häuser erreicht hatten, waren sie sich einig, dass er wahrscheinlich jemand anderen meinte. Zumindest dass er von ihnen nur Tom allein meinen konnte, weil nur Tom ausgesagt hatte. Ein schwacher Trost für ihn, allein in Gefahr zu sein. Gesellschaft, dachte er, wäre doch wenigstens ein gewisser Halt gewesen.

28

Das Abenteuer des Tages beunruhigte in dieser Nacht Toms Träume. Viermal hielt er den Schatz in den Händen und viermal zerrann er ihm unter den Fingern. Erst das Erwachen brachte ihm wieder die harte Wirklichkeit seines Missgeschicks zum Bewusstsein. Als er aber am frühen Morgen die einzelnen Vorfälle seines großen Abenteuers überdachte, schienen sie ihm seltsam unwirklich und weit entfernt, fast als ob sie in einer anderen Welt oder in längst vergangenen Zeiten geschehen wären.

Dann kam ihm plötzlich der Gedanke, das ganze Abenteuer könnte ein Traum gewesen sein. Das hatte viel für sich, denn die Menge Geldes, die er gesehen hatte, war viel zu groß, als dass es sie in Wirklichkeit geben konnte. Er hatte noch nie fünfzig Dollar auf einem Haufen gesehen, und er war darin genauso wie alle anderen Jungen seines Alters, dass er glaubte, »Hunderte« und »Tausende« wären nur poesievolle Ausschmückungen beim Reden, aber in Wirklichkeit gäbe es nirgends auf der Welt solche Summen. Keinen Augenblick hätte er es für möglich gehalten, dass ein Mensch eine so große Summe wie hundert Dollar besitzen könnte. Hätte man ihn gefragt, was er sich unter dem Schatz, den er gesehen hatte, eigentlich vorstelle, so wäre herausgekommen, dass er an eine Handvoll richtiger Münzen, sonst aber nur an eine Menge glänzenden, unbestimmten, ungreifbaren Reichtums glaubte. Je mehr er aber über die Einzelheiten dieses Ereignisses nachdachte, desto schärfer und deutlicher wurden sie ihm, und endlich neigte er zu der Ansicht, es könnte eigentlich doch kein Traum gewesen sein. Jedenfalls musste die Unsicherheit beseitigt werden. Er schlang das Frühstück hastig hinunter und ging fort, um Huck zu suchen.

Huck saß auf dem Rand eines kleinen Bootes, ließ die Füße ins Wasser baumeln und sah sehr schwermütig aus. Tom entschloss sich zu warten, bis Huck von selbst von der Sache anfing. Fing er nicht an, dann war es eben doch nur ein Traum gewesen.

»Hallo, Huck!«

»Hallo, Tom!«

Schweigen.

»Tom, hätten wir nur das blöde Werkzeug beim toten Baum gelassen, dann wären wir jetzt reich. Wenn ich daran denke ...«

»Dann ist's also doch kein Traum. Das heißt, eigentlich wünschte ich, es wäre einer!«

»Was ist kein Traum?«

»Na, die Sache gestern. Ich hab halb und halb gedacht, ich hätt es geträumt.«

»Traum! Wenn die Treppe nicht zusammengekracht wär, hättest du gesehen, was für ein Traum das war! Ich hab in der Nacht genug geträumt, immerzu habe ich den spanischen Teufel mit dem Pflaster über dem Aug gesehen, wie er mir nachschlich. Krepieren soll er!«

»Nein, nicht krepieren! Finden müssen wir ihn. Das Geld kriegen!«

»Tom, den finden wir nie. So eine Gelegenheit kommt bloß einmal, dann ist es vorbei. Ich jedenfalls würde zu Tode erschrecken, wenn ich ihn zu Gesicht bekäm.«

»Ich auch, aber ich möcht ihn doch sehen und rauskriegen, wo ›Nummer zwei‹ ist.«

»Nummer zwei, ja, ja, ich hab auch schon darüber nachgedacht. Aber ich kann mir nichts drunter vorstellen. Was glaubst du?«

»Ich glaube gar nichts. Es ist zu rätselhaft. Sag einmal, Huck, es wird doch keine Hausnummer sein, was?«

»Toll! – Nein, Tom, wir haben doch gar keine Hausnummern hier!«

»Stimmt! Mal nachdenken. Wart! Eine Zimmernummer ist es! In einem Gasthaus, weißt du?«

»Klar! 's gibt ja bloß zwei Gasthäuser hier. Das kriegen wir schnell raus.«

»Bleib du einmal hier, Huck, bis ich wiederkomme.«

Tom zog los. In der Öffentlichkeit schätzte er Hucks Gesellschaft nicht besonders.

In einer halben Stunde war Tom zurück. Er hatte herausgefunden, dass in dem besseren Gasthof das Zimmer Nummer zwei an einen jungen Rechtsanwalt vermietet war, der schon lange da wohnte. In dem weniger ansehnlichen Gasthaus aber war Nummer zwei ein Geheimnis. Der Sohn des Gastwirts sagte, es sei immer verschlossen und er hätte noch nie jemanden hineingehen oder herauskommen sehen, außer nachts. Weshalb das so war, wusste er nicht. Er sei ja manchmal neugierig, aber hauptsächlich deshalb, weil er sich einbildete, dass es in dem Zimmer spuke. Übrigens hatte er in der vorigen Nacht ein Licht drinnen gesehen.

»So viel habe ich herausgekriegt. Ich schätze, das ist die ›Nummer zwei‹, die wir suchen.«

»Glaube ich auch, Tom. Was willst du jetzt machen?«

»Lass mich mal nachdenken.«

Tom überlegte lange. Dann entwickelte er einen Plan.

»Pass auf, die Hintertür von Nummer zwei ist die Tür, die da in die kleine Allee hinausführt, zwischen der Wirtschaft und der alten Ziegelei. Jetzt ziehst du los und klaust sämtliche Türschlüssel, die du kriegen kannst, und ich hol die von meiner Tante, und wenn es dunkel wird, gehen wir hin und probieren alle aus. Aber pass auf, ob du den Indianer-Joe siehst, der wollte doch noch einmal in die Stadt kommen, wegen seiner Rache. Sobald du ihn siehst, gehst du hinterher, und wenn er nicht zu der Tür geht, ist es nicht der richtige Platz.«

»Himmel, allein geh ich nicht hinterher.«

»Warum denn nicht, es ist ja Nacht. Er sieht dich gar nicht und wenn schon, er kann sich doch nichts dabei denken.«

»Na ja, wenn es sehr dunkel ist, werd ich vielleicht hinterhergehen – nein, doch nicht, ich tu's nicht – na, ich werd's versuchen.«

»Auf jeden Fall musst du ihm nachgehen, Huck! Vielleicht merkt er, dass nichts wird mit seiner Rache, und dann geht er gleich und holt das Geld.«

»Ja, ja, Tom, stimmt; ich geh nach, ich geh, Ehrenwort!«

»Jetzt redest du vernünftig. Wenn du stark bist, Huck, dann bin ich's auch.«

29

Als die Nacht hereinbrach, waren Tom und Huck für ihr Abenteuer bereit. Bis nach neun Uhr strichen sie um den Gasthof herum. Der eine passte in der Allee auf, der andere bewachte die Vordertür. Kein Mensch kam oder ging durch die Allee und niemand, der dem Spanier ähnlich sah, kam oder ging durch die Gasthaustür. Die Nacht versprach hell zu werden, und Tom ging nach Hause, nachdem sie verabredet hatten, dass Huck, wenn es dunkler würde, bei ihm miauen sollte; dann wollten sie zusammen die Schlüssel probieren. Aber die Nacht blieb klar; Huck gab schließlich seine Wache auf und zog sich in ein leeres Zuckerfass zurück.

Am Dienstag hatten die Jungen das gleiche Pech. Am Mittwoch war es nicht besser. Aber Donnerstag war die Nacht dunkel. Tom kletterte aus dem Haus, mit einer alten Blechlaterne seiner Tante und einem Handtuch zum Abblenden bewaffnet. Er ließ die Laterne in Hucks Zuckerfass und die Wache begann. Eine Stunde vor Mitternacht wurde die Schenke geschlossen und ihre Lichter, die einzigen ringsum, wurden gelöscht. Kein Spanier hatte sich gezeigt. Niemand war durch die Allee gekommen oder gegangen. Alles sah günstig aus. Es herrschte vollkommene Dunkelheit und die lautlose Stille wurde nur ab und zu durch ein fernes Donnergrollen unterbrochen.

Tom holte die Laterne, zündete sie im Fass an und wickelte das Handtuch herum. Dann schlichen die beiden in der Finsternis auf den Gasthof zu. Huck stand Schmiere und Tom tappte sich die Allee entlang.

Lange Zeit lastete die Angst des Wartens auf Huck. Er wünschte, er könnte einen Schein der Laterne sehen. Er wäre tief erschrocken, aber er hätte doch wenigstens gewusst, dass Tom noch am Leben war.

Es schienen Stunden vergangen zu sein, seit Tom verschwunden war. Vielleicht war er ohnmächtig, vielleicht sogar tot. Vielleicht war ihm vor Schreck und Aufregung das Herz gebrochen. Die Angst trieb Huck immer näher zu der Allee hin. Er fürchtete sich vor allen möglichen grauenhaften Dingen und jeden Augenblick erwartete er eine Katastrophe, die ihm den Atem rauben würde. Viel war da zwar nicht zu rauben, denn er konnte schon jetzt kaum noch Luft kriegen, und sein Herz schlug so, dass es bald abgenützt sein musste.

Plötzlich erschien ein Lichtschein und Tom raste auf ihn zu. »Lauf!«, keuchte er. »Lauf, lauf!«

Er hätte es nicht zu wiederholen brauchen. Das erste Mal genügte vollkommen, denn ehe das zweite ausgesprochen war, lief Huck schon mit affenartiger Geschwindigkeit. Die beiden hielten nicht eher an, als bis sie am anderen Ende des Ortes in einem verlassenen Schlachthaus angelangt waren. Gerade als sie unter dem rettenden Dach waren, brach der Sturm los und Ströme von Regen prasselten herunter. Sobald Tom wieder zu Atem gekommen war, berichtete er:

»Huck, es war furchtbar! Ich hab zwei von den Schlüsseln so leise ausprobiert, wie ich konnte, aber sie machten einen solchen Krawall, dass ich vor Angst keine Luft bekommen hab. Aber das Schloss ging nicht auf. Und dann, ich weiß nicht recht, wieso, fass ich plötzlich an die Klinke, und die Tür geht auf! Sie war überhaupt nicht verschlossen. Ich nichts wie hinein und nehm das Handtuch runter und – großer Gott …!«

»Was denn? Was war denn da?«

»Huck! Beinahe wär ich dem Indianer-Joe auf die Hand getreten!« »Waas?«

»Ja. Er lag auf der Erde und schlief fest, die Arme ausgestreckt und mit dem schwarzen Pflaster auf dem Auge.«

»Herrgott, was hast du denn gemacht? Ist er aufgewacht?«

»Nein, nicht gerührt hat er sich. Betrunken, glaube ich. Ich habe bloß mein Handtuch genommen – und los!«

»An das Handtuch hätt ich sicher nicht gedacht.«

»Aber ich! Meine Tante würde mir schön kommen, wenn ich's verloren hätt!«

»Sag mal, Tom, hast du die Kiste gesehen?«

»Huck, so viel Zeit hab ich gar nicht gehabt. Ich hab keine Kiste und kein Kreuz gesehen. Ich hab überhaupt nichts gesehen als eine Flasche und einen Becher auf der Erde neben dem Indianer-Joe. Ja, und dann hab ich zwei Fässer und noch 'ne Menge Flaschen gesehen. Weißt du jetzt, was da drinnen spukt, in dem Zimmer?«

»Wieso denn?«

»Na, da spukt Whisky drin, Whisky, Huck! Ob wohl alle Abstinenzlerbuden so ein Spukzimmer haben?«

»Kann schon sein. Na, so was! Du, Tom, wenn der Indianer-Joe besoffen ist, ist es doch die beste Zeit die Kiste zu holen.«

»Meinetwegen, du kannst es ja versuchen.«

Huck schauderte.

»Nein, ja, ich glaub doch nicht.«

»Ich glaub auch nicht, Huck. Eine Flasche ist für den Indianer-Joe nicht genug. Wenn da drei liegen würden, würd ich es vielleicht tun.«

Es folgte eine lange Pause. Beide dachten nach. Dann sagte Tom: »Pass mal auf, Huck, wir können doch nichts machen, bevor wir nicht wissen, dass der Indianer-Joe weg ist, es ist zu gefährlich. Wenn wir jede Nacht aufpassen, sehen wir ihn todsicher mal rausgehen und dann haben wir die Kiste.«

»Gut, einverstanden. Ich will gern die ganze Nacht Wache stehen, und meinetwegen jede Nacht, bloß das andere musst du machen.« »Mach ich auch. Du hast nichts zu tun, als vor unser Haus zu kommen und zu miauen. Wenn ich schlaf, musst du Sand gegen das Fenster werfen; dann komm ich raus.«

»Abgemacht. «

»Huck, ich muss jetzt nach Hause, das Gewitter ist vorbei. In ein paar Stunden ist es Tag. Gehst du wieder zurück und hältst dort Wache?«

»Natürlich, Tom, ich hab es doch versprochen. Ich bewach das Haus, und wenn es ein Jahr dauert. Ich muss eben bei Tag schlafen und nachts aufpassen.«

»Recht so, aber wo willst du denn schlafen?«

»Auf Ben Rogers Heuboden. Er lässt mich schon und

der Nigger von seinem Vater, Onkel Jack, der sagt auch nichts. Für den hol ich immer Wasser und er gibt mir auch zu essen, wenn er was übrig hat.«

»Ist gut, Huck, wenn ich dich bei Tag nicht brauch, lass ich dich schlafen. Ich stör dich erst gar nicht. Und wenn du nachts irgendwas merkst, kommst du gleich bei mir vorbei und miaust.«

30

Das Erste, was Tom am Freitagmorgen hörte, war eine angenehme Neuigkeit: Richter Thatcher war am Abend mit seiner Familie in die Stadt zurückgekommen. Indianer-Joe und Schatzgräberei sanken für den Augenblick zu nebensächlichen Erscheinungen herab und Becky nahm wieder den ersten Platz in Toms Herzen ein. Er sah sie, und sie verlebten wunderbare Stunden, als sie mit Schulkameraden »Blinde Kuh« oder »Verstecken« spielten. Die Krönung des Tages aber war, als Beckys Mutter endlich einwilligte, am nächsten Tag die lang versprochene und lang aufgeschobene Gesellschaft zu geben. Beckys Entzücken war grenzenlos und das von Tom nicht minder.

Noch vor Sonnenuntergang wurden die Einladungen ausgeschickt und sofort verfiel die Jugend des Ortes in fieberhafte Vorbereitung und angenehme Vorfreude.

Tom hielt die Aufregung lange wach und er wartete immerzu auf Hucks »Miau«. Er dachte sich aus, wie er den Schatz heute Nacht heben und morgen Becky und die ganze Gesellschaft in Erstaunen setzen würde, aber er wurde enttäuscht. In dieser Nacht kam kein Signal.

Langsam schlich der Morgen dahin und wollte gar nicht vergehen. Endlich, um zehn oder elf Uhr versammelte sich bei Thatchers eine lustige, lachende Gesellschaft. Alles war zum Aufbruch bereit. Die Eltern hatten nicht die schlechte Angewohnheit, Ausflüge der Jugend durch ihre Gegenwart zu stören. Man hielt die Kinder unter dem Schutz einiger junger Damen um die zwanzig für vollkommen sicher.

Man hatte das alte Fährschiff gemietet und bald zog die lustige Bande, beladen mit Vorratskörben, die Hauptstraße hinunter zum Fluss. Sid war krank und konnte nicht mit, Mary blieb zu Hause, um ihn zu pflegen. Das Letzte, was Frau Thatcher zu Becky sagte, war: »Es wird wohl ziemlich spät werden, vielleicht übernachtest du lieber bei einem der Mädchen, die nahe an der Landungsstelle wohnen, mein Kind.«

»Dann will ich bei Suse Harper bleiben, Mama.«

»Schön. Benimm dich ordentlich, dass ich keine Klagen hör.«

Unterwegs sagte Tom zu Becky: »Du, ich weiß, was wir machen. Wir gehen nicht zu Harper, sondern wir klettern auf den Hügel und bleiben bei der Witwe Douglas. Da gibt's Eis! Beinahe jeden Tag hat sie Eis, ganze Haufen! Die freut sich furchtbar, wenn wir kommen!«

»Au ja, das wird fein.«

Becky überlegte einen Augenblick und sagte dann:

»Aber was wird die Mama dazu sagen?«

»Die erfährt es doch nicht.«

Das Mädchen wälzte diesen Gedanken in seinem Kopf hin und her und sagte dann zögernd:

»Ich glaube, es ist sehr schlecht – aber …«

»Ach, was! Deine Mutter weiß es nicht und was ist denn schon dabei? Sie will doch bloß, dass du in Sicherheit bist.

Ich wett, hätt sie daran gedacht, sie hätt selbst gesagt, du sollst hingehen. Ganz bestimmt hätt sie es gesagt.«

Die freigebige Gastfreundschaft der Witwe Douglas war eine große Versuchung und sie siegte schließlich im Verein mit Toms Überredungskünsten. Es wurde beschlossen, niemandem etwas von dem nächtlichen Programm zu verraten.

Plötzlich kam Tom der Gedanke, am Ende könnte Huck in der Nacht kommen und das Signal geben. Das raubte ihm einen Teil seiner Vorfreude. Aber er brachte es nicht fertig, auf den Spaß bei der Witwe Douglas zu verzichten. Und warum sollte er eigentlich darauf verzichten, sagte er sich, das Signal war in der vorigen Nacht nicht gekommen, und es war absolut nicht einzusehen, warum es gerade in dieser Nacht kommen sollte.

Das sichere Vergnügen des Abends triumphierte über die unsicheren Aussichten der Nacht; und, wie Jungen schon sind, er gab der stärkeren Neigung nach und beschloss, bis zum nächsten Tag nicht mehr an die Geldkiste zu denken.

Drei Meilen unterhalb des Städtchens stoppte das Fährboot in einer bewaldeten Bucht und drehte bei. Die Menge schwärmte an Land und bald hallten die Wälder ringsum von Geschrei und Lachen wider.

Sämtliche Möglichkeiten, erhitzt und müde zu werden, wurden gründlich wahrgenommen und erst allmählich sammelten sich die Kinder wieder im Lager. Alle brachten einen respektablen Hunger mit und stürzten sich mit Genuss auf das mitgebrachte Essen. Dann lagen sie im Schatten umher, ruhten sich aus und schwatzten.

Plötzlich rief einer der Jungen: »Wer geht mit mir zur Höhle?« Alle gingen mit. Ein paar Bündel Kerzen wurden hervorgeholt, dann stiegen sie den Weg hinauf, denn der Eingang der Höhle lag oben auf dem Berg. Die massive Eichentür stand offen. Dahinter lag ein kleiner Raum, kalt wie ein Eiskeller. Die Wände waren aus Kalkstein, kalte Nässe tropfte von ihnen herunter.

Es war romantisch und geheimnisvoll, hier in der tiefen Dämmerung zu stehen und auf das grüne, sonnenbeschienene Tal hinauszublicken. Doch war der Eindruck, den dieses Bild machte, bald verflogen und die Kinder begannen wieder herumzutoben.

Einer zündete eine Kerze an, aber sofort gab es allgemeinen Protest, Verteidigung, Handgemenge und schließlich wurde die Kerze wieder ausgeblasen. Schallendes Gelächter folgte und das Spiel begann von Neuem. Aber auch das hatte ein Ende. Endlich stieg die ganze Prozession im Gänsemarsch den Hauptweg hinunter zur Grotte.

Der flackernde Kerzenschein warf ein schwaches Licht auf die hohen Wände, die sich etwa zwanzig Meter über den Köpfen wölbten. Der Hauptweg war nicht breiter als zwei bis drei Meter. Alle paar Schritte gingen noch engere Seitenwege nach allen Richtungen ab. Die Höhle war ein Labyrinth von einander kreuzenden Gängen und Grotten, die immer wieder zusammenführten und im Nichts endeten. Es hieß, man könnte Tage und Nächte durch das Gewirr der Gänge und Felsspalten wandern, ohne einen Ausgang zu finden. Je weiter man hineinging, desto tiefer kam man in die Erde hinein, und es blieb doch immer das Gleiche: Labyrinth neben Labyrinth. Kein Mensch kannte die Höhle wirklich, denn das war einfach unmöglich. Ein paar junge Leute kannten einen bestimmten Teil, doch man wagte die Grenzen des vertrauten Gebietes nicht zu überschreiten. Tom Sawyer fand sich in der Höhle zurecht wie jeder andere auch.

Ein langes Stück bewegte sich der Zug den Hauptweg entlang, dann schlüpften Gruppen oder Paare in die Seitenstraßen hinein, flohen durch die finsteren Gänge auseinander und erschreckten einander dann an Stellen, wo die Korridore wieder zusammenkamen. Man konnte sich bis zu einer halben Stunde vor den anderen verstecken, ohne über das bekannte Gebiet hinauszugehen.

Allmählich kam eine Gruppe nach der anderen wieder zum Ausgang zurück, mit Ton beschmiert und restlos begeistert von dem Erfolg des schönen Tages. Sie waren erstaunt zu sehen, dass es inzwischen fast Nacht geworden war. Die Fährglocke hatte bereits die längste Zeit gerufen. Doch alle fanden diesen Abschluss eines abenteuerreichen Tages schön und romantisch.

Als das Fährboot mit seiner lärmenden Fracht in den Strom drehte, kümmerte sich kein Mensch um die vergeudete Zeit, mit Ausnahme des Kapitäns.

Als dann die Lichter des Fährbootes an der Mole vorüberglitten, war Huck schon auf seinem Posten. Er hörte kein Geräusch an Bord, denn die jungen Leute waren still geworden, so still wie eben Menschen, die todmüde sind. Er wunderte sich, was das wohl für ein Boot war und warum es nicht an der Mole stoppte. Aber bald hatte er das alles vergessen und wandte sich aufmerksam seiner Aufgabe zu. Die Nacht war wolkig und dunkel. Gegen zehn Uhr hörte das Geräusch der Fuhrwerke auf, ringsum erloschen die Laternen und die letzten Fußgänger verschwanden. Die Stadt ging zur Ruhe und ließ den Wächter allein mit der Stille und den Gespenstern.

Es schlug elf. Auch die Lichter der Schenke wurden gelöscht. Ringsum herrschte Finsternis. Huck wartete eine unerträglich lange Zeit, aber nichts geschah. Sein Glaube begann zu schwanken. Hatte die ganze Sache wirklich einen Sinn? War es nicht besser sie aufzugeben und schlafen zu gehen?

Ein Geräusch drang an sein Ohr. Im Augenblick war er ganz Spannung. Die Hintertür öffnete sich leise. Er sprang hinter eine Ecke an der Ziegelei. Im nächsten Augenblick schlichen zwei Männer an ihm vorbei. Der eine hatte etwas unter dem Arm. Die Kiste! Sie brachten also den Schatz in Sicherheit. Sollte er Tom rufen? Unsinn, inzwischen waren die beiden mit der Kiste fort und nie wieder zu finden. Nein, er wollte sich an ihre Fersen heften und ihnen nachschleichen. Die Dunkelheit schützte ihn ja. Er glitt also mit seinen bloßen Füßen wie eine Katze hinter den Männern her und hielt sich immer so dicht hinter ihnen, dass er sie gerade noch sehen konnte.

Drei Häuserblocks weit gingen sie die Straße am Fluss entlang, bogen dann in eine Querstraße und wandten sich dem Pfad zu, der den Cardiff Hill hinaufführte. Den schlugen sie ein. Auf halber Höhe passierten sie ohne stehen zu bleiben das Haus des alten Walisers.

Aha, dachte Huck, sie wollen den Schatz im Steinbruch vergraben. Aber sie machten am Steinbruch nicht halt. Oben auf dem Hügel bogen sie in den engen Fußweg ein und waren sofort im hohen Gebüsch verschwunden. Es war jetzt so dunkel, dass sich Huck näher an sie heranwagte, denn sie konnten ihn unmöglich sehen. Eine Weile trabte er sogar, dann ging er aber wieder langsamer, aus Furcht sie einzuholen.

Schließlich blieb er ganz stehen, um zu horchen. Kein Laut. Er hörte nichts als das Klopfen des eigenen Herzens. Von der anderen Seite des Hügels erklang der Schrei eines Käuzchens. Bedeutungsvoller Laut! Aber keine Fußtritte! Himmel, war denn alles verloren?

Er wollte gerade zu einem neuen Dauerlauf ansetzen, da hörte er, kaum fünf Schritte vor sich, einen Mann husten. Huck schlug das Herz bis an den Hals, aber er beherrschte sich. Zitternd, als hätte er Schüttelfrost, stand er da. Er fühlte sich so schwach, dass er jeden Augenblick umzusinken glaubte. Er wusste jetzt, wo er war. Er befand sich fünf Schritte vom Gartenzaun der Witwe Douglas entfernt.

»Gut«, dachte er, »sollen sie die Kiste nur hier vergraben. Da werden wir sie leicht ausheben können.«

Eine Stimme sprach, eine sehr leise Stimme – Indianer-Joe. »Zum Teufel, es scheint, sie hat Besuch. Da brennt ja noch Licht.«

»Ich sehe keins.«

Das war die Stimme des Fremden aus dem Spukhaus. Der Schreck fuhr Huck bis ins Herz. Das war also der Rachezug! Sein erster Gedanke war Flucht, und zwar so schnell ihn seine Beine tragen konnten. Dann erinnerte er sich daran, dass die Witwe Douglas immer freundlich zu ihm gewesen war. Und jetzt wollten diese Männer sie vielleicht ermorden! Wenn er es nur fertigbrächte, sie zu warnen! Aber er wusste schon, das war nicht möglich. Am Ende würden sie ihn dabei erwischen. Das alles bedachte er in dem Augenblick, der zwischen der Bemerkung des Fremden und der Antwort des Indianer-Joe verstrich.

»Weil dir der Busch im Weg ist. Komm einmal hierher, so, siehst du es jetzt?«

»Ja, ja, sicher hat sie Besuch. Geben wir es lieber auf.«

»Aufgeben? Wo ich für immer aus dem Land geh? Aufgeben, damit ich vielleicht nie wieder Gelegenheit hab? Ich hab dir ja gesagt, aus ihren Moneten mach ich mir nichts. Die kannst du haben. Aber ihr Mann war gemein zu mir, mehr als einmal war er gemein. Und dann war er der Friedensrichter, der mich wegen Landstreicherei eingelocht hat. Aber das ist nicht alles. Es ist noch nicht ein Millionstel von der Rechnung. Er hat mich auspeitschen lassen, durchpeitschen vor dem Gefängnis, vor den Augen der ganzen Stadt, wie einen Nigger! Auspeitschen! Verstehst du? Er ist mir ausgekommen, weil er vorher abgekratzt ist. Aber mit ihr werde ich abrechnen.«

»Du, nicht kaltmachen! Bloß das nicht!«

»Kaltmachen? Wer redet denn von kaltmachen? Wenn er es wäre, dann ja, aber sie nicht. Unsinn, wenn man an einer Frau Rache nimmt, bringt man sie nicht um. Der schlitzt man die Nasenflügel auf – man kerbt ihr die Ohren wie 'ner Sau!«

»Herrgott, das ist ja …«

»Behalte deinen Senf. Es ist sicherer für dich! Ich binde sie am Bett fest. Wenn sie verblutet, ist das nicht meine Sache, ich heule nicht, wenn sie stirbt. Und du wirst mir dabei helfen, Alter, mir zuliebe, dazu habe ich dich mitgebracht. Allein bringe ich es vielleicht nicht fertig. Wenn du kneifen willst, drehe ich dir den Hals um, verstanden? Und wenn ich dich kaltmachen muss, dann schicke ich sie hinterher. Dann wird wenigstens kein Mensch erfahren, wer das Ding hier gedreht hat.«

»Na, wenn es sein muss, dann los. Je schneller, desto besser, mich beutelt's schon.«

»Jetzt, wo Besuch da ist? So, so, Freundchen? Ich trau dir nicht! Nein, wir warten, bis das Licht aus ist. Wir haben ja keine Eile.« Huck ahnte, dass jetzt ein Schweigen entstehen würde, das noch viel schrecklicher war als die mörderische Unterhaltung. Er hielt den Atem an und trat vorsichtig zurück. Er hob den einen Fuß, balancierte ängstlich auf dem anderen, sodass er ein paar Mal beinahe umgekippt wäre, und setzte ihn schließlich unendlich langsam auf den Boden. Dann riskierte er mit derselben Umständlichkeit und Vorsicht den zweiten Schritt, dann den dritten, vierten – da krachte ein Zweig unter seinem Fuß! Der Atem stockte ihm und er lauschte. Kein Laut. Die Stille war vollkommen. Er fühlte sich grenzenlos erleichtert. Zentimeter für Zentimeter vortastend, drehte er sich jetzt um, als ob er ein großes Schiff wäre. Dann schlich er schneller davon. Als er bei dem Steinbruch herauskam, fühlte er sich wieder sicher, nahm die Beine in die Hand und raste los. Er rannte wie der Wind den Berg hinunter, bis er beim Haus des Walisers ankam. Er rüttelte an der Tür. Gleich darauf öffnete sich ein Fenster und der alte Mann und seine beiden kräftigen Söhne steckten die Köpfe aus dem Fenster.

»Was ist denn los?«

»Lassen Sie mich rein, schnell! Ich muss Ihnen was sagen!«

»Wer ist denn da?«

»Huckleberry Finn – rasch doch, lassen Sie mich rein!«

»So, so, Huckleberry Finn. Gerade kein Name, um Türen zu öffnen. Aber lasst ihn rein, Jungens, wir wollen doch sehen, was er auf dem Herzen hat.«

»Aber sagen Sie niemals jemandem, dass ich es gesagt habe!«, waren Hucks erste Worte, als er eintrat. »Bitte sagen Sie nichts, sie bringen mich bestimmt um. Aber die Witwe ist immer so gut zu mir gewesen, deshalb will ich's sagen. Ich sag's aber nur, wenn Sie mir schwören, dass Sie mich niemals verraten.«

»Donnerwetter, da ist anscheinend wirklich was los!«, rief der Alte. »Heraus damit! Von uns sagt es niemand weiter.«

Drei Minuten später stiegen die drei Männer gut bewaffnet den Hügel hinauf und bogen, die Revolver in der Hand, auf den Zehenspitzen in den Fußpfad ein. Huck begleitete sie nicht weiter. Er versteckte sich hinter einem großen Felsen und horchte. Eine schleichende, angsterfüllte Stille folgte, dann krachten plötzlich ein paar Schüsse und ein Mensch schrie auf. Was weiter geschah, wartete Huck nicht ab. Er sprang auf und sauste den Hügel hinunter, so schnell ihn seine Beine tragen wollten.

31

Beim ersten Dämmern des Sonntagmorgens kam Huck den Hügel heraufgeklettert und klopfte leise an die Tür des Walisers. Die Leute schliefen noch, aber nach dem nächtlichen Abenteuer war ihr Schlaf nicht tief. Eine Stimme rief aus dem Fenster:

»Wer ist da?«

Huck antwortete mit leiser, ängstlicher Stimme.

»Bitte lasst mich hinein. Ich bin's, Huck Finn.«

»Das ist ein Name, der diese Tür bei Tag und Nacht öffnet. Willkommen!«

Diese Worte klangen seltsam in den Ohren des kleinen Vagabunden; nie hatte er noch angenehmere gehört. Er konnte sich nicht erinnern, dass ihn jemals ein Mensch willkommen geheißen hätte. Das Tor wurde aufgeschlossen und Huck trat ein. Man schob ihm einen Stuhl hin und der Alte und seine Söhne zogen sich schnell an.

»So, mein Sohn, ich denke, du wirst hungrig sein. Das Frühstück ist bald fertig, und es ist ein ordentliches Frühstück, darauf kannst du dich verlassen. Wir dachten eigentlich, du würdest schon früher kommen und dann die Nacht über hierbleiben.«

»Ich hab furchtbare Angst gehabt«, sagte Huck. »Ich bin davongerannt, wie ich die Pistolen gehört hab, und erst beim Stadtrand bin ich stehen geblieben. Jetzt komm ich aber, weil ich hören will, wie's ausgegangen ist. Ihr wisst schon, was ich mein. Und ich komm vor Tagesanbruch, um nicht den Teufeln da über den Weg zu laufen, auch wenn sie tot sind.«

»Ja, ja, armer Kerl, du siehst ganz so aus, als hättest du eine schlimme Nacht gehabt. Aber hier ist ein Bett für dich, wenn du gefrühstückt hast. Nein, sie sind nicht tot, mein Junge, leider Gottes nicht. Nach deiner Beschreibung haben wir genau gewusst, wo wir sie finden. Bis auf fünf Meter haben wir uns an sie herangeschlichen, ganz leise, auf den Zehenspitzen. Und finster war's wie in einem Keller. Und da – wie wir ganz nah waren, da spür ich, ich muss niesen. Ich hab versucht es zurückzuhalten, aber nichts hat genützt. Ich war vorn, mit der Pistole in der Hand, und wie die Nieserei losgegangen ist, da hab ich geschrien: ›Feuer, Jungens!‹ und knallte auf der Stelle los, wo es raschelte. Die Jungen schossen auch. Die Falotten waren weg wie der Wind und wir hinter ihnen her durch den Wald. Gekriegt haben wir sie nicht. Sie feuerten ein paar Mal, aber die Kugeln pfiffen vorbei, die haben uns nicht getroffen. Als wir sie nicht mehr hören konnten, da haben wir's aufgegeben und sind zum Sheriff hinunter. Der ist mit seinen Leuten gleich losgezogen und die haben das Flussufer abgesucht, und sobald es hell wird, durchkämmt der Sheriff mit ihnen den Wald. Meine Jungen machen natürlich mit. Wenn wir nur eine Beschreibung von den Kerlen hätten, das würde uns schon viel helfen. Aber du hast sie im Dunkeln sicher nicht richtig gesehen, was?«

»Doch, ich habe sie ja schon in der Stadt gesehen und bin ihnen nachgegangen.«

»Famos! Beschreib sie uns mal, mein Junge!«

»Der eine ist der alte taubstumme Spanier, der sich hier paar Mal rumgetrieben hat, der andere ist so ein gemeiner, zerlumpter …« »Weiß schon, Junge, die kennen wir! Traf sie neulich im Wald, hinterm Haus der Witwe, aber die sind gleich ausgerissen. Los, Jungens, zum Sheriff! Hebt euch das Frühstücken für morgen auf.« Die Söhne des Walisers brachen sofort auf.

Als sie aus dem Haus gehen wollten, sprang Huck auf und rief: »Aber bitte erzählt niemandem, dass ich's euch gesagt hab. Bitte, bitte!«

»Natürlich! Wenn du nicht willst, Huck; aber ich glaub, du kannst dich schon sehen lassen mit dem, was du gemacht hast.«

»Nein, bitte, nein! Bitte verratet's nicht!«

Als die beiden jungen Leute fort waren, sagte der Alte:

»Sie verraten es nicht und ich auch nicht. Aber warum soll es denn niemand wissen?«

Huck erklärte nicht viel mehr, als dass er von einem dieser Männer zu viel wusste, dass er alles wüsste, und der würde ihn ganz bestimmt umbringen dafür.

Der Alte versprach nochmals den Mund zu halten und sagte dann: »Wie bist du denn draufgekommen, die Kerle zu verfolgen? Haben sie denn so verdächtig ausgesehen?«

Huck schwieg und legte sich eine vorsichtige Antwort zurecht. »Ja, sehen Sie, ich bin eben so'n Landstreicher, die Leute sagen's wenigstens und es wird wohl schon stimmen und manchmal lässt's mich dann nicht schlafen, da muss ich immer darüber nachdenken, ob nicht was anderes aus mir werden könnt. So war's eben auch gestern Nacht. Ich konnt nicht schlafen und bin um Mitternacht die Straße entlanggegangen, so ganz in Gedanken. Wie ich an der alten, wackeligen Ziegelei vorbeikomme, bei der Abstinenzlerkneipe, stell ich mich gerade einen Augenblick an die Wand und denk nach, da kommen die beiden Männer ganz dicht an mir vorbei und tragen irgendwas unterm Arm. Da dacht ich, sie hätten was gestohlen. Dann wollt der eine rauchen und der andere hat ihm Feuer gegeben und gerade vor mir sind sie stehen geblieben und das Zündholz hat ihre Gesichter beleuchtet. Der Größere war eben der taubstumme Spanier, das hab ich am weißen Schnurrbart und am Augenpflaster gesehen, und der andere ein zerlumpter, wilder Kerl.«

»Hast du denn bei der Flamme vom Zündholz das alles sehen können?«

Das brachte Huck einen Augenblick aus dem Konzept. Dann sagte er:

»Ach, ich weiß nicht, ich glaub, irgendwie konnt ich's sehen.«

»Also dann gingen sie weiter und du ...«

»Hinterher, ja. Ich wollt doch sehen, was los ist. Sie schlichen so unheimlich und ich bin ihnen nach bis zum Zaun oben.

Da bin ich dann im Dunklen gestanden und der Zerlumpte, der hat gesagt, sie sollen der Witwe nichts tun, aber der Spanier hat geschworen, er wird ihr das Gesicht zerschneiden, genau wie ich's Ihnen gesagt hab.«

»Was? Das hat der Taubstumme gesagt?«

Wieder hatte Huck einen schrecklichen Fehler gemacht.

Er versuchte, was er konnte, um den alten Mann von der richtigen Fährte über den Spanier abzubringen, aber seine Zunge schien beschlossen zu haben, ihn trotz aller Diplomatie immer wieder zu verraten. Er machte verzweifelte Anstrengungen, aus seinem eigenen Netz herauszuschlüpfen, aber der Alte beobachtete ihn scharf und Huck machte Fehler über Fehler.

Schließlich sagte der Waliser:

»Mein Junge, hab doch keine Angst vor mir, ich lass dir doch kein Haar krümmen. Nein, ich werde dich schon in Schutz nehmen. Dieser Spanier ist nicht taubstumm, das hast du verraten, ohne es zu wollen. Und das kannst du nicht wieder zurücknehmen. Du weißt irgendwas über den Spanier, das du nicht sagen willst. Erzähl es mir ruhig, verlass dich auf mich, ich verrate dich nicht.«

Huck blickte dem Alten eine Weile in die ehrlichen Augen, dann beugte er sich vor und flüsterte ihm leise ins Ohr:

»Er ist kein Spanier – er ist der Indianer-Joe!«

Der Waliser fiel beinahe vom Stuhl. Es dauerte eine Weile, bis er die Sprache wiederhatte.

»Dann ist ja alles klar. Ich dachte schon, wie du von Ohrenabschneiden und Nasenschlitzen geredet hast, das wär deine eigene Ausschmückung, aber so ein Indianer kriegt das schon fertig.«

Während des Frühstücks unterhielten sie sich weiter, und der Alte erzählte, dass sie vor dem Zubettgehen noch einmal oben gewesen waren und die Stelle nach Blutspuren abgesucht hätten, aber sie hatten keine gefunden, nur ein Bündel mit …«

»Mit was?«

Wie der Blitz entfuhren diese Worte Hucks bleichen Lippen. Seine Augen waren weit aufgerissen und er wartete mit angehaltenem Atem auf die Antwort. Der Waliser öffnete den Mund, starrte Huck an, stockte drei Sekunden – fünf Sekunden – zehn Sekunden – dann sagte er: »Mit Einbrecherwerkzeug! – Wieso, was hast du denn?«

Huck sank zurück und seufzte, tief, aber restlos glücklich. Kopfschüttelnd sah ihn der Waliser an und wiederholte:

»Na ja, Einbrecherwerkzeug. Das scheint dich zu erleichtern? Aber wieso bist du denn so aufgeregt, was dachtest denn du, was wir finden würden?«

Huck war in der Sackgasse. Die forschenden Augen waren wartend auf ihn gerichtet und er hätte alles in der Welt für eine einleuchtende Antwort gegeben. Nichts fiel ihm ein. Der fragende Blick bohrte sich tiefer und tiefer. Eine sinnlose Antwort schoss ihm durch den Kopf, aber er hatte keine Zeit darüber nachzudenken. Er wagte es, auf gut Glück sie auszusprechen:

»Ich dachte, Gebetbücher.«

Der arme Huck fühlte sich zu sehr in der Falle, um auch nur zu lächeln. Aber der Alte brüllte vor Lachen, sodass es ihn nur so schüttelte, und sagte schließlich, so ein Lachen sei Goldes wert, denn das erspare jedes Mal drei Doktorrechnungen. Dann fügte er hinzu: »Armer, kleiner Kerl, du bist ja ganz bleich und matt. Kein Wunder, dass du ein bisschen aus dem Gleichgewicht kommst, aber das wirst du schon überstehen. Schlaf dich nur richtig aus, dann bist du wieder ganz auf der Höhe, hoff ich.«

Huck ärgerte sich, dass er eine so verdächtige Aufregung gezeigt hatte. Er hatte zwar den Gedanken, dass der Schatz in dem Paket sei, schon aufgegeben, als er das Gespräch oben am Zaun mit angehört hatte. Er hatte es jedoch nur geglaubt und nicht gewusst, und die Erwähnung des gefundenen Bündels hatte im Moment seine Beherrschung ins Wanken gebracht. Aber im Ganzen war er doch froh, dass der kleine Zwischenfall passiert war, denn jetzt gab es keinen Zweifel, dass das Paket nicht jene Kiste war, und er fand seinen Seelenfrieden wieder. Es schien doch alles richtig zu laufen, der Schatz musste noch in Nummer zwei sein, die Männer würde man im Laufe des Tages fangen und einlochen und er und Tom konnten in der Nacht ohne jede Gefahr das Geld holen.

Als sie gerade mit dem Frühstück fertig waren, klopfte es an die Tür. Huck sprang auf, um sich zu verstecken, denn er hatte keine Lust, mit dem gestrigen Ereignis in irgendeine Verbindung gebracht zu werden. Der Waliser ließ mehrere Damen und Herren ein, unter ihnen die Witwe Douglas. Durch die offene Tür bemerkte er, dass die Bürger jetzt scharenweise den Berg heraufkamen, um den Tatort zu besichtigen; die Ereignisse der Nacht hatten sich blitzartig verbreitet. Die Geschichte wurde den Besuchern ausführlich erzählt und die Witwe dankte für ihre Rettung.

»Kein Wort darüber, Madam«, wehrte der Alte ab; »es gibt einen anderen, der Ihren Dank verdient, aber er erlaubt mir nicht, seinen Namen zu nennen. Ich und meine Jungen hätten niemals da sein können, wenn er nicht gekommen wäre.«

Natürlich erregte diese Mitteilung die Neugier so sehr,

dass die Hauptsache fast in Vergessenheit geriet. Aber der Waliser überließ seine Besucher und damit auch die ganze Bürgerschaft weiterhin der Neugier, ohne sein Geheimnis preiszugeben. Als die Witwe schließlich alles andere erfahren hatte, sagte sie:

»Ich habe noch im Bett gelesen und bin dabei eingeschlafen und dann habe ich den ganzen Lärm verschlafen. Warum habt ihr mich denn nicht geweckt?«

»Es war ja nicht nötig. Die Brüder kamen bestimmt nicht wieder und wenn, hatten sie ja keine Werkzeuge mehr. Wozu sollten wir Sie wecken und zu Tode erschrecken? Meine drei Nigger haben den Rest der Nacht bei Ihrem Haus Wache gehalten, gerade sind sie zurückgekommen.«

Es kamen andere Besucher und ein paar Stunden lang musste die Geschichte immer wieder und wieder erzählt werden.

Während der Ferien fiel die Sonntagsschule aus, aber heute waren doch alle früh in der Kirche. Das aufregende Ereignis wurde ausgiebig besprochen. Nach den neuesten Nachrichten hatte man noch immer keine Spur von den Verbrechern entdeckt.

Als die Predigt zu Ende war, ging Mrs Thatcher auf Mrs Harper zu und sagte, während sie zusammen durch den Mittelgang hinausgingen:

»Meine Becky schläft wohl den ganzen Tag? Ich habe mir schon gedacht, dass sie todmüde sein muss.«

»Ihre Becky?«

»Ja«, sagte Mrs. Thatcher erschreckt. »Ist sie denn heute Nacht nicht bei Ihnen geblieben?«

»Nein.«

Mrs Thatcher wurde bleich und sank auf eine Kirchenbank. Gerade kam Tante Polly vorbei und sprach lebhaft mit einer Freundin. »Guten Morgen, Mrs Thatcher«, sagte Tante Polly.

»Guten Morgen, Mrs Harper. Ich habe einmal einen Jungen gehabt, aber der ist weg. Hat mein Tom nicht bei einer von Ihnen übernachtet? Wahrscheinlich hat er jetzt Angst zur Kirche zu kommen. Ich habe noch ein Hühnchen mit ihm zu rupfen.«

Mrs Thatcher schüttelte schwach den Kopf und wurde noch bleicher.

»Bei uns ist er nicht geblieben«, sagte Mrs Harper und sah nun auch beunruhigt aus. Auf Tante Pollys Gesicht trat die Angst.

»Joe Harper, hast du heute früh nicht meinen Tom gesehen?«

»Nein.«

»Wann hast du ihn denn zuletzt gesehen?«

Joe versuchte sich zu erinnern, aber er konnte nichts Bestimmtes sagen. Inzwischen waren die Leute in der Kirche stehen geblieben, flüsternd verbreitete sich das Gerücht und alle Gesichter bekamen einen erschrockenen Ausdruck. Die Kinder und die jungen Lehrer wurden ausgefragt. Keiner hatte Tom oder Becky auf der Rückfahrt an Bord des Fährschiffes gesehen. Es sei ja auch dunkel gewesen, meinten sie, und niemand hätte daran gedacht nachzuforschen, ob jemand fehlte. Ein junger Mann sagte plötzlich, er fürchte, die beiden wären noch in der Höhle!

Mrs Thatcher fiel in Ohnmacht. Tante Polly rang weinend die Hände. Die Schreckenskunde flog von Mund zu Mund, von Gruppe zu Gruppe, von Straße zu Straße und fünf Minuten später läuteten die Glocken Sturm. Die ganze Stadt war auf den Beinen. Das nächtliche Ereignis vom Cardiff Hill war vergessen. Pferde wurden gesattelt, Boote bemannt, das Fährschiff in Betrieb gesetzt und noch ehe eine halbe Stunde vergangen war, strömten zweihundert Mann über Fluss und Straße der Höhle zu. Den ganzen Nachmittag war der Ort wie ausgestorben. Viele Frauen besuchten Tante Polly und Mrs Thatcher und versuchten sie zu trösten. Sie weinten mit ihnen, das war trostreicher als Worte.

Die ganze lange Nacht wartete die ganze Stadt ängstlich auf Nachricht, aber der Morgen brach an und man hatte nichts anderes gehört als »schickt mehr Kerzen« und »schickt Lebensmittel«.

Mrs Thatcher war halb wahnsinnig vor Angst und Tante Polly ebenso. Richter Thatcher sandte zwar hoffnungsvolle und ermutigende Botschaften aus der Höhle, aber sie erweckten kein rechtes Vertrauen.

Am Morgen kam der alte Waliser nach Hause. Er war ganz mit Kerzenwachs betropft und mit Lehm beschmiert und völlig erschöpft. Er fand Huck noch im Bett liegen und hörte ihn im Fieber fantasieren. Da die Ärzte alle in der Höhle waren, holte er die Witwe Douglas, um den Patienten zu behandeln. Sie sagte, sie würde ihr Bestes tun, denn ob er nun gut oder schlecht sei, er sei doch Gottes Geschöpf, und was der Herr erschaffen habe, dürfe man nicht vernachlässigen. Der Waliser meinte, Huck habe auch seine guten Eigenschaften, und die Witwe erwiderte:

»Darauf können Sie sich verlassen. Das ist die Hand des Herrn. Er zieht niemals seine Hand weg. Er sieht auf jedes Geschöpf, das von Ihm kommt.«

Am frühen Vormittag kamen die ersten Gruppen ermüdeter Männer zurück, die anderen suchten weiter. Alles, was man erfahren konnte, war, dass die entlegensten Gänge der Höhle, die man früher nie betreten hatte, durchforscht worden waren, dass jeder Winkel und jede Felsspalte gründlich untersucht wurde. Wenn man durch das Gewirr der Gänge wandere, so sehe man überall Licht vorbeigleiten und höre Pistolenschüsse, die in dem unterirdischen Labyrinth weithin widerhallten. An einer Stelle, weit fort von den Teilen der Höhle, die man sonst besuchte, hatte man die Namen »Becky« und »Tom« mit Kerzenruß an die Felswand geschrieben gefunden. Daneben lag ein Stückchen Band, ganz mit Wachs bekleckst. Mrs Thatcher erkannte das Band und brach von neuem in Tränen aus. Sie sagte, das sei das letzte Andenken, das sie von ihrem Kinde besitze, und kein anderes könnte ihr je so kostbar sein, denn dieses habe ihre Becky berührt, noch kurz vor dem schrecklichen Tod. Manche erzählten, man sehe ab und zu irgendwo in der Ferne ein Lichtpünktchen glimmen, aber wenn man jubelnd dorthin stürze, gäbe es jedes Mal eine schlimme Enttäuschung. Die Kinder waren nicht da, das Licht gehörte einem der Suchenden.

Drei furchtbare Tage und Nächte vergingen und das Städtchen versank in dumpfe Hoffnungslosigkeit. Man hatte zu nichts Lust. Die zufällige Entdeckung, dass der Eigentümer der Abstinenzlerschenke heimlich Schnaps verkaufte, erregte die Öffentlichkeit kaum, so ungeheuerlich diese Tatsache auch war.

Als Huck einmal aufwachte, lenkte er das Gespräch auf Gasthäuser und fragte schließlich, da er das Schlimmste befürchtete, ob man während seiner Krankheit in der Abstinenzlerschenke irgendetwas entdeckt hätte.

»Ja«, sagte die Witwe.

Huck fuhr im Bett hoch und schrie mit wildem Blick:

»Was? Was denn?«

»Schnaps! Der Gasthof ist geschlossen worden. Leg dich doch hin, Kind; wie du mich erschreckt hast.«

»Sagen Sie mir nur noch eins – nur eins, bitte! War es Tom Sawyer, der das gefunden hat?«

»Still, still, Kind, sei still«, schluchzte die Witwe auf. »Ich habe dir doch gesagt, du darfst nicht sprechen. Du bist noch sehr, sehr krank.«

Man hatte also nichts als Schnaps gefunden. Wenn es Gold gewesen wäre, hätte man einen ganz anderen Radau gemacht. So war denn der Schatz für immer verloren, für immer. Weshalb sie wohl weinte? Merkwürdig, dass ihr die Tränen herunterliefen.

Diese Gedanken irrten verschwommen durch Hucks Kopf und unter der Anstrengung, die sie ihn kosteten, schlief er ein.

Mrs Douglas sagte zu sich:

»Da, jetzt schläft er, der arme Kerl. Tom Sawyer und etwas finden. Ach Gott, wenn nur schon Tom Sawyer selbst gefunden wäre. Es hat wirklich kaum noch jemand genug Hoffnung und Kräfte um weiterzusuchen.«

32

Kehren wir nun zu Tom und Becky und ihren Erlebnissen beim Picknick zurück. Sie stapften mit der übrigen Gesellschaft durch die Gänge und besuchten alle berühmten Wunder der Höhle. Die Wunder hatten überschwängliche Namen wie »Der Salon«, »Die Kathedrale«, »Aladdins Palast« und so weiter. Dann beteiligten sich die beiden am allgemeinen Versteckspiel, bis sie müde waren. Darauf wanderten sie einen gewundenen Weg hinunter, hielten die Kerzen hoch und lasen viele Namen, Daten, Adressen und Sprüche, die mit Ruß auf die Felswände gemalt waren. Tief in ihre Unterhaltung versunken, wanderten sie weiter und merkten gar nicht, dass es längst keine Malereien an den Wänden mehr gab. Unter einem überhängenden Felsstück schrieben sie mit Ruß ihre eigenen Namen an die Steinwand und gingen weiter.

Schließlich kamen sie an eine Stelle, wo ein kleines Rinnsal über ein vorstehendes Riff tropfte. Im Laufe der Jahrhunderte hatte das kalkführende Wasser einen kleinen Niagarafall aus schimmerndem Stein gebildet. Tom zwängte sich durch, um den Wasserfall zu Beckys größtem Entzücken von hinten zu erleuchten. Dabei entdeckte er, dass der Wasserfall eine Art natürlicher Treppe verdeckte, die dahinter zwischen engen Wänden hinabführte. Sofort packte ihn der Ehrgeiz des Entdeckers. Er rief Becky, sie machten mit dem Fuß ein Zeichen in den Fels und begaben sich auf Forschungsreise. Kreuz und quer durch die verschiedensten Wege stiegen sie zu den geheimsten Tiefen der Höhle hinab, machten neue Wegzeichen und bogen immer wieder in eine andere Richtung, um der staunenden Welt möglichst viel von den unglaublichen Wundern erzählen zu können.

Sie entdeckten eine geräumige Grotte, von deren Gewölbe eine Menge schimmernder Tropfsteinzapfen von der Länge und dem Umfang eines ganzen Beines herabhingen. Erstaunt bewunderten sie die Pracht und gingen dann durch eine der vielen Wegöffnungen, die dort mündeten, weiter. Sie kamen bald an eine sprudelnde Quelle, deren Bassin ringsum von glitzernden Kristallen eingerahmt war. Sie entsprang der Mitte einer Grotte, deren Wände von unzähligen fantastischen Säulen gestützt wurden. Jahrhunderte hatte das unaufhörlich tropfende Wasser von unten herauf und von oben herunter Kalkstein abgesetzt, bis die Stalaktiten und Stalagmiten in der Mitte zusammentrafen und Säulen bildeten.

Unter der Gewölbedecke hingen Tausende und Abertausende von Fledermäusen. Von den Lichtern aufgeschreckt kamen sie in Scharen heruntergeschwirrt und umflogen kreischend und flügelschlagend die Kerzen. Tom erkannte die Gefahr.

Er packte Becky an der Hand und rannte mit ihr in den nächsten Korridor und nicht zu früh, denn schon hatte eine Fledermaus mit dem Flügel Beckys Licht verlöscht. Die Tiere jagten noch eine Weile hinter ihnen her, aber die Kinder schlugen fortwährend Haken und bogen in jeden Seitenweg ein, der sich ihnen bot, bis die Verfolger endlich ihre Spur verloren.

Tom entdeckte nun einen unterirdischen See, der, wie es im Kerzenlicht schien, sich grenzenlos ausdehnte. Er wollte gern seine Ufer erforschen, beschloss aber doch, erst eine Weile auszuruhen. Sie setzten sich und nun legte sich zum ersten Mal die Grabesstille wie eine feuchtkalte Hand auf das Gemüt der Kinder.

»Tom«, sagte Becky, »ich weiß nicht, aber es kommt mir so lange vor, seit wir die anderen gehört haben.«

»Wenn ich mir's überleg, Becky, so sind wir weit unter den anderen, nördlich oder südlich oder östlich oder sonstwo. Hier können wir sie gar nicht hören.«

Becky erschrak.

»Wie lange wir wohl schon hier unten sind, Tom? Wir wollen lieber umkehren.«

»Ja, 's wär besser, denk ich. Vielleicht wirklich!«

»Findest du den Weg, Tom? Bei mir geht alles durcheinander.«

»Ich glaub, ich würd ihn finden, aber die Fledermäuse! Wenn sie die Kerzen ausmachen, sitzen wir fest. Versuchen wir's lieber, ob wir woanders durchkommen.«

»Dass wir bloß nicht den Weg verlieren. Das wär schrecklich.«

Becky schauderte bei dem Gedanken an diese Möglichkeit. Schweigend gingen sie einen langen Korridor entlang, spähten in jede neue Öffnung, ob sie ihnen vielleicht bekannt vorkäme, aber alle waren fremd. Jedes Mal, wenn Tom Ausschau hielt, forschte Becky in seinem Gesicht nach einem ermutigenden Zeichen und dann sagte er munter:

»Ja, ja, das ist schon richtig. Der ist es nicht, aber wir werden den richtigen gleich haben!«

Doch mit jedem Fehlschlag sank seine Hoffnung, und schließlich bog er aufs Geratewohl in alle möglichen Seitengänge ein in der verzweifelten Hoffnung, schließlich durch Zufall doch noch auf den richtigen Weg zu kommen.

»Alles in Ordnung«, sagte er jedes Mal, aber sein Herz lag ihm wie Blei in der Brust und seine Worte klangen, als hätte er gesagt: »Alles verloren!«

Becky schmiegte sich furchtsam an ihn und kämpfte mit den Tränen. Nicht ganz siegreich übrigens.

»Tom«, sagte sie, »lassen wir doch die Fledermäuse, wir gehen lieber zurück! Es wird immer noch schlimmer.«

Tom blieb stehen.

»Horch!«, sagte er.

Tiefes Schweigen. Die Stille war so groß, dass sie den eigenen Atem hörten. Tom stieß einen Schrei aus, der durch die leeren Gänge hallte und schließlich wie ein Hohngelächter in der Ferne erstarb. »Ach, tu das bloß nicht wieder, Tom«, bat Becky, »es ist zu schrecklich.«

»Schrecklich ist's, Becky, aber weißt du, vielleicht hören sie uns.« Und er schrie wieder.

Das »vielleicht« jagte ihr eisigen Schreck ein, mehr noch als das schauerliche Gelächter, denn es verriet seine völlige Hoffnungslosigkeit. Die Kinder standen und lauschten, aber keine Antwort kam. Tom machte kehrt, aber es dauerte nicht lange, da wurde er unsicher und in Becky verdichtete sich der furchtbare Verdacht: Er konnte den Rückweg nicht finden!

»Tom, du hast ja keine Zeichen gemacht!«

»Ich bin ja so dumm gewesen, Becky, so dumm! Ich hab gar nicht daran gedacht, dass wir vielleicht zurück müssten. Jetzt find ich den Weg nicht. Es ist alles so durcheinander.«

»Tom, Tom! Wir sind verloren, wir sind verloren! Nie, nie kommen wir aus dieser schrecklichen Höhle heraus! Ach, warum sind wir bloß von den anderen fortgegangen!«

Sie sank zu Boden und brach in so verzweifeltes Weinen aus, dass Tom Angst hatte, sie könnte sterben oder den Verstand verlieren. Er setzte sich nieder und legte seine Arme um sie. Sie lehnte ihr Gesicht an seine Brust, umklammerte ihn und stieß laute Klagen aus. Das ferne Echo verzerrte sie zu höhnischem Gelächter. Tom versuchte Becky aufzurichten, aber sie sagte, sie könne nicht mehr. Da fing er an sich selbst zu verfluchen und anzuklagen, dass er sie in eine solche Lage gebracht hatte. Das hatte mehr Erfolg. Sie versprach die Hoffnung nicht aufzugeben, sie werde aufstehen und ihm folgen, wohin er sie führe, wenn er nur erst aufhöre, so zu reden. Er habe doch nicht mehr Schuld als sie selbst.

Sie machten sich wieder auf den Weg, ziellos, nur aufs Geratewohl. Sie konnten nichts anderes tun als immer weiterzugehen – immer weiter. Für eine Weile kehrte die Hoffnung sogar zurück, ohne Grund, nur weil sie das bei jungen Leuten immer zu tun pflegt. Aber etwas später nahm Tom Beckys Kerze und blies sie aus. Diese Sparsamkeit sagte alles. Es bedurfte keiner Worte. Becky verstand, und ihre Hoffnung erstarb wieder. Sie wusste, dass

Tom eine ganze Kerze und drei oder vier Stummel in der Tasche hatte. Und doch musste er sparen.

Allmählich stellte sich die Müdigkeit ein. Die Kinder bemühten sich, nicht darauf zu achten, denn es war zu schrecklich sich niedersetzen zu müssen, während die Zeit immer kostbarer wurde. Gehen, vorwärtsgehen, in irgendeine Richtung, war doch wenigstens ein Fortschritt und konnte sogar Erfolg haben. Aber sich hinsetzen hieß, den Tod einladen und seine Verfolgung abkürzen.

Endlich aber verweigerten Beckys Glieder jeden weiteren Dienst. Sie musste sich setzen. Tom ließ sich neben ihr nieder, sie sprachen von zu Hause, von den Freunden, von den bequemen Betten und vor allem: vom Licht! Becky weinte, Tom versuchte sie zu trösten. Aber seine Ermutigungen waren fadenscheinig und klangen wie Hohn. Becky wurde so müde, dass sie schließlich in Schlaf sank. Tom war froh darüber. Er sah ihr ins Gesicht und bemerkte, wie es über einem schönen Traum immer glatter und fröhlicher wurde, endlich erschien ein Lächeln darauf und blieb.

Das friedliche Gesicht warf auch auf ihn einen Schein von Frieden und Beruhigung und seine Gedanken wanderten fort in vergangene Zeiten und traumhafte Erinnerungen. Er war tief in Nachdenken versunken, als Becky aufwachte. Zuerst lächelte sie noch ein wenig, aber dann erstarb das Lächeln.

»Ach, wie hab ich nur schlafen können! Wär ich bloß nicht wieder aufgewacht. Ach Tom, sieh mich doch nicht so an. Ich will es auch nie wieder sagen.«

»Gut, dass du geschlafen hast, Becky. Du wirst jetzt ausgeruht sein, und wir finden den Weg.«

»Versuchen wir's, Tom. Ich habe im Traum so ein schönes Land gesehen, ich glaub, dorthin kommen wir jetzt.«

»Kann sein, kann schon sein. Nur Mut, Becky, wir versuchen's.«

Sie standen auf und wanderten weiter, Hand in Hand, ohne Hoffnung. Sie versuchten abzuschätzen, wie lange sie schon in der Höhle waren, aber sie wussten nur, dass es ihnen wie Tage oder sogar Wochen vorkam. Es war klar, dass das nicht sein konnte, denn die Kerzen brannten ja noch.

Sie wussten nicht, wie lange sie so gewandert waren, als Tom sagte, sie müssten jetzt leise gehen und nach tropfendem Wasser lauschen, denn sie müssten eine Quelle zum Trinken suchen. Sie fanden auch bald eine, und Tom meinte, sie müssten sich jetzt wieder ausruhen. Beide waren unsagbar müde, Becky aber wollte weitergehen. Zu ihrer Überraschung war Tom anderer Meinung. Sie konnte nicht verstehen, warum sie sich setzten, und Tom befestigte mit etwas Lehm die Kerze an der Felswand. Ihre Gedanken wanderten hin und her. Lange Zeit sagten sie nichts.

Dann brach Becky das Schweigen.

»Tom, ich habe solchen Hunger.«

Tom holte etwas aus seiner Tasche.

»Weißt du noch, was das ist?«, fragte er.

Becky lächelte beinahe.

»Unser Hochzeitskuchen, Tom.«

»Ja, ich wünschte, er wäre so groß wie ein Wagenrad, denn weiter haben wir nichts.«

»Ich habe ihn beim Picknick aufgehoben, Tom, damit wir ein Andenken haben, wie die Erwachsenen es mit ihrem Hochzeitskuchen machen. Jetzt wird es unser ...«

Sie sprach den Gedanken nicht zu Ende. Tom teilte den Kuchen, und Becky aß mit gutem Appetit, während Tom an seiner Hälfte nur herumknabberte. Trinkwasser war genug da, um das Mahl vollkommen zu machen. Dann schlug Becky vor weiterzugehen. Tom war einen Augenblick ruhig.

Dann sagte er:

»Becky, ich muss dir etwas sagen.«

Becky wurde bleich, aber sie meinte, er solle es nur sagen.

»Becky, wir müssen jetzt hierbleiben, wo wir Trinkwasser haben. Der kleine Stummel da ist unsere letzte Kerze.«

Becky schluchzte.

Tom tat, was er konnte, um sie zu trösten, aber ohne rechten Erfolg.

Schließlich sagte Becky:

»Tom!«

»Was denn, Becky?«

»Sie werden uns vermissen und nach uns suchen.«

»Ja, bestimmt werden sie das.«

»Vielleicht suchen sie uns jetzt schon.«

»Klar suchen sie uns. Ich hoff es bestimmt.«

»Wann werden sie uns wohl vermissen, Tom?«

»Wenn sie zur Fähre zurückkommen, denk ich.«

»Aber wenn es nun dunkel ist, Tom, werden sie dann merken, dass wir nicht da sind?«

»Ich weiß nicht. Aber auf jeden Fall merkt es doch deine Mutter, wenn du nicht nach Hause kommst.«

Das Erschrecken in Beckys Augen zeigte Tom, dass er einen Fehler gemacht hatte. Becky sollte doch diese Nacht nicht nach Hause kommen! Wieder schwiegen sie nachdenklich. Dann sagte ein neuer Schmerzensausbruch Tom, dass Becky den gleichen Gedanken hatte wie er: nämlich, dass der halbe Sonntagvormittag vergehen konnte, ehe Mrs Thatcher entdeckte, dass Becky nicht bei Harpers war. Die Kinder sahen starr auf ihr letztes Stück Kerze und beobachteten gespannt, wie es langsam und erbarmungslos dahinschmolz. Zuletzt war noch ein kleiner Stumpf da; die schwache Flamme flackerte, flammte noch einmal auf, und dann brachen die Schrecken der völligen Finsternis herein.

Wie viel Zeit vergangen war, als Becky zum Bewusstsein kam, dass sie in Toms Armen weinte, hätte keiner von beiden sagen können. Alles, was sie wussten, war, dass sie eben beide aus einem unendlich langen, todähnlichen Schlaf erwacht waren und sich ihr ganzes Elend von Neuem vor Augen führten. Tom meinte, es müsse Sonntag sein, vielleicht auch schon Montag. Er versuchte Becky zum Reden zu bringen, aber ihre Verzweiflung war zu groß, alle Hoffnung hatte sie verlassen. Man müsste sie doch längst vermisst haben, versicherte Tom, und die Suche sei gewiss schon längst im Gange. Er wollte laut rufen, vielleicht würde sie jemand hören. Doch als er schrie, klang das ferne Echo in der Dunkelheit so schauerlich, dass er es nicht noch einmal versuchte. Stunden vergingen und der Hunger plagte die Kinder. Ein Stückchen von Toms Kuchenhälfte war noch da. Sie teilten es, aber sie wurden davon nur hungriger.

Auf einmal flüsterte Tom:

»Scht! Hast du gehört?«

Sie hielten den Atem an und lauschten. Ganz ferne erklang ein Laut, der sich wie ein leises, fernes Rufen anhörte. Tom antwortete, nahm Becky an der Hand und zog sie in der Richtung des Schalles durch einen Gang. Der Ton kam wieder und schien etwas näher zu sein.

»Sie sind es!«, rief Tom. »Sie kommen! Komm, Becky, jetzt ist alles gut.«

Die Freude der Gefangenen war überwältigend. Sie kamen nur langsam vorwärts, weil sie sich vor Felsspalten hüten mussten. An einer Stelle mussten sie Halt machen, es konnte eine Felsspalte von einem Meter, vielleicht aber auch hundert sein. Jedenfalls durfte man nicht darüber gehen. Tom legte sich auf den Bauch und fühlte mit dem Arm hinunter, aber er spürte keinen Grund. Es blieb ihnen also nichts übrig als zu warten, bis die anderen kamen. Sie lauschten. Bald stellte sich heraus, dass die Rufe sich wieder entfernten! Und es dauerte nicht lange, da hörten sie ganz auf. Ihr Elend war grenzenlos. Tom schrie, bis er heiser war, doch es half nichts. Er sprach Becky hoffnungsvoll zu, sie warteten eine Ewigkeit, aber alles blieb still, grabesstill.

Die Kinder tappten sich langsam und mühevoll zur Quelle zurück. Die Zeit schleppte sich dahin – endlos. Sie schliefen ein und erwachten hungrig und voll Kummer. Tom glaubte, es müsse schon Dienstag sein.

Plötzlich kam ihm eine Idee. Es gab in der Nähe ein paar Seitenwege. Warum sollte man sie nicht untersuchen, anstatt die endlos dahinschleichende Zeit mit Nichtstun zu verbringen. Er zog eine Drachenleine aus der Tasche, band sie an einem Felsvorsprung fest und machte sich mit Becky auf den Weg. Tom führte und wickelte die Leine ab. Nach zwanzig Schritten endete der Gang wieder in einer Spalte. Tom kniete nieder, tastete nach unten und dann nach den Seiten, so weit er mit den Händen reichen konnte, dann beugte er sich vor, um noch weiter nach der rechten Seite den Boden zu suchen.

In diesem Augenblick erschien hinter einer Ecke, zwanzig Meter vor ihm, eine Hand, die eine Kerze hielt!

Tom erhob ein Freudengeschrei und im selben Moment folgte der Hand der zugehörige Mann: Indianer-Joe!

Tom war wie gelähmt, er konnte sich nicht bewegen. Zu seiner Erleichterung gab der »Spanier« Fersengeld und war im nächsten Augenblick verschwunden. Er wunderte sich, dass Joe nicht seine Stimme erkannt hatte, herübergesprungen war und ihn wegen der Zeugenaussage kaltgemacht hatte. Aber das Echo musste seine Stimme verändert haben. Ganz bestimmt war es so, entschied er. Aber der Schreck war ihm in alle Glieder gefahren. Wenn er nur noch genug Kraft hatte zu der Quelle zurückzukehren, dann würde er dort bleiben, und nichts sollte ihn in Versuchung bringen, noch einmal eine Begegnung mit Indianer-Joe zu riskieren. Er hütete sich Becky zu beichten, was er gesehen hatte. Geschrien habe er nur so, »auf gut Glück«. Aber Hunger und Verzweiflung besiegten schließlich die Furcht und sie kehrten zur Quelle zurück.

Erschöpft schliefen sie ein, um irgendwann mit quälendem Hunger zu erwachen. Tom sagte sich, es müsse Mittwoch oder Donnerstag sein oder gar Freitag oder Sonnabend. Die Nachforschungen hatte man bestimmt längst aufgegeben. Er schlug also vor, einen anderen Seitenweg zu erforschen. Er war bereit, Indianer-Joe und alle anderen Schrecken auf sich zu nehmen.

Becky aber fühlte sich schwach und elend. Sie war ganz apathisch geworden und wollte nicht aufstehen. Sie wollte bleiben, wo sie war, und sterben, sagte sie, und das würde wohl nicht mehr lange dauern. Tom solle nur mit der Drachenleine losgehen und nachforschen, aber er müsse um Gottes willen von Zeit zu Zeit zurückkommen und mit ihr sprechen. Und dann nahm sie ihm das Versprechen ab, bei ihr zu sein, wenn der Tod käme.

Tom küsste sie, während sich ihm die Kehle zuschnürte, und tat so, als wäre er sicher, die Suchenden zu finden oder einen Weg aus der Höhle zu entdecken. Dann nahm er wieder die Drachenleine in die Hand und tastete sich auf allen vieren in einen Seitenweg hinein. Er war halb tot vor Hunger und das Gefühl des nahenden Endes machte ihn krank.

33

Der Dienstagnachmittag kam und die Dämmerung senkte sich nieder. Noch immer trauerte das Städtchen St. Petersburg. Die vermissten Kinder waren nicht gefunden worden. Ein Bittgottesdienst war für sie abgehalten und zahllose stille Gebete für sie gesprochen worden. Aus der Höhle aber kam immer noch keine gute Nachricht. Die Mehrzahl der Suchenden hatte die Nachforschungen aufgegeben und war zu ihren täglichen Beschäftigungen zurückgekehrt. Es sei klar, sagten sie, man würde die Kinder niemals wiederfinden.

Mrs Thatcher war schwer krank und lag in Fieberfantasien. Die Leute sagten, es sei herzzerbrechend, sie nach ihrer Tochter schreien zu hören und zu sehen, wie sie immer den Kopf hob und horchte und dann mit einem Stöhnen zurücksank.

Tante Pollys Schmerz war in stille Schwermut versunken und ihre grauen Haare waren fast weiß geworden. Traurig und hoffnungslos begab sich der Ort am Dienstag Abend zur Ruhe. Mitten in der Nacht begannen plötzlich die Glocken wild zu läuten. Im Augenblick waren die Straßen voll von aufgeregten, halb angekleideten Menschen, die schrien: »Kommt heraus! Kommt, schnell! Sie sind da, sie sind da!«

Im tosenden Lärm sammelten sich die Menschen und

zogen zum Fluss, um die so lange vermissten Kinder zu empfangen, die in einem offenen Wagen von den jubelnden Bürgern zur Stadt zu gezogen wurden. Alles schloss sich ihrem Heimweg an, umdrängte den Wagen und zog schreiend und triumphierend die Hauptstraße herauf.

Der Ort war festlich beleuchtet, niemand wollte wieder zu Bett gehen. Es war die großartigste Nacht, die das Städtchen je erlebt hatte. In der ersten halben Stunde strömte eine Prozession von Besuchern durch das Haus des Richters Thatcher. Jeder wollte die Geretteten sehen, jeder drückte Mrs Thatcher die Hand, versuchte zu sprechen, brachte kein Wort heraus und ging in Tränen wieder fort.

Tante Pollys Glück war vollkommen; Mrs Thatcher war noch nicht ganz glücklich, sie wartete darauf, dass der Bote, den man mit der frohen Botschaft in die Höhle geschickt hatte, mit ihrem Mann zurückkam.

Tom lag auf einem Sofa und hatte um sich einen großen Kreis gespannter Zuhörer. Er erzählte die Geschichte seines wunderbaren Abenteuers und schmückte sie durch eine Menge erhabener Zutaten aus. Er schloss mit der Erzählung, wie er Becky zurückgelassen hatte und allein vorgedrungen war, wie er zwei Gänge verfolgt hatte, bis die Schnur zu Ende war, wie er einen dritten auch bis zum Ende der Drachenleine durchtappt hatte und gerade umkehren wollte, als er ganz fern ein helles Pünktchen erblickte, das wie Tageslicht aussah. Er habe dann die Leine festgemacht und sei weitergekrochen, habe Kopf und Schultern durch ein schmales Loch gezwängt und den breiten Mississippi unter sich vorbeiströmen gesehen. Wenn es zufällig Nacht gewesen wäre, hätte er das Licht nie entdeckt und wäre umgekehrt, ohne den Gang nochmals zu erforschen. Er erzählte, wie er mit der Nachricht zu Becky zurückgekommen sei, und sie habe ihm gesagt, er solle sie nicht mit solchem Unsinn quälen, sie wäre müde und wolle sterben. Er beschrieb, welche Mühe es ihn gekostet hatte, sie zu überzeugen, und wie sie vor Freude fast gestorben sei, als sie von Weitem das Licht sah.

Schließlich sei er aus dem Loch herausgekrochen und habe ihr geholfen nachzukommen und sie seien dagesessen und hätten vor Freude geweint, und dann wären ein paar Männer in einem Boot vorbeigekommen, die hätte Tom gerufen und ihnen ihre Geschichte erzählt und dass sie Hunger hatten. Die Männer wollten die tolle Geschichte zuerst gar nicht glauben, »denn«, so sagten sie, »ihr seid ja bald zehn Kilometer flussabwärts von dem Tal, wo die Höhle liegt«. Dann aber hätten sie sie an Bord genommen, ihnen zu essen gegeben, sie zu einem Haus gerudert und dort ein paar Stunden ruhen lassen. Schließlich hätten sie sie nach Hause gebracht.

Noch vor Tagesanbruch fand man den Richter Thatcher und die Handvoll Sucher in der Höhle auf, die ihren Weg durch Bindfäden bezeichnet hatten, und brachte ihnen die freudige Botschaft. Tom und Becky entdeckten bald, dass sie drei Tage und Nächte voller Mühe und Hunger in der Tiefe verbracht hatten. Sie schliefen fast den ganzen Mittwoch und Donnerstag und schienen immer müder zu werden. Tom ging am Donnerstag ein wenig aus, am Freitag schon in die Stadt hinunter und am Sonnabend war Tom wieder auf dem Damm. Becky aber verließ das Zimmer erst am Sonntag. Sie sah aus, als hätte sie eine schwere Krankheit hinter sich.

Tom erfuhr bald von Hucks Krankheit und besuchte ihn. Aber man konnte ihn nicht in das Krankenzimmer lassen. Auch am Sonnabend und am Sonntag noch nicht. Den Tag darauf ließ man ihn ein, aber er durfte nichts von dem Abenteuer erzählen und überhaupt nichts Aufregendes sprechen. Die Witwe Douglas blieb dabei und passte auf.

Zu Hause hörte Tom von den Ereignissen am Cardiff Hill. Den zerlumpten Mann habe man bald darauf in der Nähe der Landungsstelle tot aus dem Fluss gezogen. Wahrscheinlich sei er bei der Flucht ertrunken.

Vierzehn Tage später suchte Tom Huck wieder auf, der inzwischen kräftig genug war, um aufregende Nachrichten zu vertragen. Und Tom war der Meinung, er habe ihm einiges Interessantes mitzuteilen. Sein Weg führte an Richter Thatchers Haus vorbei und Tom trat ein, um nach Becky zu sehen. Der Richter saß mit ein paar Freunden zusammen und zog Tom ins Gespräch. Jemand fragte ironisch, ob er nicht Lust hätte, wieder einmal in die Höhle zu gehen. Gewiss, meinte Tom, ihm würde es nichts ausmachen.

»Es gibt wohl noch mehr Leute«, sagte der Richter, »die das auch wollen. Aber wir haben jetzt Vorsichtsmaßregeln getroffen. Es wird sich niemand mehr in der Höhle verirren.«

»Wieso?«

»Ich habe vor vierzehn Tagen die dicke Tür ausbessern

lassen und mit eisernen Stäben verstärkt. Sie ist jetzt verschlossen, die Schlüssel habe ich.«

Tom wurde weiß wie ein Laken.

»Was ist denn mit dir, Junge? Hallo, Leute! Schnell ein Glas Wasser!«

Das Wasser wurde gebracht und Tom übers Gesicht gegossen.

»Na also, jetzt bist du wieder in Ordnung«, sagte der Richter, »was war denn los mit dir, Tom?«

»Ach, Herr Richter, in der Höhle ist der Indianer-Joe!«

34

RASCH HATTE SICH die Neuigkeit verbreitet und ein Dutzend Bootsladungen von Männern waren zur Höhle unterwegs. Das Fährboot folgte ihnen, überladen mit Neugierigen. Tom Sawyer war in dem Boot des Richters.

Als das Tor zur Höhle aufgeschlossen wurde, bot sich in dem trüben Zwielicht des Ortes ein jämmerlicher Anblick. Indianer-Joe lag ausgestreckt auf dem Boden, tot, das Gesicht dicht am Türspalt, als hätten seine Augen bis zum letzten Augenblick das Licht der freien Welt da draußen gesucht. Tom war bewegt, denn er wusste aus seiner eigenen Erfahrung, wie sehr dieser Kerl gelitten haben musste. Sein Mitleid regte sich, aber er fühlte zugleich eine unendliche Erleichterung. Erst jetzt kam es ihm zu Bewusstsein, wie drückend die Angst seit dem Tage, an dem er seine Stimme gegen den Verbrecher erhob, auf ihm gelastet hatte.

Neben Indianer-Joe lag sein Jagdmesser mit zerbrochener Klinge. Der große Balken, der als Türschwelle diente, war eingekerbt und zerschnitzt, eine langwierige und vergebliche Arbeit, denn von außen bildete der Felsen eine Schwelle, und an diesem Material musste jedes Messer in Stücke gehen. Aber auch ohne die steinerne Barriere wäre die Arbeit umsonst gewesen: Selbst wenn er den Balken durchbohrt hätte, seinen Körper hätte Indianer-Joe niemals durchzwängen können. Das musste er wohl gewusst haben und das Schnitzen an der Tür war wohl mehr ein Tun der Verzweiflung gewesen.

Sonst fand man in diesem Vorraum immer Dutzende von Kerzenstumpfen in den Felsenritzen stecken, die die Besucher dort zurückgelassen hatten; jetzt war keine einzige mehr da, denn der Gefangene hatte sie heruntergeschlungen. Er hatte auch ein paar Fledermäuse gejagt und gegessen, wie die umherliegenden Knochen bewiesen. Schließlich aber war der Unglückliche doch vor Hunger gestorben.

In der Nähe fand man einen Stalagmiten, der durch das jahrhundertelange Tropfen des Wassers aus dem Boden gewachsen war. Der Gefangene hatte von ihm eine Zacke abgebrochen und auf den Stumpf einen ausgehöhlten Stein gelegt, um die kostbaren Tropfen aufzufangen. Alle zwanzig Minuten fiel ein Tropfen, mit der Genauigkeit einer Uhr, und in vierundzwanzig Stunden war etwa ein Esslöffel voll Wasser da. Diese Tropfen fielen schon, als die Pyramiden erbaut wurden, als Troja fiel und als Rom erbaut, als Christus gekreuzigt wurde, als Wilhelm der Eroberer das Britische Reich gründete, als Kolumbus nach Amerika segelte und als die Freiheitsschlacht von Lexington in aller Munde war. Er fällt noch immer, er wird noch fallen, wenn unsere Zeit längst in Vergessenheit geraten ist. Seit Tausenden Jahren tropfte das Wasser auf diesen Stein, als der Sterbende seinen letzten Durst damit löschte. Seit diesem Ereignis aber steht »der Becher des Indianer-Joe« ganz oben auf der Liste der Sehenswürdigkeiten der Höhle von St. Petersburg und selbst »Aladdins Palast« lockt nicht so viele Touristen an wie dieser Stein.

Indianer-Joe wurde in der Nähe des Höhleneinganges begraben. Zu seiner Beerdigung strömte das Volk in Booten und Wagen, zu Fuß und zu Pferde aus allen Städten, Dörfern, Farmen und Ansiedlungen im Umkreis von vielen Kilometern herbei. Man brachte Frauen und Kinder mit, und alle erklärten, dieses großartige Begräbnis sei fast ebenso befriedigend, als wäre Indianer-Joe gehängt worden.

Am nächsten Morgen ging Tom zu Huck und lud ihn zu einer wichtigen Unterredung ein. Huck hatte inzwischen von dem Waliser und der Witwe die Geschichte von Toms Abenteuer gehört. Aber Tom erklärte, es gäbe da einen Punkt, über den sie ihm bestimmt nicht berichtet hätten, darüber wolle er jetzt mit ihm sprechen. Als sie im Freien waren, sagte Huck mit finsterem Gesicht: »Ich weiß schon, was das ist. Du bist in Nummer zwei gewesen und hast nichts als Schnaps gefunden. Es hat mir zwar niemand gesagt, dass du es warst, aber ich hab's mir gleich gedacht, wie ich von der Schnapsgeschichte gehört hab. Ich hab auch gleich gewusst, dass du das Geld nicht gefunden hast, sonst hättst du mir's schon irgendwie gesagt, auch wenn du sonst niemand was erzählt hättst. Ach, Tom, irgendwie hab ich's immer gewusst, dass wir die Moneten nie kriegen werden.«

»Wieso denn, Huck, ich habe den Wirt nicht verraten. Du weißt doch, dass die Kneipe offen war, wie ich an dem Sonnabend zum Picknick gegangen bin. Erinnerst du dich nicht mehr, dass du die Nacht über Wache halten solltest?«

»Ach ja! Mir kommt's vor, als wär's ein Jahr her. Das

war doch die Nacht, wo ich den Indianer-Joe hier auf den Berg verfolgt hab.« »Du hast ihn verfolgt?«

»Ja, aber halt den Mund. Ich schätze, der Indianer-Joe hat Freunde hinterlassen. Ich hab keine Lust, mir die auf den Hals zu hetzen. Wenn ich nicht gewesen wär, wär er jetzt in Texas.«

Im strengsten Vertrauen schilderte Huck nun dem Freund sein Abenteuer.

»Ja, ja«, seufzte Huck dann, auf die Hauptsache zurückkommend, »wer den Schnaps gefunden hat, der hat auch das Geld. Jedenfalls sind wir's los, Tom.«

»Huck, das Geld war niemals in Nummer zwei!«

»Was?«

Huck starrte ihn mit aufgerissenen Augen an.

»Tom, hast du wieder 'ne Spur gefunden?«

»Es ist in der Höhle, Huck!«

Hucks Augen wurden noch größer.

»Sag's noch mal!«

»Das Geld ist in der Höhle!«

»Tom, auf Ehrenwort – Spaß oder Ernst?«

»Ernst. So ernst wie nur irgendwas. Kommst du mit, es herauszuholen?«

»Selbstverständlich, wenn wir reinkommen, ohne den Weg zu verlieren.«

»Ach, das können wir ohne die geringste Gefahr.«

»Gemacht! Wieso glaubst du denn, dass das Geld ...«

»Wart, bis wir drin sind, Huck. Wenn wir's nicht finden, geb ich dir meine Trommel und überhaupt alles, was ich hab. Ehrenwort!«

»Abgemacht. Wann geht's los?«

»Wenn du willst, jetzt gleich. Bist du stark genug?«

»Ist es sehr tief drin in der Höhle? Ich bin ja schon seit drei, vier Tagen wieder auf den Beinen, aber ich glaub, sehr weit komm ich nicht.«

»Auf dem Weg, den die anderen gehen, ist es fünf Meilen, aber ich weiß einen ganz kurzen Weg, den sonst überhaupt niemand kennt. Ich bring dich mit dem Boot hin. Auf dem Hinweg lassen wir's treiben und zurück ruder ich allein. Du brauchst keinen Finger zu rühren.«

»Gehen wir gleich los, Tom!«

»Schön. Aber wir brauchen Brot und Fleisch und unsere Pfeifen müssen wir mitnehmen und ein paar leere Säcke und zwei oder drei Drachenleinen und Zündhölzer. Ich kann dir sagen, oft genug hab ich mir neulich gewünscht, dass ich die hätte.«

Bald nach dem Essen borgten sich die Jungen von einem Nachbarn, der gerade nicht da war, ein Boot aus und machten sich auf den Weg. Ein paar Meilen unterhalb der Mündung des »Höhlentales« sagte Tom:

»Siehst du, das ganze Ufer schaut gleich aus, kein Haus, kein Wald, bloß Gebüsch. Aber siehst du den weißen Flecken da oben, wo die Böschung abgerutscht ist? Das ist eines von meinen Zeichen. Jetzt gehen wir an Land.«

Sie legten an.

»Huck, von hier, wo wir jetzt stehen, kannst du das Loch, wo ich rausgekrochen bin, mit der Angelrute erreichen. Sieh mal zu, ob du es findest.«

Huck suchte den ganzen Platz ab, aber er fand nichts. Da marschierte Tom stolz auf einen dichten Haufen von Sträuchern zu und sagte: »Hier ist's! Schau mal her, Huck.

Aber dass du den Mund hältst! Das ist das feinste Versteck, das es gibt! Immer schon wollt ich Räuber werden, aber ich hab nie eine richtige Räuberhöhle gehabt, wo man sich verstecken kann, wenn's brenzlig wird. Jetzt haben wir eine. Wir wollen sie nicht verraten, bloß Joe Harper und Ben Rogers lassen wir hinein, denn wir müssen eine Bande gründen, sonst läuft die Sache nicht nach dem Gesetz. Tom Sawyers Bande! Klingt gut, was?«

»Tatsächlich, Tom. Aber wen wollen wir denn berauben?«

»Ach, wer grad kommt. Den Leuten auflauern. So macht man's immer.«

»Und kaltmachen.«

»Nein! Wenigstens nicht immer. Wir sperren sie hier in die Höhle, bis sie Lösegeld zahlen.«

»Was ist denn das, Lösegeld?«

»Na, eben Geld. Sie müssen blechen, so viel sie von ihren Freunden zusammenkriegen können, und wenn sie ein Jahr lang kein Lösegeld bezahlt haben, werden sie kaltgemacht. Das ist so üblich. Bloß die Weiber werden nicht totgemacht. Sie sind nämlich immer wunderbar schön und reich und haben furchtbare Angst. Man nimmt ihnen die Schmucksachen und alles ab, aber man zieht den Hut vor ihnen und ist höflich. Kein Mensch ist so höflich wie ein Räuber, das kannst du in jedem Buch lesen. Na ja, und dann verlieben sich die Frauen, und wenn sie einmal ein oder zwei Wochen in der Höhle waren, dann hören sie auf zu heulen, und nachher kannst du sie gar nicht wieder loswerden. Wenn du sie rausschmeißt, kommen sie jedes Mal wieder zurück. Das ist in allen Büchern so.«

»Mensch, Tom, das ist ja großartig. Ich glaub, das ist noch besser als Pirat sein.«

»Ja. Es ist schon besser. Es ist auch nicht so weit weg von zu Hause und vom Zirkus und von allem anderen.«

Inzwischen war alles bereit und die Jungen kletterten, Tom voran, in die Höhle. Sie tasteten sich bis zu dem anderen Ende des Tunnels durch und machten dort ihre Drachenleinen fest. Ein paar Schritte weiter kamen sie zu der Quelle und Tom schauderte zusammen. Er zeigte Huck die Überreste der letzten Kerze, die er mit Lehm an der Felswand befestigt hatte, und beschrieb, wie er und Becky hier die Flamme immer kleiner werden und schließlich ausgehen sahen.

Die Jungen flüsterten nur noch, denn Stille und Finsternis bedrückten sie. Tom ging voran und bog bald in den Gang ein, der zu der Felsspalte führte. Beim Schein der Kerzen stellte sich heraus, dass es gar keine Felsspalte, sondern ein Hang war, der allerdings an die zehn Meter abfiel.

Tom flüsterte:

»Jetzt will ich dir was zeigen, Huck.«

Er hielt die Kerze hoch.

»Sieh einmal um die Ecke. Siehst du das schwarze Kreuz an der Felswand? Gerade da drüben hab ich dem Indianer-Joe seine Kerze gesehen.«

Huck starrte eine Weile auf das mystische Zeichen und sagte dann mit zitternder Stimme:

»Tom, wollen wir nicht lieber hier weg?«

»Was? Und den Schatz liegen lassen?«

»Ja, meinetwegen. Der Geist vom Indianer-Joe geht sicher hier um.«

»Ach wo, Huck. Der geht höchstens dort um, wo er gestorben ist, oben am Eingang, fünf Meilen von hier.«

»Nein, Tom, bestimmt nicht. Er kommt nicht vom Geld los. Ich weiß doch, wie's die Gespenster machen, und du doch auch.«

Tom bekam Angst, Huck könnte Recht haben. Zweifel stiegen in ihm auf. Aber plötzlich lachte er auf.

»Hör mal, Huck, wir sind ja blöd. Der Geist kann doch nicht hier umgehen, wo ein Kreuz ist!«

Das traf ins Schwarze. Die Wirkung blieb nicht aus.

»Daran habe ich nicht gedacht, Tom. Aber es stimmt. Ein Glück für uns, dass es ein Kreuz ist. Ich denk, wir klettern einmal hinunter und sehen uns nach der Kiste um.«

Tom ging als Erster und hackte beim Hinabsteigen eine rohe Treppe in den Lehm. Huck folgte. Die kleine Grotte, aus der der Hügel aufstieg, öffnete sich nach vier Seiten.

Die Jungen untersuchten drei der Gänge ohne Erfolg. In dem einen, der dem Felsen am nächsten lag, fanden sie einen Schlupfwinkel mit einem Lager aus Decken. Sie entdeckten einen alten Hosenträger, ein Stück Speckschwarte und die abgenagten Knochen von zwei oder drei Hühnern. Aber keine Geldkiste. Die Jungen suchten die Stelle wieder und wieder ab, aber vergebens. »Er hat doch gesagt ›unter dem Kreuz‹. Hier ist es doch am nächsten beim Kreuz. Unter dem Felsen selbst kann es doch nicht sein, der sitzt doch hier fest auf dem Grund.«

Sie suchten noch einmal alles durch und setzten sich dann entmutigt nieder. Huck fiel nichts ein. Tom aber meinte nach einer Weile: »Pass mal auf, Huck, hier auf dem Lehm sind Fußspuren und Wachstropfen bloß auf dieser einen Seite. Was das wohl bedeutet? Ich wette, das Geld ist doch unter dem Felsen. Ich grabe einmal in dem Lehm.«

»Kein schlechter Gedanke, Tom«, sagte Huck, der neuen Mut gefasst hatte. Im Augenblick hatte Tom sein Taschenmesser hervorgeholt, und kaum hatte er zehn Zentimeter tief gegraben, da stieß er auf etwas Hartes.

»Huck, Huck, hörst du das?«

Jetzt fing auch Huck an zu graben und zu kratzen. Ein paar Bretter kamen zum Vorschein und wurden aufgehoben. Unter ihnen entdeckten sie eine natürliche Höhlung, die unter den Felsen führte. Tom kroch hinein und hielt seine Kerze so weit unter den Felsen wie nur möglich, aber er sagte, er könne nicht bis zum Ende sehen. Sie forschten weiter. Tom bückte sich und kroch durch den engen Gang, der allmählich abwärts führte. Er ging allen Windungen des Pfades nach, erst nach rechts, dann nach links, Huck immer auf seinen Fersen. Plötzlich bog Tom um eine scharfe Ecke und schrie auf.

»Herrgott! Huck, sieh nur!«

Kein Zweifel: Es war die Schatzkiste. Sie stand in einer kleinen Nische, neben einem leeren Pulverfass, ein paar Gewehren in Lederfutteralen, zwei Paar Mokassins, einem Ledergürtel und allerlei anderem Zeug, das von dem tropfenden Wasser ganz durchweicht war.

»Na endlich!«, sagte Huck und wühlte mit den Händen in den feuchten Münzen herum. »Himmel! Jetzt sind wir reich, Tom!« »Ich hab ja immer gewusst, dass wir's kriegen, Huck. Es ist kaum zu glauben, aber jetzt haben wir's! Also los! Stehen wir nicht lang rum. Lass mal sehen, ob ich das Ding tragen kann.«

Die Kiste wog fast einen halben Zentner. Tom konnte zwar eine Ecke hochheben, aber tragen konnte er sie nicht.

»Das hab ich mir gedacht«, sagte er, »sie hat schon so schwer ausgesehen, wie sie sie aus dem Gespensterhaus getragen haben. Gut, dass wir die Säcke mithaben.«

Das Geld war bald in den Säcken und die Jungen schleppten es zum Felsen hinauf, wo sich das Kreuz befand.

»Jetzt wollen wir noch die Gewehre und das andere Zeug holen«, meinte Huck.

»Nein, Huck, die lassen wir hier. Das ist grad der Platz, den wir brauchen, wenn wir Räuber werden. Wir lassen alles liegen und halten hier unsere Orgien ab. Das ist genau der Platz für Orgien.« »Was sind Orgien?«

»Weiß ich nicht. Räuber halten immer Orgien ab, darum müssen wir's natürlich auch abhalten. Komm jetzt, Huck. Wir sind schon lang genug hier. Ich glaub, es ist spät, und ich hab auch Hunger. Wenn wir ins Boot kommen, wollen wir erst mal essen und rauchen.«

Bald darauf steckte Tom inmitten des dichten Gebüsches seinen Kopf aus der Erde, spähte vorsichtig umher und fand die Luft rein. Sie stiegen ins Boot und machten sich über das Essen her. Als die Sonne sich dem Horizont näherte, steckten sie ihre Pfeifen an und stießen ab. Tom stakte am Ufer entlang flussaufwärts und schwatzte mit Huck. Bald nach Einbruch der Dunkelheit kamen sie drüben an Land.

»So«, meinte Tom, jetzt verstecken wir das Geld erst im Holzschuppen von der Witwe. Morgen früh komm ich und wir zählen und teilen's. Dann suchen wir uns im

Wald 'ne Stelle, wo wir es sicher vergraben können. Bleib du mal ruhig hier und pass auf, ich hol rasch den kleinen Wagen von Ben Taylor. Ich bin gleich wieder da.«

Er verschwand und kam bald darauf mit dem Leiterwagen zurück. Sie packten die beiden Säcke auf, warfen ein paar alte Lumpen drüber und zogen mit dem Karren los.

Beim Hause des Walisers hielten sie an, um sich auszuruhen. Gerade als sie weiterwollten, kam der Alte heraus und rief:

»Hallo, wer ist da?«

»Huck Finn und Tom Sawyer.«

»Sehr gut! Kommt mal mit, Jungen. Alles wartet schon auf euch. Los, los, geht nur vor. Ich zieh den Wagen schon. Donnerwetter, der ist gar nicht so leicht, wie er aussieht. Habt ihr Ziegel drin oder Alteisen?«

»Alteisen«, erklärte Tom.

»Dacht ich mir. Ihr Buben plagt euch mehr ab, um für paar Cents altes Blechzeug zu finden, anstatt mit ordentlicher Arbeit dreimal so viel zu verdienen. Na, dann los! Beeilen wir uns!«

Die Jungen wollten wissen, weshalb sie sich beeilen sollten.

»Geht euch nichts an. Ihr werdet schon sehen, wenn wir zur Witwe Douglas kommen.«

Huck wurde ängstlich. Er war es gewohnt, zu Unrecht beschuldigt zu werden.

»Mr Jones«, sagte er, »wir haben doch gar nichts angestellt!«

»Weiß nicht, mein Junge, darüber weiß ich gar nichts. Bist du mit der Witwe nicht gut Freund?«

»Doch. Wenigstens ist sie bis jetzt immer gut mit mir ausgekommen.«

»Na also. Wovor hast du dann Angst?«

Noch ehe Huck in seiner langsamen Art die Frage beantwortet hatte, fühlte er sich mitsamt Tom gepackt und in das Wohnzimmer der Witwe Douglas gezogen. Mr Jones ließ den Wagen vor der Tür stehen und kam nach.

Das Zimmer war festlich erleuchtet und das halbe Städtchen versammelt. Thatchers waren da, Harpers, Rogers, Tante Polly, Sid, Mary, der Pastor, der Redakteur der Zeitung und noch viele andere, alle in Sonntagskleidern. Die Witwe empfing die Jungen so herzlich, wie man zwei so aussehende Gestalten empfangen konnte; beide waren über und über mit Wachs und Lehm beschmiert. Tante Polly wurde vor Scham puterrot und sah Tom streng und kopfschüttelnd an. Aber keiner fühlte sich so ungemütlich wie die Jungen selbst.

»Ich hab die beiden grade vor meiner Haustür aufgetrieben«, sagte der Waliser, »und sie hergeschleppt, wie sie waren.«

»Das haben Sie ganz richtig gemacht«, meinte die Witwe. »Kommt mit ihr beiden.«

Sie nahm sie mit in das Schlafzimmer und sagte:

»Jetzt wascht euch einmal und zieht euch um. Hier sind zwei neue Anzüge, Wäsche, Strümpfe, alles, was ihr braucht. Sie gehören Huck – nein, nicht danken, Huck –, Mr Jones hat einen gekauft und ich den anderen. Aber sie passen euch ja beiden. Also, wir warten auf euch, macht euch rasch zurecht und kommt dann.«

Damit ging sie hinaus.

35

Huck sagte:

»Tom, wenn wir einen Strick finden, können wir ausreißen. Das Fenster ist nicht hoch.«

»Blödsinn, wozu willst du denn ausreißen?«

»Na ja, so 'ne Menge Menschen bin ich nicht gewohnt. Das kann ich nicht aushalten. Ich will nicht wieder da hinüber, Tom.«

»Ach, Unsinn, das macht doch nichts. Mir macht das gar nichts aus. Komm nur, ich nehm dich schon in Schutz.«

Sid erschien.

»Tom«, sagte er, »die Tante hat den ganzen Nachmittag auf dich gewartet. Mary hat deine Sonntagssachen schon zurechtgelegt und alle haben nach dir gesucht. Sag mal, sind das nicht Wachsflecken und Lehm auf deinen Sachen?«

»Hör mal, Mr Sid, kümmre du dich gefälligst um deine eigenen Angelegenheiten. Was soll denn der ganze Radau hier?«

»Ach, das ist so 'ne Gesellschaft, wie die Witwe sie immer gibt. Diesmal zu Ehren vom Waliser und seinen Söhnen, weil sie ihr neulich in der Nacht geholfen haben. Übrigens, ich kann dir auch noch was erzählen, wenn du's wissen willst.«

»Was denn?«

»Der alte Jones will heute Abend die Leute mit was überraschen, aber ich hab schon gehört, was es ist, wie er's der Tante gesagt hat. Es ist ja überhaupt kein Geheimnis mehr. Jeder weiß es. Die Witwe auch, wenn sie auch so tut, als hätt sie keine Ahnung. Ja, Jones wollt unbedingt, dass Huck hier ist. Was nützt ihm auch sein großes Geheimnis ohne Huck, nicht?«

»Was denn für ein Geheimnis, Sid?«

»Na, dass Huck neulich die Räuber verfolgt hat. Der Jones wollt 'ne Riesenüberraschung draus machen, aber ich wett, das wird ihm nicht ganz gelingen.«

Sid grinste zufrieden.

»Sid, hast du das rausgebracht?«

»Ist doch egal, wer's war. Jemand hat's eben gemacht, das genügt.« »Sid, dazu ist nur ein Mensch in der ganzen Stadt gemein genug und das bist du. Du an Hucks Stelle hättst dich den Berg runtergeschlichen und keinem Menschen was von den Räubern gesagt. Du kannst weiter nichts als Gemeinheiten anstellen und beißt dich wohin, wenn ein anderer gelobt wird. Da, du Biest, du elendiges! – Nicht danken, wie die Witwe sagt.«

Und Tom langte Sid ein paar Ohrfeigen und half ihm mit einigen Tritten zur Tür hinaus.

»So, jetzt geh und erzähl's Tante Polly, wenn du dich traust. Morgen gibt's dann die Fortsetzung.«

Ein paar Minuten später saß die Witwe mit ihren Gästen an der Tafel und das Dutzend Kinder war im selben Raum rund um einen »Katzentisch« untergebracht, so wie das damals Mode war.

Mr Jones hielt eine kleine Rede, in der er der Witwe seinen Dank aussprach für die Ehre, die sie ihm und seinen Söhnen erwies. Es sei aber, fuhr er fort, noch eine andere Person da, deren Bescheidenheit …

Und so weiter und so weiter.

Er enthüllte das Geheimnis von Hucks Anteil auf die dramatischste Weise, aber die Überraschung, die diese Enthüllung hervorrief, war in der Hauptsache geheuchelt und jedenfalls lange nicht so laut und stürmisch, wie sie unter glücklicheren Umständen gewesen wäre. Immerhin strengte sich die Witwe an, ein unsagbares Erstaunen zur Schau zu tragen, und sie überhäufte Huck mit so vielen Komplimenten und Dankreden, dass er die beinahe unerträgliche Last seiner neuen Kleider über dem noch größeren Unbehagen vergaß, im Mittelpunkt aller Blicke und Lobreden sitzen zu müssen. Die Witwe verkündete, sie wolle auch Huck unter ihrem Dache ein Heim geben und ihm eine gute Erziehung angedeihen lassen. Und wenn sie das Geld aufbringen könne, würde sie ihm später, in bescheidenen Grenzen natürlich, zu einer Existenz verhelfen.

Tom sah seinen Zeitpunkt gekommen.

»Huck braucht das gar nicht«, platzte er los, »Huck ist reich.«

Nur die den Gästen in ihrer Kindheit anerzogenen guten Manieren verhinderten, dass die ganze Gesellschaft über diesen eigentümlichen Scherz in schallendes Gelächter ausbrach. Aber die Stille, die den Worten folgte, war fast noch peinlicher. Tom brach sie.

»Huck hat genug Geld. Sie wissen es bloß nicht, aber er

hat massenhaft Geld. Ja, ja. Sie brauchen gar nicht zu lachen. Ich werd's Ihnen zeigen. Ich komm gleich wieder.«

Damit sprang er aus der Tür. Die Gäste sahen einander verblüfft an und bestürmten Huck mit Fragen. Der schwieg.

»Sid, was hat denn Tom wieder?«, fragte Tante Polly. »Man weiß doch nie, was dem Jungen alles einfällt. Niemals …«

Sie brachte den Satz nicht zu Ende. Tom trat ein, keuchend unter der Last der beiden Geldsäcke. Mit triumphierender Gebärde schleuderte er einen klimpernden Goldregen über den Tisch hin und rief:

»Na, was hab ich gesagt? Die eine Hälfte gehört Huck und die andere Hälfte mir!«

Der Anblick raubte allen den Atem. Sie starrten auf das Gold und niemand wagte zu sprechen. Dann fingen alle gleichzeitig zu reden und zu gestikulieren an und jeder wollte die Erklärung für das Unfassbare.

»Das will ich schon erklären«, sagte Tom – und tat es.

Die Erzählung war lang und voller Spannung. Ihr Fluss wurde von niemandem unterbrochen. Als Tom zu Ende war, sagte der alte Jones:

»Da dacht ich nun heut die richtige Überraschung mitzubringen, aber dagegen komm ich nicht auf. Dagegen ist meine Überraschung nichts, das muss ich sagen.«

Das Geld wurde gezählt.

Es waren etwas mehr als zwölftausend Dollar. Niemand von den Anwesenden hatte jemals eine solche Summe auf einem Haufen gesehen, obwohl sich einige recht wohlhabende Bürger unter der Gesellschaft befanden.

36

Der Fund der beiden Jungen versetzte die kleine Stadt St. Petersburg in ungeheure Aufregung. Eine so riesenhafte Summe grenzte ans Unglaubliche. Alles sprach von dem Fund, rühmte ihn, sonnte sich in dem Glanz, bis der Verstand einiger Bürger unter der Anstrengung dieser ungesunden Aufregung zu leiden begann. Jedes Spukhaus in St. Petersburg und den umliegenden Ortschaften wurde eingerissen, Balken für Balken auseinandergenommen und mit den Grundfesten aus der Erde gegraben, um verborgene Schätze freizulegen. Nicht Jungen taten das, sondern Männer, sonst recht ernsthafte, unromantische Männer. Tom und Huck aber wurden, wo sie erschienen, bewundert und angestarrt.

Früher hatten sie nie bemerkt, dass ihren Aussprüchen besonderes Gewicht beigemessen wurde, jetzt aber wurde jede ihrer Bemerkungen wie Gold gewogen und verbreitet. Alles, was sie unternahmen, schien irgendjemandem von größter Wichtigkeit zu sein, offensichtlich hatten sie die Fähigkeit verloren, alltägliche und allgemein übliche Dinge zu tun oder zu sagen. Ja, ihre Vergangenheit wurde durchstöbert und man fand, dass sie Zeichen von bemerkenswerter Eigenart enthielt. Das Lokalblatt veröffentlichte Lebensbeschreibungen der Jungen.

Die Witwe Douglas legte Hucks Anteil zu sechs Prozent an und auf Tante Pollys Verlangen tat Richter Thatcher das Gleiche mit Toms Vermögen. Die Jungen hatten nun ein Einkommen, das einfach überwältigend war: einen Dollar für jeden Wochentag im Jahr und einen für jeden zweiten Sonntag dazu.

Zu jenen Zeiten brauchte ja ein Junge nicht viel mehr als einen Dollar in der Woche, um Wohnung, Essen und Schule zu bezahlen, und es blieb sogar noch etwas für die Kleidung.

Richter Thatcher hielt nun große Stücke auf Tom. Kein gewöhnlicher Junge, erklärte er, hätte seine Tochter aus der Höhle gerettet. Als Becky ihrem Vater dann noch unter strengster Verschwiegenheit erzählte, wie Tom in der Schule die Prügel für sie auf sich genommen hatte, war der Richter sichtlich bewegt, und als sie für ihn wegen der frechen Lüge, durch die Tom ihr die Prügel abgenommen hatte, um Verzeihung bat, sagte der Richter mit erhobener Stimme, es sei eine edle, eine großmütige, ja eine erhabene Lüge gewesen – eine Lüge, die getrost ihr Haupt erheben könne und sich den großen, berühmten Lügen der Geschichte würdig an die Seite stellen könnte. Es schien Becky, ihr Vater habe nie so stolz ausgesehen wie in dem Augenblick, als er mit dem Fuß aufstampfte und diese Worte sprach. Unverzüglich rannte sie zu Tom und erzählte ihm alles.

Richter Thatcher hoffte Tom eines Tages als großen Richter oder großen Soldaten zu sehen. Er würde schon dafür sorgen, sagte er, dass Tom in die staatliche Militärakademie käme und nachher auf der besten Hochschule der Vereinigten Staaten als Jurist ausgebildet würde, damit er sich dann für eine der beiden Laufbahnen, wenn er wolle, auch für beide, entscheiden könne.

Huck wurde durch seinen Reichtum und die Tatsache, dass er unter dem Schutz der Witwe Douglas stand, in die gute Gesellschaft eingeführt. Eingeführt? Nein, er wurde hineingestoßen und seine Qualen waren fast unerträglich. Die dienstbaren Geister der Witwe hielten ihn sauber, kämmten und bürsteten ihn und betteten ihn allnächtlich unbarmherzig in saubere Laken, die nicht einen einzigen kleinen Schmutzfleck aufwiesen, den er hätte ans Herz drücken und als Freund begrüßen können. Er musste mit Messer und Gabel essen, Serviette, Tasse und Teller benutzen, er musste aus Büchern lernen, zur Kirche gehen und so »richtig« sprechen, dass ihm seine eigene Sprache im Munde schal schmeckte ... Wo er ging und stand, umgaben ihn die Fesseln der Zivilisation und banden ihm Hände und Füße.

Drei Wochen lang ertrug Huck sein Elend und dann war er eines Tages verschwunden. Die Witwe suchte in großer Verzweiflung nach ihm. Die Öffentlichkeit nahm tiefen Anteil. Man durchstöberte alle nur möglichen Stellen, ja, man fischte sogar den Fluss nach seiner Leiche ab.

Am dritten Tage machte sich Tom frühmorgens auf die Suche. Ohne viele Umwege ging er nach dem verlassenen Schlachthaus und durchstöberte die alten, leeren Fässer, die dort umherstanden. In einem von ihnen fand er den Vermissten. Huck hatte hier übernachtet und war gerade mit seinem Frühstück, das aus ein paar Essensresten bestand, fertig geworden. Er lag jetzt behaglich da und rauchte seine Pfeife. Er war ungewaschen und ungekämmt und hatte dieselben Lumpen auf dem Leibe, die ihm in den Tagen, da er noch frei und glücklich war, sein malerisches Aussehen verliehen hatten. Tom zog ihn aus dem Fass, berichtete von der Aufregung, die er verursacht hatte, und wollte ihn mit nach Hause schleppen. Sofort verlor Hucks Gesicht seine zufriedene Ruhe und er bekam einen melancholischen Ausdruck.

»Sprich nicht davon, Tom«, sagte er, »ich hab's versucht, aber es geht nicht, Tom. Das ist nichts für mich. Die Witwe ist ja gut und nett zu mir, aber ich kann dieses Leben nicht aushalten. Ich soll jeden Morgen um dieselbe Zeit aufstehen, mich waschen, kämmen und das ganze Zeug, ich darf nicht mal im Wald schlafen und muss immerzu die verfluchten Anzüge tragen, die mich ganz verrückt machen. Man kriegt ja keine Luft in dem Zeug, und dann sind sie so widerlich fein, dass man sich nicht traut, sich irgendwo hinzulegen oder rumzutollen. Tom, mir ist, als wär ich seit einem Jahr auf keiner Kellertür mehr geschlittert. Nein, da muss man in die Kirche gehen und schwitzen. Keine Fliege darf man fangen, kauen darf man nicht, den ganzen Sonntag muss man Stiefel tragen, na, überhaupt! Essen tun sie nach der Uhr und ins Bett gehen, aufstehen, alles auf die Minute! Das kann ja kein Mensch aushalten!«

»Ach, Huck, das tun doch alle Leute.«

»Lass sie nur machen. Ich find das ekelhaft. Und zu essen kriegt man auch immer, wenn man mag, das macht gar keinen Spaß mehr. Wenn ich fischen gehen will, muss ich fragen. Wenn ich schwimmen gehen will, muss ich fragen. Zum Kotzen ist diese Fragerei! Und reden soll man, dass man sich andauernd anstrengen muss dabei. Und jeden

Morgen soll ich mir mit 'ner Bürste im Mund herumfahren lassen, dass man beinahe stirbt dabei. Rauchen darf ich nicht und gähnen nicht und räkeln und kratzen nicht und überhaupt nichts!«

Und mit einem Ausbruch besonderer Empörung fuhr Huck fort: »Und dann, immer betet sie! So eine Frau hab ich noch nicht gesehen! Überhaupt, jetzt fängt bald die Schule an – das kann ich nicht aushalten, Tom, ich muss weg. Siehst du, Tom, reich sein ist nicht so schön, wie's aussieht, da muss man immer arbeiten und arbeiten und schwitzen und schwitzen und möchte am liebsten tot sein. Nein, das Leben hier passt mir sehr gut und das Fass auch und zu denen geh ich nicht wieder zurück! Bloß wegen des Gelds hab ich die ganze Geschichte auf dem Hals gehabt! Nimm nur meinen Teil zu deinem dazu und gib mir ab und zu einen Groschen – aber nicht zu oft, weil ich mir 'nen Dreck aus Sachen mach, die man leicht kriegt. Und jetzt geh zur Witwe hin und kauf mich los.«

»Ach, Huck, das geht doch nicht. Das kannst du nicht machen. Und überhaupt, wenn du erst mal 'ne Weile das neue Leben probiert hast, kommst du schon auf den Geschmack!«

»Geschmack! Es kommt mir vor wie 'n heißer Ofen, auf dem ich lang genug draufgesessen bin! Nein, Tom, ich hab keine Lust, reich zu sein und in stickigen Häusern rumzusitzen. Mir genügen der Wald und das Wasser und ein leeres Fass. Und dabei bleib ich auch! Grad jetzt, wo wir Gewehre haben und 'ne Höhle und alles fertig ist zum Räuberdasein, da muss diese blödsinnige Geschichte rauskommen und uns alles verderben!«

Tom führte seinen Gegenzug: »Na ja, Huck, aber auch wenn ich reich bin, deshalb werde ich doch Räuber.«

»Tatsächlich? Menschenskind, meinst du das wirklich todernst, Tom?«

»Todernst, so wahr ich hier steh. Aber das sag ich dir, wenn du nicht ein anständiger Mensch bist, können wir dich nicht in unsere Bande aufnehmen.«

Hucks Freude erlosch.

»Wieso nicht aufnehmen, Tom, als Pirat habt ihr mich auch aufgenommen.«

»Na ja, das ist auch was anderes. Räuber ist was viel Besseres als Pirat. Das weiß doch jeder. In manchen Ländern sind auch Adelige – Grafen und Herzöge – bei den Räubern!«

»Tom, wir sind doch immer Freunde gewesen. Du wirst mich doch nicht ausschließen? Nicht wahr, Tom, das tust du nicht?«

»Huck, ich würd's nicht gern tun und ich möcht's nicht tun, aber was werden die Leute sagen? ›Puh! Tom Sawyers Bande! Verkommene Kerle sind da drin!‹ Und damit würden sie dich meinen, Huck! Das tät dir auch keinen Spaß machen und mir schon gar nicht.« Huck schwieg eine Weile und kämpfte mit sich.

»Na«, druckste er schließlich heraus, »meinetwegen, für vier Wochen geh ich noch mal zur Witwe zurück und schau, ob ich's aushalten kann, aber dann musst du mich auch in die Bande aufnehmen, Tom.«

»Das ist ein Wort! Komm, Huck! Ich werd der Dame schon erklären, dass sie dir ein bisschen mehr Freiheit lassen muss.«

»Tatsächlich, Tom, willst du das tun? Dann ist's gut. Wenn sie nur wenigstens die schlimmsten Sachen weglässt; rauchen und fluchen werd ich nur noch heimlich. Ich werd schon sehen, dass ich durchkomm. Wann gründen wir die Bande?«

»Meinetwegen gleich. Wir holen heut Abend die Jungen zusammen und feiern die Gründung und Vereidigung.«

»Feiern was ...?«

»Vereidigung!«

»Was ist denn das?«

»Na, jeder muss schwören, zur Bande zu halten und ihre Geheimnisse nicht zu verraten, auch nicht, wenn man in Stücke gehauen wird. Und an jedem Feind, der einem von der Bande was tut, blutige Rache nehmen!«

»Das ist toll, Tom. Wirklich toll!«

»Ist es auch. Die Vereidigung muss um Mitternacht sein, an dem verlassensten, schauerlichsten Ort, den's gibt. Am besten sind Spukhäuser dafür geeignet, aber die haben sie ja alle weggerissen!« »Mitternacht ist jedenfalls richtig, Tom.«

»Stimmt. Und wir müssen über einem Sarg schwören und mit Blut unterzeichnen.«

»Das ist 'ne Sache! Tausendmal schöner als Pirat sein. Jetzt bleib ich bei der Witwe und wenn ich zugrund geh, Tom! Und wenn ich dann so ein richtiger Räuber bin und alle Leute darüber reden, dann werden unsere Freunde noch mal stolz darauf sein, dass sie mich aus dem Dreck gezogen haben!«